MICHEL

Michel Bussi, géographe et pr

Rouen, a publié aux Presses d

polar français le plus primé en 2011, dont l'édition en bande dessinée a paru en janvier 2019 aux Éditions Dupuis. *Un avion sans elle*, pour lequel il a reçu le Prix Maison de la Presse, s'est vendu à plus de un million d'exemplaires en France. Ses ouvrages, qui rencontrent un grand succès international, notamment en Allemagne, en Angleterre, en Italie et en Chine, sont traduits dans 35 pays. Les droits de plusieurs d'entre eux ont été cédés en vue d'adaptations télévisuelles : France 2 a diffusé les six épisodes de *Maman a tort* en 2018. *Un avion sans elle* a été diffusé par M6 en 2019 et *Le temps est assassin* par TF1. Il est l'auteur, toujours aux Presses de la Cité, de *Ne lâche pas ma main* (2013), *N'oublier jamais* (2014), *Maman a tort* (2015), *Le temps est assassin* (2016) et *On la trouvait plutôt jolie* (2017). *Gravé dans le sable*, paru en 2014, est la réédition du premier roman qu'il a écrit, *Omaha Crimes*, et le deuxième publié après *Code Lupin* (2006). En 2018, il a publié un recueil de nouvelles chez Pocket, *T'en souviens-tu, mon Anaïs ?* et a réédité l'un de ses premiers romans, *Sang famille* (paru en 2009), aux Presses de la Cité. Une version enrichie et illustrée de *Code Lupin* a paru aux Éditions des Falaises, et *Mourir sur Seine* a été adapté en bande dessinée aux Éditions Petit à Petit. Cette même année, Michel Bussi a aussi publié son premier recueil de contes pour enfants, *Les Contes du Réveil Matin*, aux Éditions Delcourt. Il est le deuxième auteur français le plus vendu en France en 2018 selon le palmarès du *Figaro*-GFK. Ses deux derniers romans, *J'ai dû rêver trop fort* et *Au soleil redouté*, ont paru en 2019 et 2020 aux Presses de la Cité.

Retrouvez toute l'actualité de l'auteur sur son site :
www.michel-bussi.fr
et sur ses pages Facebook et Instagram

MAMAN A TORT

DU MÊME AUTEUR

CHEZ POCKET

UN AVION SANS ELLE
NYMPHÉAS NOIRS
NE LÂCHE PAS MA MAIN
N'OUBLIER JAMAIS
GRAVÉ DANS LE SABLE
MAMAN A TORT
LE TEMPS EST ASSASSIN
ON LA TROUVAIT PLUTÔT JOLIE
SANG FAMILLE
TOUT CE QUI EST SUR TERRE DOIT PÉRIR
J'AI DÛ RÊVER TROP FORT

T'EN SOUVIENS-TU, MON ANAÏS ?
et autres nouvelles

MICHEL BUSSI

MAMAN A TORT

ISBN 978-2-266-26584-3

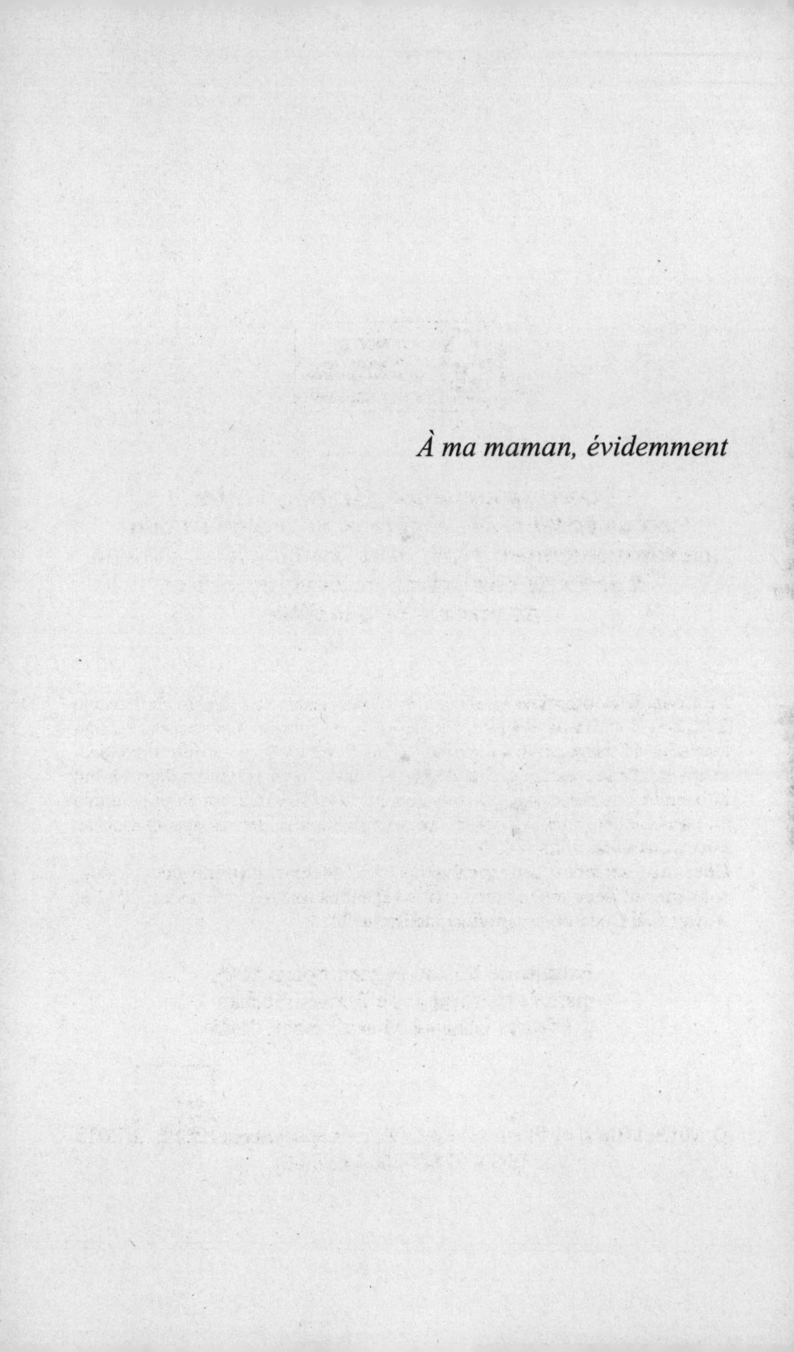

À ma maman, évidemment

J'ai plusieurs mamans.
C'est un peu compliqué pour moi.
Surtout qu'elles ne s'aiment pas vraiment.
Il y en a même une qui va mourir.
Peut-être que c'est un peu ma faute ?
Peut-être que tout est arrivé à cause de moi ?
Parce que je ne me rappelle pas laquelle est la vraie.

I
Marianne

1

Aéroport du Havre-Octeville,
vendredi 6 novembre 2015, 16 h 15

Malone sentit ses pieds décoller du sol, puis juste après, il vit la dame derrière la vitre. Même si elle portait un costume violet, un peu comme les policiers, elle avait un visage rond et des lunettes rigolotes. Dans sa cabane transparente, elle ressemblait à une dame qui donne des tickets de manège.

Il sentait les deux mains de maman trembler un peu à le tenir ainsi en équilibre.

La dame le regardait droit dans les yeux, puis se tournait vers maman, puis les baissait vers les petits carnets marron qu'elle tenait ouverts entre ses doigts.

Maman lui avait expliqué. Elle vérifiait leurs photos. Pour être sûre que c'était bien eux. Qu'ils avaient bien le droit de prendre l'avion.

Sauf que la dame ne savait pas où ils allaient. Où ils allaient vraiment.

Lui seul était au courant.

Ils s'envolaient pour la forêt des ogres.

Malone posa ses mains sur le rebord de la cabane pour aider maman à le porter sans qu'il glisse. Il regardait maintenant les lettres accrochées à la veste de la dame. Bien entendu, il ne savait pas encore lire, mais il était capable d'en reconnaître quelques-unes.

J… A… N…

L'hôtesse fit signe à la femme devant elle qu'elle pouvait reposer le petit. D'habitude, Jeanne faisait moins de zèle. Surtout ici, dans ce petit aéroport du Havre-Octeville qui ne comptait que trois guichets, deux tapis roulants et un distributeur de café. Mais depuis le début de l'après-midi, l'équipe de sécurité s'agitait, du parking au tarmac. Tous mobilisés pour une partie de cache-cache avec un fugitif invisible, dont il était d'ailleurs particulièrement improbable qu'il passe par ce trou de souris aérien.

Peu importait. La commandante Augresse avait été explicite. Afficher les photos des types et de la fille sur les murs du hall, et mettre en garde chaque douanier, chaque membre du service de sécurité.

Ils étaient dangereux.

L'un des deux types surtout.

Braqueur, d'abord. Assassin, depuis. Multirécidiviste, d'après l'alerte lancée sur tout le réseau de la police régionale.

Jeanne se pencha un peu en avant.

— Tu as déjà pris l'avion, mon petit bonhomme ? Tu es déjà parti aussi loin ?

Le gamin fit un pas de côté pour se cacher derrière sa mère. Jeanne n'avait pas d'enfants. Elle jonglait avec des horaires à la con à l'aéroport et c'était un excellent prétexte pour que son faux cul de copain botte en touche quand elle évoquait la question. Pourtant, elle savait s'y prendre avec les mômes. Plus qu'avec les mecs, souvent. Les mômes, c'était ça, son don ; les apprivoiser. Les mômes et les chats.

Elle sourit à nouveau.

— Tu n'as pas peur, dis-moi ? Parce que tu sais, là où tu vas, il y…

Elle laissa volontairement traîner la voix pour qu'un bout de nez surgisse de derrière les deux jambes de la mère boudinées dans le jean serré.

— Il y a la jungle… Pas vrai, mon ange ?

L'enfant eut un bref mouvement de recul, comme s'il avait été surpris que l'hôtesse ait pu ainsi percer son secret. Jeanne examina une dernière fois les passeports avant de donner deux coups de tampon énergiques.

— Mais tu n'as aucune raison d'avoir peur, mon ange. Tu pars avec ta maman !

Le gamin s'était à nouveau caché derrière sa mère. Jeanne fut déçue. Si maintenant elle perdait aussi le feeling avec les gosses… Elle se rassura, le lieu était intimidant, et puis ces crétins de militaires passaient et repassaient dans le hall avec leur flingue à la ceinture, et leur FAMAS en bandoulière, comme si la commandante Augresse allait visionner les bandes et leur attribuer des points de bonne conduite pour surveillance zélée.

Jeanne insista. Son boulot, c'était la sécurité. Ça impliquait aussi la sécurité affective des clients.

— Tu demanderas à ta maman. Elle t'expliquera la jungle.

La mère la remercia d'un sourire. Il ne fallait pas en demander tant au gosse, mais il avait tout de même réagi.

Bizarrement.

Un instant, Jeanne se demanda comment interpréter ce bref mouvement des yeux qu'elle avait intercepté. Une fraction de seconde… Quand elle avait prononcé une deuxième fois le mot « maman », le petit n'avait pas regardé sa mère. Il avait tourné la tête dans l'autre sens, vers le mur. Vers l'affiche de cette fille qu'elle venait de coller il y avait à peine quelques minutes. L'affiche de cette fille, recherchée par toutes les polices de la région, et de ce type à côté. Alexis Zerda. Le tueur.

Une illusion, sans doute.

Le gosse regardait peut-être la grande baie vitrée, sur la gauche. Ou les avions derrière. Ou la mer au loin. Il était juste dans la lune. Ou déjà dans le ciel.

Jeanne hésita encore à interroger la mère et son fils, repoussant un pressentiment inexplicable, une impression malsaine sur la relation entre cet enfant et sa mère. Quelque chose d'inhabituel, de trouble, sans qu'elle puisse le définir.

Tous leurs papiers étaient en règle. Sous quel prétexte les retenir ? Les deux bidasses au crâne rasé repassaient, serrés dans leurs treillis léopard, en faisant claquer leurs bottes. Assurant la sécurité en collant une frousse bleue aux familles.

Jeanne se raisonna. C'était la pression. Cet insupportable climat de guerre civile dans les aéroports à chaque fois qu'un type dangereux se retrouvait à cavaler en pleine nature avec les flics à ses trousses. Elle était trop émotive, elle le savait, c'était pareil avec les garçons.

L'hôtesse fit passer les passeports par l'ouverture de la plaque de verre incassable.

— Tout est en règle, madame. Bon voyage.

— Merci.

C'était le premier mot que la femme prononçait.

Au bout de la piste, un Airbus A318 bleu ciel de la KLM s'envolait.

* *
*

La commandante Marianne Augresse leva les yeux vers l'Airbus azur qui traversait le ciel. Elle le suivit un instant au-dessus de l'océan noir pétrole, puis reprit sa pénible ascension.

Quatre cent cinquante marches.

Jibé, une cinquantaine de marches plus haut, se permettait le luxe de les redescendre en courant. Comme si son adjoint en faisait un jeu, un défi personnel ! Sur le moment, cela énerva Marianne, plus encore que tout le reste.

— J'ai un témoin ! cria le lieutenant quand il fut parvenu à vingt marches d'elle. Et pas n'importe lequel…

Marianne Augresse s'agrippa à la rambarde de l'escalier et en profita pour souffler. Elle sentait des gouttes couler dans son dos. Elle détestait cette sueur qui la trempait au moindre effort, quelques gouttes de plus à chaque gramme qu'elle prenait. Cette putain de quarantaine, de déjeuners sur le pouce, de soirées sur le canapé, de nuits seule et de joggings matinaux repoussés.

Son lieutenant dévalait l'escalier comme s'il faisait la course avec un ascenseur invisible.

Il se planta devant Marianne et lui tendit une sorte de rat gris. Mou. Mort.

— T'as trouvé ça où ?

— Dans les ronces, quelques marches plus haut. Alexis Zerda a dû le balancer avant de disparaître dans la nature.

La commandante ne répondit rien. Elle se contenta de pincer entre son pouce et son index le morceau de peluche flasque aux poils usés, presque blanchis à force d'avoir été caressés, sucés, tétés, pressés contre le corps tremblant d'un gosse de trois ans. Cousus au tissu, deux yeux de billes noires s'ouvraient, démesurés. Fixes. Comme figés dans une ultime terreur.

Jibé n'avait pas tort, la commandante tenait au bout de ses doigts un témoin. Un témoin disloqué. Poisseux. Dont on avait arraché le cœur. Qu'on avait fait taire, définitivement.

Marianne serra le doudou entre ses bras, tout en pensant au pire.

Le gosse n'aurait jamais abandonné sa peluche.

Elle écarta les poils de la peluche, machinalement, comme on caresse le duvet sur la poitrine d'un homme. Des traces brunes piquaient la naissance des fibres acryliques. Du sang, sans aucun doute. Le même que celui trouvé dans la planque quelques centaines de marches plus bas ?

Celui du gamin ?

Celui d'Amanda Moulin ?

— On continue, Jibé ! ordonna la commandante d'un ton volontairement agressif. On se magne. On grimpe.

Le lieutenant Jean-Baptiste Lechevalier ne discuta pas. En un élan, il avait déjà repris cinq marches d'avance sur sa supérieure. Marianne Augresse s'efforça de caler ses pas sur ses pensées, autant pour ne pas laisser la fatigue ralentir sa progression que pour poser ses hypothèses, bien empilées, les unes sur les autres. Même si au fond, une seule question, urgente, se posait.

Où ?

Train, voiture, tram, autocar, avion… Alexis Zerda disposait de mille moyens pour s'échapper, pour disparaître, malgré l'alerte lancée deux heures auparavant, malgré les affiches, malgré les dizaines d'hommes mobilisés.

Où et comment ?

Une marche après l'autre. Un raisonnement en entraînait un autre.

Où, comment et pourquoi ?

Pour éviter de se poser l'autre question. La principale.

Pourquoi balancer cette peluche ?

Pourquoi arracher ce doudou des mains du gamin ? Un gamin qui avait dû hurler, refuser de grimper une marche de plus, qui aurait préféré crever sur place plutôt que de se séparer de ce rat pelé qui portait son odeur et celle de sa mère.

Le vent de la mer apportait des parfums d'hydrocarbures insupportables. Les porte-conteneurs bouchonnaient au loin, dans le chenal du Havre, presque aussi tassés que des bagnoles cul à cul à un feu rouge.

Les veines se gonflaient sous les tempes de la commandante. Sang et sueur. L'escalier semblait s'étirer jusqu'à l'infini, comme si à chaque marche qu'elle gravissait une autre surgissait par magie, tout en haut, au-delà de son champ de vision.

Une seule question, obsédante, continuait de rebondir contre les parois de son crâne.

Pourquoi ?

Parce que Zerda n'avait pas l'intention de s'encombrer du gamin ? Pas plus que de la peluche ? Parce qu'il balancerait également ce môme, dans un fossé, juste un peu plus loin, juste le temps de trouver un coin un peu plus discret ?

Un autre Airbus traversait le ciel. L'aéroport était à moins de deux kilomètres à vol d'oiseau. Au moins, se rassura Marianne en pensant au dispositif de surveillance mis en place, Zerda ne pourrait pas passer là !

Quelques dizaines de marches encore. Le lieutenant Lechevalier avait déjà presque atteint le parking. La commandante Augresse progressait désormais à un rythme régulier. Ses doigts se crispaient sur la boule de poils grise, la malaxaient, comme pour vérifier qu'on lui avait bien arraché le cœur et la langue, que cette bestiole en peluche ne pourrait plus jamais rien raconter à personne, ni histoires, ni secrets, ni confidences ; qu'elle était définitivement morte, après toutes ces heures de conversations intimes avec Malone, ces conversations qu'ils avaient écoutées en boucle, elle et ses hommes.

Les doigts de la commandante jouèrent encore une ou deux secondes entre les poils raidis, puis s'arrêtèrent soudain, à l'exception de son index, qui glissa quelques millimètres supplémentaires sur l'acrylique. Ses yeux descendirent, machinalement, sans rien anticiper, sans se douter un instant de ce qu'ils allaient découvrir.

Que pouvait bien avoir à révéler ce bout de tissu éventré ?

Le regard de Marianne Augresse ralentit à son tour, se plissa, se concentra sur les signes délavés. Et d'un coup, la vérité explosa.

D'un coup, toutes les pièces du puzzle s'ordonnèrent. Y compris les plus improbables.

La fusée, la forêt des ogres, les pirates et leur bateau échoué, l'amnésie d'un rongeur tropical, le trésor, les quatre tours du château, tous ces délires sur lesquels elle et ses hommes bloquaient depuis cinq jours.

Les fables d'un gosse trop imaginatif. Qu'ils croyaient…

Tout était écrit là. Le petit Malone n'avait rien inventé !

Tout tenait en trois mots, accrochés aux poils synthétiques de ce témoin muet. Tous l'avaient eue entre leurs mains, cette peluche, mais personne n'avait rien remarqué. Tous s'étaient uniquement concentrés sur ce qu'elle avait à dire. Une peluche trop bavarde, qu'on avait écoutée mais pas regardée. Cette peluche assassinée pour qu'elle se taise à jamais, puis abandonnée par son assassin dans un talus.

La commandante ferma un instant les yeux. Elle pensa soudain que si quelqu'un était capable de lire dans ses pensées, de les intercepter comme on capte par hasard un bout de conversation, sans rien connaître du début de l'histoire, il la prendrait pour une folle !

Une peluche ne parle pas, ne pleure pas, ne meurt pas. On cesse d'y croire dès que l'on a quatre ans, mettons six, huit ans grand maximum.

Oui, si quelqu'un commençait cette histoire par ce chapitre, il la prendrait pour une cinglée. Quelqu'un ou tout simplement elle ; elle, rationnelle.

Elle, cinq jours plus tôt.

Marianne n'en pressa pas moins la peluche contre sa poitrine et tourna la tête vers les centaines de marches qu'elle venait de gravir, saisie d'un vertige. Au loin, elle n'aperçut que le ciel vide à l'infini, un ciel presque aussi noir que l'océan, dont le gris de l'écume se confondait avec celui des nuages.

Moins de vingt marches encore. Jibé avait déjà démarré la Mégane, elle entendait le moteur ronronner. Elle accéléra, jetant ses dernières forces.

Elle n'avait plus qu'une seule question à se poser, maintenant que la vérité s'affichait dans toute sa clarté.

Etait-il encore temps de les arrêter ?

Quatre jours avant...

LUNDI
Le jour de la lune

2

Petite aiguille sur le 8, grande aiguille sur le 7

— Maman marchait vite. Je lui tenais la main et ça me faisait mal au bras. Elle cherchait un coin pour qu'on se cache tous les deux. Elle criait mais je l'entendais pas, parce qu'il y avait trop de monde.

— Il y avait trop de monde ? C'était qui, tous ces gens autour de vous ?

— Bah… des gens qui faisaient les courses.

— Il y avait des magasins autour de vous, alors ?

— Oui. Plein. Mais nous, on n'avait pas de Caddie. Juste un grand sac. Mon grand sac Jack et les pirates.

— Mais toi et ta maman, vous faisiez aussi les courses ?

— Non. Non. Je partais en vacances. C'est ce que maman disait. Des grandes vacances. Mais moi je voulais pas. C'est pour ça que maman cherchait un coin pour se cacher avec moi. Pour pas que les gens me voient faire ma crise.

— Comme tu l'as fait à l'école ? Comme celle dont Clotilde m'a parlé ? Pleurer. Te mettre en colère. Vouloir tout casser dans la classe. C'est ça, Malone ?

— Oui.

— Pourquoi ?

— Parce que je voulais pas partir avec l'autre maman.

— C'était juste ça ?

— …

— D'accord, on va en reparler après, de ton autre maman. Essaye d'abord de te rappeler le reste. Tu peux me décrire ce que tu voyais ? L'endroit où tu marchais vite avec ta maman.

— Il y avait des magasins. Plein de magasins. Il y avait un McDo aussi, mais on y avait pas mangé. Maman voulait pas que je joue avec les autres enfants.

— Tu te souviens de la rue ? Tu te souviens des autres magasins ?

— C'était pas dans une rue.

— Comment ça, pas dans une rue ?

— Si, c'était comme une rue, mais on voyait pas le ciel !

— Tu en es certain, Malone ? On ne voyait pas le ciel ? Est-ce qu'il y avait un grand parking dehors, autour des magasins ?

— Je sais pas. J'avais dormi dans la voiture. Je me souviens juste d'après, dans la rue sans le ciel avec les magasins, quand maman tirait ma main.

— D'accord. Ce n'est pas grave, Malone. Attends. Attends quelques secondes, je vais te montrer des photos, tu vas me dire si tu reconnais.

Malone attendit sur son lit, sans bouger.

Gouti ne disait plus rien, comme s'il était mort ; puis il se remit à parler à nouveau. Il faisait souvent ça, c'était normal.

— Regarde, Malone. Regarde les images sur l'écran d'ordinateur. Est-ce que ça te rappelle quelque chose ?

— Oui.

— C'étaient ceux-là, les magasins avec ta maman ?

— Oui.

— Tu es sûr ?

— Je crois bien. Il y avait le même oiseau rouge et vert. Et le perroquet aussi, le perroquet déguisé en pirate.

— D'accord. C'est très important, Malone. Je te montrerai d'autres photos plus tard. Pour l'instant, je continue ton histoire, vous vous êtes cachés dans un coin avec ta maman. Où ça ?

— Dans les toilettes. J'étais assis par terre. Maman a fermé la porte, pour mieux que je l'écoute sans que personne entende.

— Qu'est-ce qu'elle te disait, ta maman ?

— Que tout ce qu'il y a dans ma tête va partir, comme les rêves que je fais la nuit. Mais qu'il faut que je me force à penser à elle, à chaque fois avant de faire dodo. Que je pense fort à elle. Et puis à notre maison aussi. A la plage. Au bateau de pirates. Au château. Elle me disait juste ça, que les images dans ma tête vont partir. J'avais du mal à la croire mais elle répétait toujours la même chose. Les images dans ta tête vont s'en aller. Elles vont s'envoler si tu ne penses pas à elles dans ton lit. Comme les feuilles sur les branches des arbres.

— C'était avant qu'elle te laisse à ton autre maman, c'est bien ça ?

— L'autre, c'est pas ma maman !

— Oui oui, Malone, j'ai bien compris, c'est pour cela que je dis l'autre maman. Et qu'est-ce qu'elle t'a dit d'autre ? Ta première maman, je veux dire.

— D'écouter Gouti.

— Gouti, c'est lui. C'est ton doudou, c'est ça ? Bonjour, Gouti ! Donc tu devais écouter Gouti, c'est ce que te disait ta maman ?

— Oui ! Je dois écouter Gouti, en cachette.

— Il est très fort alors ! Et comment il fait, Gouti, pour t'aider à te souvenir de tout ?

— Il me parle.

— Il te parle ?

— Oui.

— Il te parle quand ?

— Je ne peux pas le dire, c'est mon secret. Maman m'a fait jurer. Maman m'a dit un autre secret aussi, dans les toilettes. Le secret pour se protéger des ogres, quand ils veulent vous emmener dans la forêt.

— D'accord, c'est un secret, j'ai compris. Je ne vais pas t'embêter avec ça. Elle ne t'a rien dit d'autre, Malone, ta maman ?

— Si. Elle m'a juste dit ça !

— Dit quoi ?

— Malone !

— Elle t'a appelé par ton prénom, Malone, c'est bien ça ?

— Oui. Elle m'a dit que c'est joli, Malone. Qu'il faut que je réponde quand on m'appelait comme ça.

— Mais tu ne t'appelais pas comme ça avant, hein ? Tu te souviens encore de ton prénom d'avant ?

Malone resta muet, une éternité.

— Ce n'est pas grave, mon grand. Pas grave du tout. Est-ce que ta maman t'a dit autre chose après ?

— Non. Après, elle pleurait.

— D'accord. Et ta maison d'avant. Pas celle où tu habites aujourd'hui. L'autre. Tu peux m'en parler ?

— Un peu. Mais presque toutes les images sont parties, parce que Gouti, il me parle presque jamais de ma maison d'avant.

— Je comprends. Tu peux tout de même me décrire les images qui te restent ? Tu parlais de la mer tout à l'heure ? D'un bateau de pirates ? Des tours d'un château ?

— Oui ! Y avait pas de jardin, ça j'en suis sûr, juste la plage. Si on se penchait par la fenêtre de ma chambre, on tombait dans la mer. Je voyais bien le bateau de pirates de ma chambre, il était cassé en deux. Je me rappelle de la fusée aussi. Et puis que je ne devais pas aller loin de la maison à cause de la forêt.

— La forêt des ogres, c'est ça ?

— Oui.

— Tu peux me la décrire un peu ?

— Oui. C'est facile, les arbres montaient jusqu'au ciel. Il n'y avait pas que des ogres dans la jungle, il y avait des grands singes aussi, des serpents, des araignées géantes, je les ai vues une fois, les araignées, c'est pour ça que je devais rester dans ma chambre.

— Tu te souviens d'autre chose, Malone ?

— Non.

— D'accord. Dis-moi… Malone. Je vais t'appeler Malone quand même, hein, en attendant qu'on retrouve ton prénom d'avant. Dis-moi… Ton doudou, c'est quoi comme animal ?

— Bah, c'est un Gouti.

— D'accord. D'accord. Un Gouti. J'ai compris. Et tu dis qu'il te parle vraiment. Pas seulement dans ta tête ? Je sais bien que c'est un secret, mais tu ne veux pas me dire, juste un tout petit peu, comment il fait pour te parler ?

Malone retint soudain son souffle.

— Tais-toi, Gouti, chuchota-t-il.

Malone entendait les pas dans l'escalier. Il faisait toujours très attention à tous les bruits de la maison, surtout quand il était dans sa chambre, sous les draps, presque dans le noir, et qu'il écoutait Gouti en cachette.

Maman-da montait.

— Vite, Gouti, murmura Malone, il faut faire semblant de dormir.

Son doudou arrêta de parler juste à temps, juste avant que Maman-da n'entre dans la chambre. Malone serra vite sa peluche contre lui. Gouti était super fort pour faire semblant de dormir !

La voix de Maman-da traînait toujours un peu, surtout le soir, comme si elle était tellement fatiguée qu'elle n'allait jamais terminer ses phrases.

— Tout va bien, mon chéri ?

— Oui.

Malone avait déjà envie qu'elle parte, mais comme chaque soir, Maman-da s'asseyait sur le bord du lit et lui caressait les cheveux. Ce soir, elle insista encore plus. Elle passa ses bras derrière son dos et pressa son cœur contre sa poitrine, aussi fort qu'il serrait son doudou contre lui, pensa Malone, sauf que là, ça lui faisait un petit peu mal.

— Demain, je vais voir ta maîtresse à l'école, tu te rappelles ?

Malone ne répondit rien.

— Il paraît que tu racontes des histoires. Je sais bien que tu adores les histoires, mon chéri, c'est normal pour un petit garçon comme toi. Je suis même très fière quand tu inventes toutes ces choses dans ta tête. Mais les grandes personnes parfois, elles les prennent au sérieux, elles pensent qu'elles sont vraies. C'est pour cela que ta maîtresse veut nous voir, tu comprends ?

Malone fermait les yeux, exprès. Cela dura longtemps avant que Maman-da ne se décide.

— Tu as sommeil, mon chéri. Je te laisse dormir. Fais un gros dodo.

Elle l'embrassa, éteignit la lumière et sortit enfin de la chambre. Malone attendit, prudent. Il jeta un œil sur le réveil cosmonaute.

Petite aiguille sur le 8, grande aiguille sur le 9.

Malone savait qu'il ne devait réveiller son doudou que lorsque la petite aiguille serait sur 9, maman lui avait aussi appris ça.

Il regarda le grand calendrier du ciel accroché au mur, juste au-dessus du réveil cosmonaute. Les planètes dessinées brillaient dans la nuit. Quand tout était éteint dans la chambre, on ne voyait plus qu'elles dans le noir. Aujourd'hui, c'était le jour de la lune.

Malone était pressé que Gouti lui raconte son histoire, la sienne, celle du trésor de la plage. Le trésor perdu.

3

Aujourd'hui, plage de Mimizan. J'ai fait tomber le haut du maillot rien que pour Marco. Mon copain. Il les trouve beaux, mes seins. Le gros porc d'à côté aussi, visiblement.
Envie de tuer
Je lui ai planté le pic du parasol dans le bide, pile au niveau du nombril.

Condamné : 28
Acquitté : 3 289

www.envie-de-tuer.com

La sonnerie du téléphone réveilla brusquement la commandante Marianne Augresse. Un bref instant, ses yeux restèrent fixés sur sa peau nue et froide, comme gelée dans un cercueil de glace, puis elle sortit son bras de la baignoire où elle somnolait depuis une heure pour se saisir de l'appareil. Son membre engourdi heurta le petit panier de jouets posé en équilibre sur le coffre à linge. Les bateaux de plastique, dauphins mécaniques et autres petits poissons fluo s'éparpillèrent à la surface de l'eau.

— Merde !

Ses doigts trempés saisirent le combiné sans même qu'elle prenne le temps de les essuyer.

Numéro inconnu.

— Merde ! répéta la commandante.

Elle espérait que ce soit l'un de ses lieutenants qui la réveille dans son bain, Jibé, Papy, ou n'importe quel autre flic de garde au commissariat du Havre. Cette attente occupait toutes ses pensées depuis hier, depuis qu'on avait repéré Timo Soler dans le quartier Saint-François, près de la pharmacie. Elle avait laissé quatre hommes en planque entre le bassin du Commerce et le bassin du Roi. Ils couraient après Timo Soler depuis près d'un an, neuf mois et vingt-sept jours exactement. La traque avait commencé le mardi 6 janvier 2015, lors du braquage de Deauville, à la seconde où les caméras de surveillance avaient immortalisé le visage de Timo Soler, juste avant qu'il ne disparaisse sur une Münch Mammut 2000, emportant avec lui une balle de 9 millimètres parabellum, coincée, d'après les experts en balistique, quelque part entre son poumon et son épaule. Marianne se connaissait, elle n'allait pas fermer l'œil jusqu'au lendemain matin. Elle allait seulement somnoler, de la baignoire au canapé, du canapé au lit, en espérant avoir à bondir en pleine nuit, attraper au vol son cuir et laisser derrière elle le lit froissé, les lumières allumées, son Tupperware de bouffe et son verre de Quézac face à la télé en veille, juste le temps de balancer une poignée de croquettes à Mogwai, son chat d'appartement, croisement fainéant entre un Lee-Brown et un gouttière. Un « *Lee-tière* »... Elle avait inventé la marque !

— Oui ?

Son index glissait sur le verre humide. Elle tamponna doucement l'iPhone avec une serviette qui pendait tout en espérant que cette manœuvre n'éteigne pas cette saleté d'écran tactile.

— Commandante Augresse ? Vasile Dragonman. On ne se connaît pas… Je suis psychologue scolaire. Je vous téléphone de la part d'une amie commune. Angélique Fontaine. C'est elle qui m'a donné votre 06.

Angie… Bordel ! pensa Marianne. Elle allait remonter les bretelles à cette petite garce. Celles du soutien-gorge Aubade à dentelle de cette bombasse trop bavarde.

— C'est un coup de téléphone professionnel, monsieur Dragonman ? J'attends un appel important, sur cette même ligne, d'une minute à l'autre.

— Je vous rassure, ce ne sera pas long.

Il avait une voix douce. Une voix de curé jeune, d'hypnotiseur, genre magicien oriental pratiquant la télépathie. Une voix de baratineur sûr de son boniment. Avec pour pimenter le tout un délicat petit accent slave.

— Allez-y, soupira Marianne.

— Mon appel va vous sembler un peu déroutant. Je suis psychologue scolaire, je couvre toute la région nord de l'estuaire du Havre. Depuis quelques semaines je m'occupe d'un enfant étrange.

— C'est-à-dire ?

La main libre de Marianne clapotait entre la surface de l'eau et ses deux jambes émergées. Ce n'était pas désagréable au fond de se faire réveiller dans son bain par un homme. Même si ce n'était pas pour l'inviter à dîner.

— Il prétend que sa mère n'est pas sa mère.

Les doigts de la commandante dérapèrent sur sa cuisse humide.

— Pardon ?

— Il prétend que sa mère n'est pas sa mère ! Que son père n'est pas non plus son père, d'ailleurs.

— Il a quel âge, ce gosse ?

— Trois ans et demi.

Marianne se mordit les lèvres.

Un psy trop zélé ! Angie avait dû plonger à pieds joints dans son baratin psychopédagogique.

— Il s'exprime comme s'il avait un an de plus, précisa-t-il. Il n'est pas véritablement surdoué, mais il est précoce. D'après les tests que…

— Et ses parents sont bien ses parents ? coupa Marianne. Vous avez vérifié avec les instituteurs ? Pas d'histoire d'adoption, de placement par la justice ou l'Aide à l'enfance ?

— Oui, il n'y a aucun doute. L'enfant est bien le leur. Les parents prétendent que le gosse a trop d'imagination. La directrice de l'école les rencontre demain.

— C'est réglé, alors ?

Sur le coup, Marianne s'en voulut du ton un peu cassant qu'elle venait d'employer en réponse à la voix douce du psy. Entre deux eaux, la nageoire dorsale d'un dauphin articulé lui chatouillait l'entrejambe. Cela faisait bien six mois que Grégoire, son petit neveu, n'était pas venu dormir chez elle ; à onze ans le mois prochain, pas sûr qu'il revienne un jour se gaver de pizzas et de DVD chez sa tata. Elle aurait mieux fait de balancer tous ces jouets, avec les films de Pixar et les cartons de Playmobil, de tout jeter au fond d'un sac-poubelle, comme autant de regrets, plutôt qu'ils continuent de la narguer dans chaque recoin de son appartement.

— Non, insista le psy. Ce n'est pas réglé. Parce qu'aussi bizarre que cela puisse paraître, j'ai l'impression que ce gamin dit la vérité.

Ben voyons. Un psy, forcément… Le gosse a toujours raison !

— Et la mère ? interrogea la commandante.

— Elle est furieuse.

— Vous m'étonnez ! Venez-en au fait, monsieur Dragonman. Vous attendez quoi de moi ?

Marianne repoussa du genou le dauphin coquin. La voix de cet inconnu la troublait, surtout qu'il était sans doute loin de se douter qu'elle lui parlait toute nue, les cuisses en l'air et les pieds posés sur le rebord de la baignoire.

Le psychologue laissa filer un long silence, le temps que la commandante se noie un peu plus dans ses pensées chaudes et humides. Au fond, l'idée de partager un bain avec un homme ne la faisait pas fantasmer plus que cela. Trop complexée, peut-être. Trop peu de place pour tasser son corps entre la paroi froide de la baignoire et les muscles d'un amant éphémère mais baraqué. Son véritable fantasme, inavouable, c'était de partager son bain avec un bébé. Passer des heures à barboter avec un bout de chou aussi potelé qu'elle, dans une eau devenue froide au milieu de jouets en plastique, à se shampouiner, s'éclabousser et emmerder tous les pédiatres.

— J'attends quoi ? répondit enfin Vasile Dragonman. Je ne sais pas ? De l'aide ?

— Vous voudriez que j'ouvre une enquête ? C'est ça ?

— Pas forcément. Mais au moins que vous puissiez fouiller un peu. Angie m'a dit que c'était sûrement dans vos cordes. Vérifier ce que le gosse raconte. J'ai des heures d'entretiens enregistrés, des notes, des dessins du gamin…

Le dauphin obsédé revenait à la charge.

Plus la conversation avançait et plus la commandante se persuadait qu'après tout, le plus simple était de rencontrer ce Vasile Dragonman. D'autant plus que c'était Angie qui le lui envoyait… Angie savait ce qu'elle cherchait. Pas un mec ! Marianne se foutait des mecs. A trente-neuf ans, elle avait au moins encore vingt ans devant elle pour coucher avec tous les types du monde. Non, Marianne avait martelé le message à Angie lors de leurs longues soirées entre copines : dans les mois qui venaient, la commandante partait en safari à la recherche d'un seul et unique animal mythique : un PÈRE. Alors, en lui envoyant ce type, Angie avait peut-être une idée derrière la tête… Un psychologue scolaire, après tout, c'est le père idéal ! Un professionnel de la petite enfance, récitant Freinet, Piaget et Montessori quand les autres mecs se contentent de lire *L'Equipe*, *Entrevue* ou *Détective*. Elle chassa l'image des braqueurs de Deauville et de la pharmacie du quartier Saint-François. S'il y avait du nouveau avec Timo Soler, cette nuit ou demain, elle serait immédiatement mise au courant.

— Monsieur Dragonman, la procédure habituelle pour un gosse en danger, c'est un signalement à la Protection judiciaire de la jeunesse et à l'Aide à l'enfance. Mais le cas que vous me décrivez me semble un peu, disons, inhabituel. Vous voulez vraiment effectuer un signalement sur les bases de la déclaration de cet enfant ? Il vous semble maltraité ? Les parents vous apparaissent dangereux ? Quoi que ce soit qui nous donne une raison d'éloigner d'eux le gamin ?

— Non. *A priori*, ils l'ont l'air de parents tout à fait normaux.

— D'accord. Dans ce cas, il n'y a pas d'urgence. On va enquêter sur cette histoire en douceur. On ne va pas coller les parents en taule pour un gosse qui a un peu trop d'imagination…

Un frisson parcourut la commandante. L'eau froide du bain était maintenant vaguement rose, comme croupie par le mélange lavande-eucalyptus-violette versé pour la parfumer. Entre les icebergs résiduels de bain moussant, les deux seins de Marianne émergeaient de la surface pastel, énormes en comparaison du petit bateau de plastique jaune qui flottait au-dessus de son ventre. Une vision de fin du monde, pensa Marianne. Deux îles vierges souillées par un paquebot venu déverser des détergents près des côtes sauvages.

Le psy tira la policière de sa rêverie.

— Je suis désolé de vous contredire, commandante, ne le prenez pas mal, mais vous vous trompez ! C'est d'ailleurs pour cela que j'ai tant insisté auprès d'Angie et que je me suis permis de vous contacter ce soir. Il y a urgence au contraire. Une urgence terrible pour ce gamin. Absolue. Irréversible même.

Marianne haussa le ton.

— Irréversible ? Nom de Dieu, vous venez de me dire que ce gosse n'était pas en danger !

— Comprenez bien, commandante. Cet enfant n'a pas encore quatre ans. Tout ce dont il se souvient aujourd'hui, il va l'oublier demain. Ou après-demain. Ou dans un ou deux mois.

Marianne se releva. Le niveau de l'eau baissa d'une bonne vingtaine de centimètres.

— Vous voulez dire quoi exactement ?

— Que ce gamin s'accroche à des bouts de souvenirs pour me soutenir que sa mère n'est pas la sienne. Mais dans quelques jours, dans quelques semaines peut-être, aussi sûrement que ce gamin va vieillir, apprendre de nouvelles choses, faire entrer dans sa tête le nom des animaux, des fleurs, des lettres et tout le reste du monde infini qui l'entoure, ses souvenirs plus anciens s'effaceront. Et cette autre mère dont il se rappelle aujourd'hui, cette vie d'avant dont il me parle chaque fois que je le vois, n'aura tout simplement jamais existé pour lui !

4

Petite aiguille sur le 9, grande aiguille sur le 12

Malone resta longtemps à écouter le silence, pour être bien certain que Maman-da n'allait pas remonter l'escalier.

Ses petits doigts couraient sous les draps, ils sentaient battre le cœur de Gouti, le caressaient, le câlinaient ; il était un peu chaud. Quand il fut complètement réveillé, Malone se cacha sous les draps, avec sa peluche. Il ouvrit grandes ses oreilles. C'était le jour de la lune. C'était le jour de l'histoire de Gouti et des noisettes. Il ne se rappelait pas combien de fois il l'avait écoutée.

Des jours de la lune, il y en avait eu beaucoup, tellement qu'il ne se rappelait pas combien. Qu'il ne se rappelait pas des jours de la lune, avant.

Malone posa son oreille tout contre Gouti, comme s'il était un petit oreiller très très doux.

* *
*

Gouti avait tout juste trois ans, ce qui était déjà grand dans sa famille, car sa mère n'en avait que huit et son grand-père, qui était très vieux, en avait quinze.

Ils habitaient dans le plus gros arbre de la plage, ses racines avaient la forme d'une immense araignée, au troisième étage, la première branche de gauche, entre une sterne presque tout le temps partie en voyage et un vieux hibou boiteux en retraite qui avait servi sur les bateaux pirates.

Maman disait que Gouti ressemblait beaucoup à son grand-père. Qu'il était rêveur comme lui. C'est vrai que son grand-père passait beaucoup de temps à rêver, mais c'est parce qu'il perdait la mémoire. On le retrouvait souvent endormi sur une autre branche, ses moustaches blanches toutes froissées, ou à enterrer un galet gris au lieu d'un gland. Gouti, lui, aimait s'asseoir devant la mer et imaginer qu'il montait sur un bateau, se cachait dans les cales, mangeait en cachette le blé ou l'avoine dans un sac jusqu'à découvrir une nouvelle île. Qu'il y restait, qu'il y fondait une nouvelle famille. Il pensait souvent à tout ça et oubliait tout le reste.

Pourtant, il avait du travail. Enfin, un seul travail, toujours le même, mais un travail très important : ramasser les noisettes dans la forêt et les enterrer près de la maison. Parce que si toute sa famille s'était installée ici, c'était à cause de la forêt. Noisettes, noix, glands, pommes de pin, c'était un vrai trésor qui tombait du ciel de feuilles orange à l'automne et qu'il fallait cacher précieusement avant l'hiver pour pouvoir manger tout le reste de l'année. Maman n'avait pas le temps de s'en occuper car elle s'occupait de son petit frère Mulo et de sa petite sœur Musa.

Chaque jour alors, Gouti ramassait et enterrait des fruits, puis il regardait la mer et rêvait. Et chaque soir, sur le chemin du retour vers leur grand arbre, il se ren-

dait compte qu'il avait oublié les endroits où il avait enterré les fruits.

Sous un gros galet ? Entre les racines d'un arbre ? Près d'un coquillage ?

Impossible de s'en souvenir !

Mais jamais le pauvre Gouti n'osa le dire à sa mère.

Les jours passèrent, se ressemblaient, et chaque jour Gouti était plus honteux, et moins il osait avouer à sa mère qu'il était trop distrait pour un travail aussi précis et méticuleux.

Un matin, l'hiver arriva.

Toute la famille de Gouti quitta sa branche pour aller se cacher sous l'araignée de racines. C'était un terrier propre et profond que le grand-père de Gouti avait creusé il y a longtemps, mais avec la famille qui s'agrandissait, il n'y avait plus assez de place pour garder à manger à côté d'eux.

Ils dormirent six mois mais ce fut comme si cela durait une seconde.

Quand ils se réveillèrent et remontèrent à la surface, ils crurent qu'ils n'étaient pas ressortis du bon côté de la terre.

Devant eux, il n'y avait plus leur grand arbre !

Ni sterne ni hibou. Pire encore, il n'y avait plus aucun noisetier, aucun noyer, aucun chêne, aucun pin. Plus de forêt !

Une tempête avait tout arraché pendant l'hiver.

Maman, en toute occasion, savait s'organiser. Le plus important est de manger, dit-elle d'une voix calme, et elle demanda à Gouti d'aller déterrer les provisions dans le sable.

Gouti se mit alors à pleurer.

La plage était immense. Autant chercher une aiguille dans une forêt de sapins, ils seraient tous morts de faim avant d'avoir trouvé la moindre noisette... et les arbres au bord de cette plage ne donneraient plus jamais de fruits, ils étaient tous allongés sur le sable, les branches cassées, les racines en l'air.

Maman ne disputa pas Gouti. Elle se contenta de dire : « Nous devons partir, les enfants. Il nous faut trouver un autre endroit pour nous nourrir », et elle demanda à Gouti de porter sur son dos Musa, qui était encore petite, pendant qu'elle portait son grand-père qui semblait avoir encore vieilli de deux ans pendant la seconde qu'avait duré leur sieste d'hiver.

Ils firent le tour du monde.

Ils traversèrent des plaines et des rivières, des montagnes et des déserts. Ils grignotèrent un peu partout, dans des caves et des greniers, en haut d'arbres bizarres qu'ils n'avaient jamais vus et dans le fond de trous interminables qui semblaient passer sous les océans. Ils se firent chasser à coups de balai, ils firent hurler des enfants dans des écoles, des vieilles dames dans des églises, ils voyagèrent dans des camions et des bateaux, et même une fois dans un avion.

Et puis un jour, des mois ou peut-être des années plus tard, un jour où ils étaient encore plus affamés que les autres jours, le grand-père aux moustaches blanches, qui n'avait presque pas dit un mot depuis le début de leur voyage, leur dit : « Il est temps de retourner chez nous. »

Maman devait trouver cela idiot, mais comme grand-père ne disait jamais rien, quand il parlait, il fallait lui obéir.

Ils rentrèrent chez eux. Ils étaient tristes car ils se souvenaient des arbres de leur forêt couchés sur le sable, de la plage immense sans plus une seule feuille pour se cacher, des coquillages vides et des branches mortes. Un désert pire que ceux qu'ils avaient traversés !

Ils crurent d'abord qu'ils s'étaient trompés de plage.

Seul grand-père avait le sourire. Cela faisait danser ses moustaches blanches. Alors, il demanda à toute la famille de s'asseoir sur un petit tas de sable et il raconta : « Il y a longtemps, quand j'étais petit, que j'avais l'âge de Gouti, j'étais déjà distrait et je rêvais de faire le tour du monde. Nous étions pauvres et maigres, il n'y avait presque pas d'arbres sur la plage, aucune forêt, nous n'avions presque rien à manger et en plus, j'oubliais à chaque fois l'endroit où je cachais les rares noisettes que j'enterrais dans le sol. Et puis un jour, d'une noisette oubliée, d'une seule noisette, un arbre a poussé et sur ses branches ont poussé cent noisettes. Puis un autre arbre. Puis encore un arbre. Une forêt. Celle où vous êtes nés...

« Chez nous.

« Mais il ne se passe pas une vie sans que souffle la tempête et sans que tout soit à recommencer. »

Alors ils avancèrent sur le sable.

Sur la plage déserte, à la place des centaines de noisettes, noix et glands enterrés puis oubliés par Gouti, avait poussé la plus grande, la plus dense, la plus verte des forêts qu'on ait jamais vue au bord d'une mer. La maman de Gouti le serra fort dans ses bras alors que Mulo et Musa couraient entre les troncs et applaudissaient avec leurs petites pattes, sous le regard tranquille de la sterne et du hibou qui étaient revenus depuis longtemps.

Le grand-père de Gouti dit alors qu'il était très fatigué, qu'il allait bientôt s'endormir, une seconde, mais une seconde qui durerait plus longtemps que l'hiver ; mais avant, il avait une dernière chose à dire à Gouti.

Il le prit à part, ils marchèrent jusqu'à avoir presque les pattes dans l'eau et de l'écume sur les moustaches, et il parla doucement : « Tu vois, Gouti, les vrais trésors ne sont pas ceux qu'on cherche toute sa vie, ils sont cachés près de nous depuis toujours. Si on les plante un jour, si on les cultive et on les arrose tous les soirs, en oubliant même pourquoi à la fin, ils fleuriront un beau matin alors qu'on ne les espérait plus. »

* *
*

Doucement, Malone laissa Gouti s'endormir. Son doudou avait besoin d'être bien réveillé demain. Maman-da et Pa-di venaient à l'école voir la maîtresse. Il avait un peu peur de ce qu'ils allaient dire.

Lui aussi devait dormir, mais il n'avait pas trop envie. Il savait que les cauchemars allaient revenir. Il entendait déjà cette pluie de glace tomber, froide, brillante, coupante. Même fermer les yeux, il ne voulait pas.

Pas parce qu'il avait peur du noir !

Quand Malone fermait les yeux, derrière ses paupières, dans sa tête, il ne voyait qu'une couleur, comme si on avait tout repeint d'un seul coup de pinceau.

Une couleur.

Une seule.

Du rouge.

Partout.

MARDI
Le jour de la guerre

5

Vasile Dragonman attendait sagement dans le hall, son cartable sur les genoux. Des flics pressés passaient devant lui. Sans les uniformes des policiers et le blouson de cuir fatigué du psychologue, on aurait pu croire qu'il s'agissait d'un visiteur médical patientant dans un couloir d'hôpital devant des infirmiers débordés.

La commandante Augresse apparut. Elle marchait plus lentement que les autres, au centre du couloir, ce qui obligeait le flux de flics à raser les murs en la croisant. Elle interpella un policier qui avançait face à elle.

— Papy, t'as rappelé le toubib ?

Le lieutenant Pierrick Pasdeloup ralentit l'allure. Tous les flics du Havre le surnommaient Papy, non seulement parce qu'à quelques mois de la retraite, il était le plus âgé du commissariat, mais surtout parce qu'à un peu plus de cinquante ans, il avait déjà six petits-enfants dispersés aux quatre coins de France. Crâne rasé et fine barbe poivre et sel, regard doux de chien fidèle, silhouette sèche de joggeur compulsif, les plus anciens de la brigade le qualifiaient d'encore jeune, et les autres de déjà vieux.

— En consultation toute la matinée, répondit le lieutenant. Il nous contacte dès qu'il a un creux.

— Et il confirme ? C'est bien Timo Soler qu'il a recousu hier ?

— Ouais. Fiable à 100 %. Timo Soler l'a rejoint quelques minutes après qu'on l'a aperçu près de la pharmacie du quartier Saint-François. Le professeur Larochelle a raccommodé notre braqueur sur le port, quai d'Osaka, bien à l'abri entre quatre murs de conteneurs.

— Et ce brave médecin vient se confier dans la foulée à la police ? Pas traumatisé par le secret professionnel, celui-là…

— Non, confirma Papy avec un sourire. Et t'as encore rien vu.

Marianne Augresse chassa l'image du braqueur blessé et se tourna vers Vasile.

— On y va, monsieur Dragonman ? Moi aussi, je vous passe entre deux consultations. Sans pouvoir vous promettre de ne pas être interrompue par une urgence.

Le calme du psychologue contrastait avec l'agitation ambiante. Il prit le temps de s'asseoir sans froisser son blouson de cuir, d'ouvrir son cartable, de sortir un cahier et d'étaler des dessins d'enfant devant lui. A l'inverse, ses yeux marron clair, presque couleur bois verni, terre cuite ou viennoiserie dorée, semblaient scanner les documents à la vitesse d'un laser. Son accent slave était plus prononcé qu'au téléphone.

— Ce sont les dessins de Malone. J'ai un cahier entier de notes et de commentaires. J'ai commencé à les retranscrire sur l'ordinateur, si vous voulez, mais…

Marianne Augresse leva la main, comme pour faire prendre la pose à Vasile et disposer d'un temps pour l'observer. Ce psy était bourré de charme ! Un peu plus jeune qu'elle, peut-être. Elle adorait ces hommes timides, réservés, mais qu'on devine consumés d'une passion intérieure. Le charme slave, du moins c'est ainsi qu'elle imaginait les hommes de l'Est, ceux aux destins tragiques des romans de Tolstoï et des pièces de Tchekhov.

— Excusez-moi, monsieur Dragonman, si vous commenciez par le début ? Qui ? Où ?

— Oui, oui, excusez-moi. Ce gamin s'appelle Malone. Malone Moulin. Il est en petite section de maternelle. A Manéglise, je ne sais pas si vous voyez où…

La commandante Augresse lui fit signe de continuer d'un simple coup d'œil en direction du plan de l'estuaire accroché sur le mur d'en face. Manéglise se situait en plein milieu des champs, à dix kilomètres du Havre. Un petit village de moins de mille habitants.

— C'est l'infirmière scolaire qui m'a alerté. Selon elle, le petit tenait des propos incohérents. Je l'ai rencontré une première fois il y a trois semaines.

— Et là, il vous raconte que ses parents ne sont pas les siens !

— Exact. Il prétend se souvenir d'une autre vie, avant…

— Et les parents nient.

— Oui. (Il consulta sa montre.) D'ailleurs, en ce moment même, ils doivent rencontrer la directrice de l'école de Manéglise.

— Sans vous ?

— Ils ont préféré que je ne sois pas présent.

— Les parents ou la directrice ?

— Un peu les deux…

— Vous les emmerdez avec votre fable, c'est ça ?

Le psychologue afficha un sourire désolé doublé d'un regard suppliant. Un chien perdu dans la rue quémandant un bout de sandwich.

— Difficile de leur donner tort, non ? souffla la commandante. Franchement, monsieur Dragonman, si ce n'était pas Angélique qui vous envoyait…

L'éclat doré de ses yeux vibra, passant des dessins d'enfant au visage de la commandante.

— Laissez-moi au moins vous expliquer. Ces dessins, quelques mots. Ce ne sera pas long…

Marianne Augresse hésita. Ce psy était vraiment craquant dans son numéro de type qui s'excuse, bafouille, tâtonne, mais ne lâche pas le morceau. Il faudrait qu'elle demande à cette petite maligne d'Angie où elle l'avait déniché.

— OK, monsieur Dragonman, vous avez quinze minutes.

La porte s'ouvrit à ce moment-là. Papy rompit le charme sans sommation.

— On a le toubib, en direct !

— Nom de Dieu ! Tu me le passes sur ma ligne personnelle !

— Je vais même faire mieux, ajouta le lieutenant Pasdeloup. Je vais te projeter son visage sur ton mur en trois mètres sur trois. Tu as affaire au professeur Larochelle, Marianne, une sommité de l'hôpital Monod. Son cabinet est équipé du dernier cri en matière de vidéoconférence.

La commandante pria Vasile Dragonman de sortir du bureau et de l'excuser quelques minutes.

— L'affaire du casse de Deauville, en janvier, cela doit vous dire quelque chose ?

Le psychologue hocha la tête, plus amusé que vexé, et sortit docilement attendre dans le couloir pendant qu'un second lieutenant entrait en poussant un chariot équipé d'une caméra et d'un micro.

— On va dépoussiérer ce satané matériel, fit le flic en réglant la caméra face au mur blanc.

Il s'accroupit à mi-hauteur du chariot. Il était vêtu d'un tee-shirt blanc moulant et d'un jean serré. La trentaine. Gueule d'ange, carrure bodybuildée, baskets et look décontracté.

Lieutenant Jean-Baptiste Lechevalier. Marié. Deux enfants. Mari dévoué. Papa comblé.

Un fantasme sur pattes.

— Magne-toi, Jibé !

Marianne grognait pour la forme. Son regard glissa un bref instant sur le dos courbé du lieutenant, pour descendre jusqu'aux quelques centimètres carrés de peau nue dévoilés entre le bas de ses reins et le haut de ses fesses.

Boxer Calvin Klein. Petit cul parfaitement galbé.

Déjà pris. Pas touche…

— C'est parti pour le cinémascope, fit Jibé en se relevant d'une féline ondulation du bassin.

Les lieutenants Pasdeloup et Lechevalier prirent chacun une chaise. Marianne se posa derrière son bureau. Une seconde plus tard, Jibé pointait la télécommande, et le mur blanc du commissariat se transforma en un somptueux décor high-tech. Tout y semblait carré ou rectangulaire, du bureau de bois laqué aux fauteuils design en cuir gris, des meubles de bois exotique à l'écran plasma suspendu aux murs, jusqu'à la grande baie vitrée baignant le tout dans un puits de lumière.

Le chirurgien apparut la seconde suivante, faisant tinter les glaçons du verre qu'il tenait à la main. Sa blouse blanche, passée avec décontraction par-dessus son costume trois-pièces, semblait spécialement assortie à son sourire carnassier.

— Commissaire Augresse ? Désolé, je n'ai que quelques secondes. Je dois rejoindre une femme, elle est allongée et attend avec impatience mon organe !

Il patienta deux ou trois secondes avant de continuer, comme si le système de visio était équipé de rires préenregistrés censés ponctuer chacun de ses traits d'humour. Ses dents immaculées sur l'écran géant semblaient saluer le boulot de ses collègues orthodontistes.

— Je dois lui greffer un foie ! Alors pressons. Vous souhaitiez me parler ?

— Vous avez soigné Timo Soler, hier ?

Le chirurgien porta le verre à ses lèvres. Un truc cuivré. Whisky ? Red Bull ? Dans le coin de son cabinet, des clubs de golf dépassaient d'un sac Hugo Boss. Chaque détail du mobilier semblait mis en scène, tel celui d'un film où l'on claquerait une fortune pour un décor en trompe l'œil.

— Votre braqueur, c'est bien ça ? J'ai déjà tout dit à vos inspecteurs. Votre fugitif m'a appelé hier, en fin d'après-midi. Une urgence. Il m'a donné rendez-vous sur le port, quai de l'Asie. On s'est retrouvés quai d'Osaka, à l'abri des témoins indiscrets. Il m'attendait dans une Yaris blanche. J'ai relevé le numéro, bien entendu. Il souffrait d'une vilaine plaie située entre la veine sous-clavière et le lobe supérieur du poumon gauche, conséquence d'une balle de 9 millimètres plantée là, extraite de façon sommaire il y a quelques mois, et pas soignée depuis. Apparemment, la blessure s'est rouverte ces derniers jours, suite à une mauvaise chute d'après ce que m'a dit le type. Il souffrait le martyre, j'ai fait ce que j'ai pu.

La commandante s'étonna.

— Vous avez réussi à l'opérer ainsi, dans sa voiture, sur le port ?

— Bien sûr que non ! Quand je dis que j'ai fait ce que j'ai pu, je veux dire : j'ai fait ce que j'ai pu pour vous aider.

— Nous aider ?

Jibé semblait subjugué par le salon du chirurgien. On devinait une piscine derrière la fenêtre du cabinet, ou bien peut-être était-ce directement la mer qu'on apercevait en perspective. Le cabinet se situait sur les hauteurs de Sainte-Adresse, l'enclave chic du Havre. Le chirurgien s'agaça.

— Oui. Aider la justice ! Vous signaler la présence de ce type que vous recherchez depuis des mois, c'était le moindre des devoirs d'un citoyen honnête, non ?

— Bien entendu, professeur ! Qu'avez-vous fait d'autre pour nous aider ?

— Je lui ai injecté une double dose de nalbuphine, un antalgique deux fois plus puissant que la morphine. Ça l'a calmé sur le coup et ça le soulagera encore une bonne dizaine d'heures. J'ai ensuite exploré un peu sa plaie, bricolé, recousu. De l'extérieur, ça pourrait même apparaître comme du travail de haute couture.

Nouvelle publicité à la gloire des chirurgiens-dentistes. Le professeur se rapprocha de la caméra de visioconférence, comme s'il s'apprêtait à chuchoter une confidence.

— Mais à l'intérieur, commissaire, je vous avoue que j'ai foutu un sacré bordel. Un coup de bistouri par-ci, un autre par-là. La douleur sera insupportable pour Timo Soler quand elle se réveillera. Il n'aura pas d'autre choix que de me rappeler… sauf que cette fois-ci, vous serez là avec la cavalerie.

Marianne déglutit ostensiblement avant de répondre.

— En effet, nous serons là.

Larochelle vida son verre.

— Parfait alors. Je vous quitte, je dois rejoindre cette jolie fille allongée qui a foi en moi… et qui, si tout va bien, l'aura aussi en elle dans quelques minutes.

Après un ultime éclat de rire qui se perdit dans le silence, le décor luxueux disparut d'un coup, comme s'il n'avait jamais existé. Les trois flics restèrent un moment à fixer le mur blanc.

— Quel saint homme, glissa enfin Papy.

— Que feraient les forces de l'ordre sans l'engagement civique de tels citoyens ? ajouta Jibé.

— OK, fit Marianne. On ne va pas pour autant se priver de coffrer Timo Soler s'il réapparaît pour se faire recoudre.

La commandante se tourna vers Jibé.

— Spielberg, tu me ranges ton matos.

Puis vers Papy.

— Tu restes connecté à docteur House, minute par minute.

Et enfin, elle saisit un des dessins d'enfant posés sur le bureau. Quatre traits verticaux mal assurés, noirs, et un cinquième, en diagonale, tordu, bleu celui-ci.

Du gribouillage.

— Et enfin, continua Marianne, vous me laissez quinze minutes avec ce psy qui va m'expliquer le mode d'emploi de la mémoire d'un enfant de trois ans.

6

Petite aiguille sur le 12, grande aiguille sur le 1

La classe s'éparpilla et Malone se retrouva seul. La moitié des enfants se rangeaient déjà en rang par deux, formant une chenille bruyante pour se rendre à la cantine en franchissant la petite grille de fer derrière la cour de récréation. L'autre moitié se précipitaient vers leurs parents. Des mamans surtout. Les papas, eux, venaient plutôt le matin ou le soir. Chaque enfant attrapait une main, deux bras, sautait à un cou ou se collait à une jambe.

Pas Malone. Pas aujourd'hui.

— Tu attends là, sagement. Pas longtemps.

Clotilde, sa maîtresse, lui avait fait un grand sourire.

C'était vrai, Malone n'attendit pas longtemps, Maman-da et Pa-di arrivèrent juste après que les autres parents furent partis. C'était rare que Maman-da soit en retard, mais d'habitude, elle venait toute seule le chercher pour manger, jamais avec Pa-di.

Malone courut attraper la main de Maman-da. Il avait compris, on le lui avait encore rappelé le matin, ils devaient parler à la maîtresse ce midi, après l'école, à cause des histoires qu'il racontait. Ça lui fit drôle d'entrer dans la classe vide, d'avoir tous les jouets rien que pour lui.

— Monsieur et madame Moulin ? Je vous en prie. Asseyez-vous…

Clotilde Bruyère désigna un peu gênée les seules chaises disponibles de la classe de petite section de maternelle, hautes de trente centimètres. D'ordinaire, les réunions avec les parents d'élèves se tenaient là et cela ne posait aucun problème aux adultes.

D'ordinaire.

Sur sa chaise de Lilliputien, Dimitri Moulin, avec son mètre quatre-vingts et ses cent dix kilos, ressemblait à un éléphant de cirque les fesses posées sur un tabouret. Jambes repliées, ses genoux lui arrivaient au menton.

Clotilde se tourna vers Malone.

— Tu nous laisses, mon grand ? Tu vas jouer un petit peu dans la cour. On n'en a pas pour très longtemps.

Malone s'y attendait. Il s'en fichait. Il avait oublié Gouti exprès, assis dans le coin des poupées, à côté du lit bleu. Personne ne remarquerait son doudou et Gouti lui raconterait tout, après. Il sortit de la classe et regarda avec envie le toboggan et le tunnel, ceux où d'habitude les grands jouaient toujours et lui jamais. Il hésita à en profiter, à courir.

Le ciel était tout noir, comme s'il allait pleuvoir.

Les toilettes étaient loin du toboggan et du tunnel, très loin, presque à l'autre bout de la cour. Si la pluie se mettait à tomber d'un coup, il ne pourrait pas courir assez vite pour échapper aux gouttes de verre.

Il entendit Pa-di crier à ce moment-là, même si la porte de la classe était fermée. Pauvre Gouti, pensa Malone.

Son doudou avait toujours un peu peur quand Pa-di se mettait en colère.

Dimitri Moulin avait déplié ses jambes sur le tapis pour petites voitures. Nerveusement. Du talon, il écrasait au petit bonheur les maisons, jardins et routes imprimés en trompe l'œil.

— Madame Bruyère, je vais être clair. J'ai autre chose à faire que de retourner en maternelle ! Je viens de retrouver un boulot. J'ai été obligé de négocier avec mon patron pour commencer à 13 heures. Vous vous en foutez, je m'en doute, votre salaire, il tombera tous les mois jusqu'à la retraite, mais pas moi.

Le couplet sur les fonctionnaires ! Clotilde encaissa. Elle n'en avait pas encore l'habitude, elle n'avait que six ans d'expérience dont deux comme directrice, mais on l'avait prévenue, c'était un classique, presque autant que les réflexions sur le nombre de semaines de vacances. Elle avait choisi les petits de maternelle parce qu'elle était douce et patiente. Cette qualité était censée lui servir aussi pour amadouer les papas ours en colère.

— Ce n'est pas le sujet, monsieur Moulin.

— OK, alors accélérons. Tenez, j'ai tout amené. Regardez, ça vaudra mieux qu'un long baratin.

Il sortit du sac à dos qu'il portait en bandoulière une série de chemises cartonnées.

— Extrait de naissance ! Livret de famille tamponné par la mairie et la maternité. Albums photo du petit depuis qu'il est né. Allez, regardez. C'est pas notre môme, peut-être ?

Amanda, à ses côtés, restait silencieuse. Ses yeux s'égaraient vers le coin poupées. Malone avait laissé sa peluche assise dans la chaise haute. Gouti les fixait comme s'il ne perdait pas une miette de la conversation.

Comme s'il les espionnait, pensa même bêtement Amanda.

— Monsieur Moulin, parlementa l'institutrice, nous n'avons jamais remis en cause le fait que Malone soit votre enfant. C'est juste que…

— Nous prenez pas pour des cons ! coupa Dimitri Moulin. On a bien compris les allusions de ce psy, le Roumain, Vasile je ne sais pas quoi… Et puis les vôtres aussi, les petits mots dans le cahier de mon gamin.

Douce et patiente. Clotilde s'en tenait à sa stratégie. Après tout, le père Moulin ne devait pas être plus difficile à apprivoiser que Kylian et Noah, les deux têtes brûlées de sa classe.

— Monsieur Moulin, si j'ai écrit ces mots, et que je vous ai proposé ce rendez-vous, c'est simplement parce que votre fils tient des propos que l'on pourrait qualifier d'étonnants pour son âge, notamment lorsqu'il se confie au psychologue scolaire. Je souhaitais simplement qu'on se rencontre pour que vous puissiez m'apporter des précisions.

— Vous parlez comme les flics !

Clotilde s'avança de quelques centimètres et se baissa, accroupie, en équilibre, à hauteur des yeux de Dimitri Moulin. Elle avait l'habitude de vivre à quatre-vingts centimètres de hauteur toute la journée. Le mètre quatre-vingts de ce pachyderme ne lui procurerait aucun avantage dans SA classe. Bien au contraire.

La directrice d'école fusilla Moulin du regard.

— On se calme, d'accord ? Personne n'a parlé de police. Nous sommes dans une école ici. Dans mon école ! Alors on va discuter calmement dans l'intérêt de votre enfant.

Dimitri Moulin sembla un instant vouloir se lever de sa chaise naine, mais sa femme le retint d'une main plaquée sur sa cuisse. Il fixa un long moment l'institutrice, d'un air de défi.

— Je veux bien... Après tout, vous avez l'air d'une bonne maîtresse. Mais c'est le psy que je sens pas... (Il marqua un silence.) Des parents peuvent pas refuser ça, que leur môme continue de voir un psy ?

Clotilde mit un peu trop de temps à répondre.

— C'est compliqué, tout dépend pourquoi il...

— Mais je m'en fous après tout, coupa à nouveau Moulin.

Il semblait s'être radouci. Peut-être parce qu'il trouvait plutôt mignonne ce petit bout de bonne femme qui lui avait tenu tête.

— Après tout, poursuivit Dimitri Moulin, je vois bien qu'il y a quelque chose qui cloche chez ce môme. Qu'il ne parle pas beaucoup, ou avec des mots trop compliqués, qu'il y a un peu trop de monde dans sa tête. Si ça peut lui faire du bien de parler avec quelqu'un, tant mieux. A un adulte, je veux dire. Mais ce Vasile Dragonski... Vous en avez pas un autre ? Un autre plus...

— Plus quoi ?

— Vous voyez bien ce que je veux dire. (Il éclata de rire.) Plus français, c'est ça que j'ai pas le droit de dire, hein ?

Il se pencha et étala les albums photo à ses pieds, poussant les petites voitures et recouvrant une bonne partie de la ville dessinée sur le tapis.

— Bon allez, qu'on soit pas venus pour rien. Regardez tout ça. Et après on se casse.

Clotilde détourna ostensiblement les yeux des documents.

— Vasile Dragonman n'est pas sous mon autorité. Il dépend directement de l'académie. Aujourd'hui, je cherche une voie de conciliation. Nous discutons et ensuite, je lui ferai part de mes conclusions. Il sera sans doute important que vous le rencontriez une nouvelle fois. Rapidement.

Dimitri Moulin sembla réfléchir. Sa femme prit la parole pour la première fois.

— Vous voulez dire que le psychologue scolaire peut faire un signalement sans passer par vous ?

— Oui, répondit Clotilde. S'il a un doute sur la sécurité de l'enfant, il peut en parler dans un premier temps à l'Aide sociale à l'enfance, qui désignera une assistante sociale…

— Dans un premier temps ! hurla Dimitri. C'est quoi le second ?

Clotilde déplaça avec délicatesse un petit camion de pompiers que les lourdes chaussures de Moulin menaçaient d'écraser. Puis elle lâcha de sa voix fluette :

— Un signalement à la police.

— La police ? Vous vous foutez de ma gueule ? Pour un gosse de moins de quatre ans qui aligne pas trois phrases ?

Clotilde mit à l'abri une seconde voiture. Elle avait repris l'avantage.

— Je n'ai pas dit que je le ferais, précisa-t-elle avec un sourire rassurant. Je vois bien que Malone est un petit garçon adorable, qui évolue normalement, dont vous vous occupez parfaitement. Et puis, tout à fait entre nous, je n'ai aucune envie que la police ouvre une enquête, interroge les enfants et les parents de ma classe. (Elle se pencha encore, toujours accroupie, yeux dans les yeux, sa position préférée pour se faire respecter des caïds hauts comme trois pommes.) Dans un petit village comme Manéglise, personne n'a intérêt à ça, n'est-ce pas, monsieur Moulin ? Donc nous allons discuter calmement et vous allez essayer de me dire pourquoi ce petit diable de Malone raconte que vous n'êtes pas ses parents.

Dimitri Moulin allait ouvrir la bouche, mais Amanda ne lui en laissa pas le temps.

— Tais-toi, Dimitri, maintenant, fit-elle, presque suppliante. Tais-toi et laisse-moi parler.

* *
*

Dehors, une première goutte tomba sur le toboggan de fer et glissa jusqu'au sable.

Une seconde. Une troisième.

Toutes plus dangereuses les unes que les autres.

Malone avait eu de la chance, aucune ne l'avait touché.

Pas encore.

Il jeta un dernier regard vers la fenêtre de sa classe. Tous leurs dessins étaient accrochés, des empreintes de mains, trempées d'abord dans un bac de peinture puis posées ensuite sur une feuille.

La sienne était rouge vif.

Derrière les carreaux, ils devaient parler de lui. Et de maman peut-être, pas de Maman-da, de sa maman d'avant. Peut-être des pirates aussi, des fusées et des ogres. Les adultes étaient au courant de tout ça. Lui, il s'en rappelait juste grâce à Gouti.

Une nouvelle goutte, sur sa basket.

Il l'avait échappé belle. Malone se mit à courir.

Plus que vingt mètres avant la porte des toilettes.

L'ouvrir, s'y enfermer, comme maman le lui avait appris.

7

Aujourd'hui ma petite sœur Agathe a fini tous les bonbons de la réserve avant que je rentre du collège et maman du travail.

Envie de tuer

Y en avait un au cyanure !

Condamné : 253

Acquitté : 27

www.envie-de-tuer.com

Vasile Dragonman étala les dessins sous le nez de la commandante Marianne Augresse. Il désigna le premier, une feuille presque blanche griffonnée de quatre barres noires verticales et d'un zigzag rouge.

— Regardez précisément les traits…

Marianne Augresse posa une main sur le dessin pour le masquer.

— Non, monsieur Dragonman ! On va d'abord commencer par le commencement. Qui est ce môme ? Parlez-moi des parents, en deux mots.

Vasile se mordit la lèvre comme un enfant pris en faute.

— Les parents ? Normaux. Banals. Rien à en dire de spécial. La mère, Amanda Moulin, doit avoir un peu plus de trente ans, mais elle en fait bien dix de plus. Le père est plus vieux, une bonne quarantaine. Ils sont mariés depuis des années. Ils habitent un petit pavillon à Manéglise, dans un lotissement, les Hauts de Manéglise, à la sortie du village, square Maurice-Ravel pour être précis. Il n'y a que ça à Manéglise, un tout petit centre-ville et un immense lotissement autour. Elle est caissière au Vivéco, la supérette du village. Lui est électricien, enfin quelque chose dans le genre, je crois qu'il galère pour trouver un CDI. Il est aussi connu dans le village parce qu'il entraîne les gamins au foot.

— Vous les avez rencontrés ?

— Une fois, au début. Je me posais moins de questions à ce moment-là.

Vasile avait presque l'air de s'excuser, comme s'il culpabilisait de jeter ainsi la suspicion sur une famille sans histoire. Marianne trouvait incroyablement mignon ce comportement de petit garçon gêné de jouer au vilain rapporteur. Elle se promit qu'elle en parlerait à Angie, dès ce soir. Cette petite coquine avait-elle également flashé sur ce beau gosse ? Pas sûr, ce psy craquant semblait un peu trop intellectuel pour cette effrontée. Angie n'aimait que les bad boys !

Papy passa à ce moment-là devant la vitre du bureau, un café à la main. Elle l'interrogea du regard, il répondit par un hochement négatif de la tête. Aucune nouvelle du professeur Larochelle et donc de Timo Soler…

— Très bien, monsieur Dragonman. Revenons-en au gosse. Expliquez-moi ces dessins.

— Comme je vous l'ai dit au téléphone, il prétend avoir vécu une vie avant celle qui est la sienne aujourd'hui, avant sa chambre de bébé dans le pavillon de Manéglise, avant de vivre avec ses parents, Amanda et Dimitri Moulin. Il me parle avec beaucoup de précisions de cette vie précédente, alors que d'après son institutrice, Clotilde Bruyère, Malone Moulin est plutôt un enfant réservé.

— Pourquoi se confie-t-il à vous ?

— C'est mon métier.

Bien joué, admit Marianne. Vasile était gentil et poli, mais il ne se prenait pas pour de la merde ! Et si c'était lui le mytho ? se demanda la commandante. Et s'il inventait toute cette histoire pour se faire mousser ? Une sorte d'affaire d'Outreau inversée ?

— Observez ces dessins, continua le psychologue, ce sera plus simple. Sur celui-ci, les quatre traits verticaux, selon Malone, représentent le château à côté duquel il vivait. Ce sont les quatre tours. Le zigzag qui monte vers le haut de la page, c'est une fusée. Il dit se souvenir de l'avoir vue s'envoler dans le ciel. Plusieurs fois.

Marianne soupira. Cela ne tenait pas debout une seconde ! Elle n'écoutait ce type que parce que ça lui permettait de tuer le temps en attendant que le chirurgien rappelle et qu'elle lance cinq voitures de police pour coincer Timo Soler sur le port. Ses yeux s'égarèrent un instant vers l'écran de l'ordinateur. Le site *envie-de-tuer.com* clignotait en fond d'écran. Naturellement, elle fit le rapprochement avec Angie.

Et si cette petite maligne lui faisait une blague ? Et si ce type, ce soi-disant psychologue, n'était qu'un pote à elle qui improvisait un rôle ?

— Vous avez oublié les pirates, lança-t-elle distraitement. Il y avait un bateau pirate aussi, hier.

Vasile ne repéra pas la pointe d'ironie.

— Oui ! Exact. (Il attrapa un autre dessin.) Les hachures bleues représentent la mer. Malone prétend qu'il la voyait de sa chambre. Et les deux petits points noirs, c'est un bateau.

— Un ou deux bateaux pirates ?

— Un seul, mais cassé en deux. Il l'apercevait de sa chambre, lui aussi. C'est ce genre de précision qui apparaît troublante. Tout est très stable dans ce qu'il raconte, d'une séance sur l'autre, il ne se contredit jamais.

Le doigt de Marianne courut le long de la mer bleue.

— Et la forêt des ogres ? Je me souviens qu'il y avait aussi des ogres dans l'histoire de ce gosse.

Elle s'avança sur le bureau, poitrine en avant, son plus bel et seul argument auprès des hommes. Blague d'Angie ou pas, il était temps de mettre fin à la comédie.

— Franchement, monsieur Dragonman. Qu'attendez-vous de moi ? Jusqu'où espérez-vous que je vous suive ? Vous n'allez pas me dire que vous croyez que ce gamin vous dit la vérité, simplement sur la base de ces gribouillis et de ses délires !

Les yeux de Vasile Dragonman lancèrent un éclat affolé. Deux poteries terre de Sienne brisées. Irrésistibles. Comme s'il se heurtait pour la première fois aux murs d'un monde cruel, froid et pragmatique.

— Si, commandante, en dépit de toutes les apparences, je le crois ! Huit ans d'études et autant d'années d'expérience sur le terrain devraient me persuader que ce gamin s'est créé un monde intérieur, avec une symbolique qui lui est propre, un labyrinthe psychologique où il faut avancer avec prudence. Mais appelez cela comme vous voulez, instinct ou intuition, je suis persuadé que la majorité des souvenirs de cet enfant sont réels. Même si ça ne colle pas vraiment avec ce que je connais de la psychanalyse ! Oui, j'ai la certitude qu'il a vraiment vu toutes ces choses qu'il dessine.

— A Manéglise, dans son pavillon ?

— Justement non.

Nom de Dieu ! pensa Marianne. Ses mains se crispèrent sous le bureau. Elle sentait qu'elle s'embarquait malgré elle dans une histoire impossible, avec pour seule motivation d'attendre face à ces deux yeux couleur pain d'épice plutôt que devant la machine à café, avant d'envoyer la cavalerie quai de l'Asie.

— Vous avez autre chose, monsieur Dragonman ? Quelque chose de, disons, plus concret ?

— Oui.

Vasile se pencha sur sa sacoche en cuir visiblement recousue par ses propres soins, puis en sortit une série de clichés d'un centre commercial.

— Vous reconnaissez ?

— Je devrais ? Il y en a quelques milliers identiques en France, non ?

— C'est le centre commercial du Mont-Gaillard. Le plus grand de l'agglomération du Havre. Malone prétend que c'est dans cette galerie marchande que sa mère, la vraie, l'a confié à sa seconde maman, Amanda Moulin. Je lui ai montré plusieurs clichés. Malone a reconnu le McDonald's, le logo Auchan, le dessin de l'Ilot Pirate, un perroquet rouge et vert. On ne trouve les trois enseignes réunies que dans ce centre commercial. Le gamin n'a pas pu l'inventer…

La commandante prit le temps de regarder en détail les photographies.

— Ça ne prouve rien, conclut-elle après un moment. Il confond. Ou il se contente d'utiliser un lieu qu'il connaît. Il doit passer tous ses samedis depuis sa naissance dans ce paradis de la consommation. C'est la sortie du week-end pour tout le nord de l'estuaire, non ?

— Il ne confond pas, commandante ! C'est difficile de vous expliquer en si peu de temps la nuance entre la mémoire arrangée et la mémoire épisodique, mais il ne confond pas, je vous l'assure !

Beau, fier et têtu, ce con de psy.

Marianne soupira.

— Selon vous, cet échange de mamans, il se serait déroulé il y a combien de temps ?

— Plusieurs mois au moins. Un an peut-être. Ce n'est pas un souvenir direct. C'est un souvenir de souvenir, si vous préférez.

— Désolé, je ne comprends rien.

— Un souvenir auquel il se force à penser tous les soirs, pour ne pas l'oublier si personne ne lui en reparle. Un souvenir qu'il se plante comme un clou dans le crâne. Un clou pour y accrocher une sorte de drap dans son cerveau, pour ne pas voir ce qu'il y a derrière.

— Ce qu'il y a derrière ?

— Ce qu'il a vécu avant cet échange au Mont-Gaillard. Ce qu'il ne parvient à exprimer que sous la forme de dessins. Les ogres, les pirates et le reste. Une réalité trop difficile à visualiser de façon directe.

— Selon vous, il cache un traumatisme, c'est cela ? Un traumatisme antérieur.

D'un coup, Vasile sembla plus sûr de lui. Il lâcha un sourire de gamin.

— Oui, ça me semble une évidence ! Je veux bien discuter du reste, de sa vraie ou de sa fausse maman, de la sincérité d'Amanda et de Dimitri Moulin, mais il n'y a aucun doute pour moi : ce gamin a subi un traumatisme lourd et a construit de sacrées murailles pour enfermer ce fantôme quelque part dans sa mémoire.

Le psychologue avait compris qu'il avait de nouveau capté l'attention de la commandante. Il continua, veillant à ne pas accélérer le débit de ses phrases.

— Sauf que… comment vous dire… ce n'est pas un traumatisme classique. Il ne semble pas avoir peur de ses nouveaux parents, par exemple. Il les aime plutôt bien. C'est juste qu'il pense que ce ne sont pas les siens.

— La pédophilie, la violence de la part d'un proche, pas forcément son père ou sa mère, ça pourrait provoquer de tels symptômes ?

— Pas que je sache… Je n'ai rien décelé de cet ordre.

Marianne baissa les yeux vers sa montre.

12 h 20.

Depuis quelques secondes, une violente averse cognait à la fenêtre du bureau de la commandante. C'était fréquent au Havre, ça ne durait jamais longtemps, la pluie du moins. L'humidité, elle, restait, et avec elle le gris mouillé, comme si l'eau avait définitivement imbibé le béton du centre-ville, les graviers du port et les galets de la plage.

Derrière l'autre vitre, celle du couloir, les flics continuaient de passer, sans excitation particulière, ce qui en langage corporel signifiait que Timo Soler n'avait toujours donné aucun signe de vie. Ou de mort, si la justice rendue par le bistouri de Larochelle avait eu la main un peu trop lourde.

Marianne décida de continuer un peu l'entretien, pas seulement pour les beaux yeux du psy cette fois. Pour qu'il lui parle de petite enfance, celle de Malone Moulin et de tous les autres gosses de zéro à quatre ans. De ces petits bouts d'hommes, identiques à celui qu'elle espérait bien porter un jour dans son ventre.

— Monsieur Dragonman. Je vais être sincère, j'ai vraiment beaucoup de mal à vous suivre. Tout ce que vous me racontez ressemble à une mauvaise blague, mais hier, en fin de conversation, vous m'avez parlé d'urgence. C'est ce qui m'a inquiétée. Vous avez prétendu que la mémoire de ce gamin allait s'effacer si on n'agissait pas vite. Expliquez-moi ça. Que va-t-il se passer, si personne à part vous ne croit ce gosse ?

8

Petite aiguille sur le 12, grande aiguille sur le 4

Il y avait une ouverture d'environ dix centimètres entre le carrelage blanc et la porte, sans doute pour pouvoir nettoyer plus facilement par terre. Malone regardait par le trou. L'eau s'accumulait devant les toilettes, formant une petite mare, la même, en plus petit, que celle dans le sable au pied du toboggan. Il n'aurait qu'à sauter par-dessus. Ce serait facile, même s'il ne savait pas bien sauter loin ou courir vite, toutes ces choses que font les plus grands.

Si sa basket trempait dans l'eau, ce ne serait pas grave. L'eau, une fois qu'elle est tombée du ciel, elle n'est plus dangereuse, parce qu'elle meurt quand elle s'écrase par terre. Comme les abeilles, une fois qu'elles ont piqué une fois, elles meurent après, c'est Maman-da qui lui a dit ; elle lui parle souvent des abeilles, des moustiques, des fourmis, et des autres petites bêtes comme ça.

Oui, il lui suffirait de sauter par-dessus l'eau.

Quand tout sera fini.

Pas tout de suite.

Malone entendait encore la pluie tomber sur le toit des toilettes et il ne savait pas si c'était les gouttes déjà mortes qui glissaient des branches des arbres ou du toit, ou les autres, celles qui vous piquent comme mille serpents, comme mille flèches de chevaliers, si vous n'avez pas le temps de vous cacher.

Il se baissa pour regarder à nouveau par le trou. De l'autre côté de la cour, par la fenêtre de sa classe, derrière les gouttes de pluie qui cognaient sur le carreau et les empreintes de mains collées dessus, il devinait le visage de Maman-da.

* *
*

— Je ne suis pas à l'aise ici, mademoiselle.

Les doigts d'Amanda Moulin avaient arraché quelqucs morceaux de pâte à modeler posés sur l'étagère la plus proche et pétrissaient de minuscules boulettes. Dimitri Moulin, toujours contorsionné sur sa chaise miniature, semblait maintenant se désintéresser de la conversation.

— Vous comprenez, continuait Amanda, l'école, ça n'a jamais été trop mon truc. C'est la mienne ici, pourtant. J'y suis entrée il y a quoi, presque trente ans, en 1987, c'était encore madame Couturier la directrice. A l'époque, y avait pas tous ces jouets dehors et dans la classe, y avait même qu'une classe et on n'était pas quinze dedans. Vous voyez, je pourrais me sentir un peu chez moi ici, mais non, j'ai beau me forcer, ça ne me rappelle pas vraiment de bons souvenirs. Je vous raconte tout ça pour essayer de vous expliquer pourquoi les kermesses, les élections de parents d'élèves, vendre les gâteaux à la sortie de la classe, tous ces trucs, ce n'est pas vraiment pour moi. Ce n'est pas que je n'en aurais pas envie ou que je trouve que ce n'est pas important. C'est juste que…

Amanda hésita. Ses doigts mélangeaient deux boules rouge et blanche pour en former une autre, rose chair, striée de veines écarlates. Clotilde la fixait, attentive, sans l'interrompre.

— C'est juste, pour tout vous dire, que l'école a toujours été une corvée pour moi, et que je traîne ça comme un boulet depuis que j'ai trois ans. Remarquez, je ne dois pas être la seule, hein ? Y a plus de cancres que de surdoués. Au Vivéco, à la caisse, je cause à tout le monde, depuis six ans, tout le monde vous le dira. Je ne suis pas spécialement timide. Mais ici, c'est comme si je le redevenais. Je me dis qu'il y a plein d'autres gens plus intelligents que moi pour prendre la parole, pour savoir, pour avoir une opinion, tous ceux pour qui la classe était une récompense.

Les boulettes molles et roses passaient d'une de ses mains à l'autre. On m'avait prévenue, pensa Clotilde. Certains parents sont méfiants, hostiles, agressifs même, dès qu'ils entrent dans une cour d'école ; mais c'est seulement de la peur. Une peur qui remonte à l'enfance.

— Parlez-moi de Malone, madame Moulin.

— J'y viens, j'y viens. Mais je vous ai d'abord parlé de moi parce que c'est important pour que vous compreniez. Donc si on est là, c'est parce que Malone raconte qu'on n'est pas ses vrais parents et que le psy scolaire prend ça au sérieux ? Mais comment, mademoiselle, on peut prendre ça au sérieux ? On vit avec Malone depuis qu'il est né. On vous a apporté toutes les photos, ses premiers pas, ses anniversaires, les fêtes avec les voisins, les vacances, les balades en forêt, à la mer, au centre commercial. Le plus qu'on l'a laissé depuis qu'il est né, c'est deux jours à ma sœur pour un mariage, il y a un an, au Mans. Ils nous l'ont pas échangé pendant ce temps-là, hein, on s'en serait tout de même rendu compte !

Clotilde se força à sourire. Dimitri Moulin suivait de la pointe de son pied la route qui ondulait sur le tapis de jeu.

— Enfin quoi, mademoiselle, insista Amanda Moulin, demandez à tous ceux qu'on connaît, les voisins du square Maurice-Ravel, ma famille, celle de Dimitri, la nounou de Malone, les mères du parc des Hellandes qui y promènent leur bébé. C'est mon gamin, quoi ! Vous le savez bien, je vous l'ai amené en mai dernier, pour l'inscription. Et puis ils le savent aussi quand même, à la mairie ! On l'a déclaré à sa naissance. Y a tous les papiers.

— Bien entendu, madame Moulin, personne n'en doute.

De longues secondes de silence tombèrent sur la classe, celles que Clotilde ne parvenait jamais à obtenir complètement avec ses enfants. Amanda écrasa soudain la pâte à modeler rose contre sa jupe en velours.

— On ne va pas nous le retirer, hein ?

Dimitri avait sursauté. Son pied heurta une petite ambulance blanche. La directrice n'eut que le temps d'esquisser un geste d'étonnement, Amanda continuait déjà.

— On s'en occupe comme on peut du petit, mademoiselle. On a acheté la maison à Manéglise quand j'étais enceinte. C'était une folie, Dimitri pourra vous le dire, on n'avait pas d'apport, on s'est endettés sur trente ans, même avec les prêts à taux zéro, mais bon, on n'allait pas l'élever aux HLM du Mont-Gaillard tout de même. Et puis, je savais que c'était une bonne école ici. Je croyais, du moins.

Dimitri Moulin tourna un regard agacé vers sa femme. Elle ne parut même pas le remarquer.

— On fait comme on peut, mademoiselle. Comme on nous dit de faire. Un jardin pour qu'il joue, des repas avec des légumes qu'on le force à manger, pas trop de télé, des livres plutôt. On essaye, on apprend, pour lui donner la chance qu'on n'a pas tout à fait eue. (Elle sortit un mouchoir de sa poche.) Mademoiselle, si vous saviez comme je tiens à ce gosse. On fait ce qu'on peut, je vous jure.

Clotilde s'approcha et s'arrêta à quelques centimètres d'Amanda Moulin, comme lorsqu'elle mouchait ou recoiffait un enfant.

— Personne n'en doute, madame Moulin, répéta l'institutrice. Vous faites pour le mieux. Mais pourquoi alors Malone raconte-t-il ces histoires ?

— Les histoires de fusées, de château, de pirates, celles d'une autre vie qu'il aurait eue avant nous ?

— Oui.

— Tous les enfants racontent des histoires, non ?

— Oui… mais rares sont ceux qui racontent que leurs parents ne sont pas les leurs.

Amanda prit un long temps pour réfléchir. Dimitri étira à nouveau ses jambes. Il semblait désormais pressé de partir et remonta ostensiblement la fermeture de son blouson. Amanda n'en tint pas compte.

— C'est parce qu'on s'occupe mal de lui, c'est ce que vous croyez ?

— Non, répondit trop vite Clotilde. Pas du tout.

— Parce que quand j'y pense, je crois que c'est pour ça. Parce que Malone est mieux que nous. Plus intelligent, je veux dire. Il est en avance pour son âge, le psy nous l'a dit au premier rendez-vous, c'est même pour ça qu'on avait accepté qu'il le voie. Il y a plein de choses dans la tête de Malone, des histoires, des aventures, son monde à lui, tous ces trucs qui nous dépassent, Dimitri et moi.

— Qu'est-ce que vous voulez dire ?

— On est peut-être pas les parents que Malone aurait voulus, voilà ce que je veux dire. Il en aurait sûrement préféré d'autres, plus riches, plus jeunes, plus cultivés, des qui l'emmènent en avion, au ski, aux musées. Et peut-être que c'est pour ça qu'il s'en invente d'autres, des parents…

— Madame Moulin, un enfant ne raisonne pas ainsi.

— Moi si ! J'ai quitté mes parents pour ça. Parce que je voulais vivre autre chose qu'eux. Autre chose que la campagne, le turbin, les patrons. J'y croyais à ce moment-là. Je croyais même avoir réussi, avant que vous me convoquiez.

— Je ne vous ai pas « convoquée », madame Moulin. Et ce sont les adolescents qui rêvent d'une autre vie, d'autres parents, pas les enfants de trois ans.

— C'est bien ce que je vous disais, mademoiselle, Malone est un gamin en avance sur son âge !

Dimitri Moulin se leva à ce moment précis. Son mètre quatre-vingts se déplia et sa silhouette écrasa soudain la pièce, meubles miniatures, jouets minuscules, et directrice d'école naine.

— Je crois qu'on a fait le tour, cette fois ! Je suis déjà en retard pour prendre mon quart. Et puis ça fait un sacré temps que mon gosse attend seul dans la cour.

Sa femme n'eut pas d'autre choix que de se lever. Dimitri prit tout de même le temps de toiser l'institutrice. A l'autre bout de la cour, Malone sortait des toilettes.

Il ne pleuvait plus.

— Regardez mon gosse, prévint Moulin. Tout va bien ! Alors passez un petit message à ce psy : s'il lui cherche des emmerdes, on s'expliquera à deux, entre hommes. Mon gosse n'est ni battu, ni violé, ni quoi que ce soit. Il va bien, vous comprenez ? Il va bien. Pour le reste, je l'élève comme je veux !

— Je comprends.

Clotilde Bruyère leur ouvrit la porte, hésita, observa Malone qui s'approchait, puis se lança.

— Mais si je peux me permettre un conseil, puisque je vois Malone évoluer dans la classe depuis quelques mois, et ne le prenez pas mal, monsieur et madame Moulin, il faut davantage couvrir votre fils.

— Parce qu'il va faire froid ? s'inquiéta Amanda.

— Parce que votre fils a froid. Souvent. Presque toujours. Même les jours de soleil.

* *
*

La Skoda Fabia roulait rapidement dans les rues désertes de Manéglise. Route de Branmaze. Pa-di tapait sur le volant avec ses doigts. Derrière lui, sur le rehausseur, Malone serrait Gouti dans ses bras.

Petite aiguille sur le 1, grande aiguille sur le 4.

Il était pressé de rentrer chez lui, de monter dans sa chambre et de se cacher avec son doudou dans le lit. Pour qu'il lui raconte tout…

9

— Vous souhaitez comprendre comment fonctionne la mémoire d'un gosse, commandante, c'est bien ça ?

Marianne Augresse hocha la tête pour confirmer. Vasile Dragonman prit une longue inspiration avant de se lancer.

— D'accord ! Ça risque d'être un peu long, même si ce n'est pas bien compliqué, au fond. D'abord, il faut retenir un principe, un seul, très simple. Le temps de conservation d'un souvenir, pour un enfant, augmente avec son âge. Si vous prenez un bébé de trois mois, ses souvenirs vont durer environ une semaine. Un jeu, une musique, un goût… Un bébé de six mois possédera une mémoire de trois semaines, un bébé de dix-huit mois une mémoire d'environ trois mois, à trente-six mois d'environ six mois…

Marianne ne semblait pas convaincue. Elle agita sa main en signe d'agacement.

— OK pour la théorie mathématique. Mais la mémoire d'un gosse doit dépendre d'autres critères, non ? Un bébé doit davantage se souvenir de quelque chose ou de quelqu'un qu'il voit tous les jours, je suppose. Ou au contraire d'un événement extraordinaire, un événement qu'il a adoré ou qui lui a fichu la plus grande frousse de sa vie.

— Non, expliqua calmement le psychologue. Cela ne fonctionne pas comme ça. Là, vous raisonnez comme si nous parlions d'une mémoire adulte, d'une mémoire capable de faire le tri entre l'important et l'accessoire, l'utile et l'inutile, le vrai et le faux. La mémoire d'un enfant de moins de trois ans fonctionne de façon différente. Tous les souvenirs qui ne seront pas réactivés par la suite s'effaceront, inévitablement. Tenez, je prends un exemple. De sa naissance à ses trois ans, vous montrez à un enfant, tous les jours, le même dessin animé. Il le regarde en boucle, le connaît par cœur, les personnages du film sont ses plus proches amis. Puis, pendant un an, vous arrêtez, sans jamais lui en reparler durant douze mois. Le jour de ses quatre ans, vous ressortez le DVD et vous installez à nouveau l'enfant devant ce dessin animé. Il n'en aura absolument aucun souvenir !

— Vraiment ?

— Vraiment ! Et ce qui fonctionne avec un dessin animé ou une histoire peut très bien fonctionner avec un proche dont on ne reparle pas, un papy décédé, une nounou perdue de vue, une petite voisine qui a déménagé. Ce qui nous trompe, c'est qu'il est très rare que l'on fasse le silence sur un souvenir important pendant plusieurs mois. Un jeune enfant aura par contre une mémoire immédiate extraordinaire si on la sollicite, il saura où il a caché sa tétine le matin, se rappellera la couleur de la balançoire du parc où il va jouer chaque semaine, le chien derrière la barrière sur la route de la boulangerie, surtout si ces actions sont répétées ou rappelées régulièrement dans la conversation.

— Parce que ce sont les parents qui construisent la mémoire de l'enfant ?

— Oui, presque à 100 %. C'est vrai aussi pour nous, d'ailleurs. C'est ce que l'on appelle la mémoire épisodique, ou autobiographique. Notre mémoire adulte est presque intégralement constituée de souvenirs indirects. Des photos, des récits, des films. Exactement comme le principe du téléphone arabe, des souvenirs de souvenirs de souvenirs. On croit se rappeler avec précision des vacances d'il y a trente ans, de chaque jour, chaque paysage, chaque émotion, mais ce sont uniquement des images, toujours les mêmes, que nous avons sélectionnées et recomposées en fonction de critères très personnels, comme une caméra qui ne filme qu'un seul angle de vue, qu'une partie du décor. C'est la même chose pour votre premier gadin à vélo, votre premier baiser, vos cris de joie le jour des résultats du bac. Votre cerveau trie et ne retient que ce qui l'intéresse en fonction de sa subjectivité. Si vous pouviez remonter le temps et repasser le film exact du passé, vous verriez que les faits réels correspondent peu à vos souvenirs. Quel temps faisait-il ? Qu'aviez-vous fait avant, après ? Qui était là à part vous ? Rien, aucune idée, il ne vous reste que des flashs !

Marianne guettait toujours par-dessus l'épaule du psychologue le passage de ses collègues derrière la vitre. Plusieurs flics défilaient, gobelet ou sandwich à la main, sans aucune agitation particulière. Timo Soler n'avait toujours pas rappelé le professeur Larochelle.

— Je veux bien vous croire, monsieur Dragonman, continua Marianne, même si c'est assez troublant. Mais revenons aux enfants. A partir de quand peut-on avoir des souvenirs que l'on conservera toute sa vie ?

— C'est difficile à dire, justement à cause de ce que je viens de vous expliquer. Certaines personnes prétendront se rappeler de faits qu'elles ont vécus à l'âge de deux ou trois ans, mais il s'agit exclusivement de souvenirs racontés ou reconstruits. C'est le cas des enfants adoptés par exemple, en particulier ceux qui viennent de l'étranger : comment peuvent-ils faire la part entre leurs souvenirs réels, ceux qu'on leur a rappelés, et ceux qu'ils ont imaginés ? Des études canadiennes ont démontré que des enfants adoptés, mis au courant de cette adoption dès leur plus jeune âge, pensaient sincèrement posséder des souvenirs de leur première vie, alors que ce n'est absolument pas le cas des enfants adoptés qui ignorent leur adoption (le psy plongea un instant les yeux vers les dessins d'enfant sur le bureau). Donc, en résumé, commandante, pour tenter de répondre précisément à votre question, chez la plupart d'entre nous, il n'existe presque aucun souvenir direct de tout ce que l'on a vécu avant quatre ou cinq ans. Tout ce que vous faites avec vos gosses pendant les soixante premiers mois de leur vie, les emmener au zoo, à la mer, leur raconter des histoires, fêter leur anniversaire ou Noël, vous vous en souviendrez avec émotion, toute votre vie, comme si c'était hier, alors que pour eux, pschitt… le néant !

Marianne le regarda bizarrement, comme s'il venait de proférer une hérésie.

— Le néant ? Ça les aide à se construire, non ? Les pédiatres disent que tout se joue avant quatre ans…

Vasile Dragonman afficha un large sourire ; il avait amené la commandante exactement là où il le voulait.

— Bien entendu ! Tout se joue les premières années. Et même avant la naissance si on se réfère aux théories de la psychogénéalogie et aux fantômes transgénérationnels. Les valeurs, les goûts, la personnalité… Tout se joue dans les premières années de notre existence. Tout est gravé à jamais ! Mais par contre, du point de vue strict de la mémoire directe des faits… rien ! C'est assez stupéfiant comme paradoxe, non ? Notre vie est guidée par des événements, des actes de violence ou des marques d'amour dont nous n'avons aucune preuve. Une boîte noire à laquelle nous n'aurons jamais accès.

Marianne tenta d'argumenter.

— Mais les souvenirs sont tout de même stockés dans cette boîte noire inaccessible ?

— Oui… C'est un mécanisme assez simple au fond. Tant que le langage n'est pas acquis, la pensée procède par images, et donc la mémoire aussi. D'un point de vue psychanalytique, cela signifie que les souvenirs ne peuvent être stockés que dans l'inconscient, mais ni dans la conscience, ni même dans la préconscience.

La commandante écarquilla les yeux pour signifier qu'elle ne suivait plus. Le psy se pencha vers elle avec patience.

— Pour le dire autrement, chez un jeune enfant qui semble avoir tout oublié, il reste toujours des traces ! On appelle cela la mémoire sensorielle, ou sensori-motrice. Elle se traduit par le souvenir diffus des émotions, des impressions, des sensations. L'exemple le plus classique est celui du gosse qu'on circoncit alors qu'il a à peine trois mois et qui garde jusqu'à ses dix ans une frousse terrible de l'hôpital, de ses couleurs, de son odeur, de ses bruits, sans comprendre pourquoi, ignorant même qu'il y a déjà mis les pieds. Dans notre langage de psy, pour donner un nom à une telle mémoire traumatique inconsciente, on parle de fantômes.

La commandante Augresse prenait de plus en plus plaisir à la conversation et pas seulement parce que des lumières s'allumaient dans les yeux noisette de ce psy dès qu'il évoquait une nouvelle théorie.

Elle se régalait comme une étudiante surmotivée, elle avait l'impression de voyager vers un continent inconnu, une île vierge avec ses petits sauvages, de zéro à quatre ans, autant de destins à modeler à l'image de leurs parents, à leur image sans les défauts. Le rêve de toute maman !

— Une question bête alors, monsieur Dragonman, dit-elle. Quelle est la bonne solution pour un éducateur en cas de traumatisme ? Aider l'enfant à oublier ou, à l'inverse, verbaliser les choses, en parler, pour que le fantôme ne reste pas coincé quelque part dans son cerveau ?

La réponse de Vasile fut sans équivoque.

— Tous les psys vous diront la même chose, commandante : le déni d'un traumatisme est une forme de protection qui ne règle rien ! Pour vivre avec un traumatisme, il faut l'affronter, le verbaliser, l'accepter. C'est la fameuse résilience popularisée par Boris Cyrulnik.

La commandante aimait la provocation.

— C'est un peu idiot, non ?

— Pourquoi ?

Gagné ! Vasile la fixait avec attention. Elle poussa l'avantage.

— Eh bien… Tenez, je repense à ce film, *Eternal Sunshine of the Spotless Mind*… L'histoire de cette société qui propose d'effacer les souvenirs douloureux. C'est plutôt séduisant, non ? Plutôt que de ruminer un amour perdu, autant directement l'effacer !

— C'est de la science-fiction, commandante.

Cette fois-ci, c'est Marianne qui avait entraîné le psy là où elle le souhaitait.

— Oui, pour des adultes, c'est de la science-fiction… Mais d'après ce que vous venez de me raconter, avec un jeune enfant, c'est parfaitement possible ! Pour une grande personne dont la mémoire est fixée, je comprends bien. Impossible de refouler un traumatisme. On n'a pas d'autre choix que de l'extraire, comme une tumeur. Mais pour un enfant de moins de quatre ans, c'est différent, non ? Puisque tous ses souvenirs conscients vont disparaître à jamais ? On doit pouvoir faire le pari qu'il vaut mieux ne rien dire, qu'il vaut mieux laisser au contraire les souvenirs s'évaporer, devenir flous, jusqu'à paraître irréels… Même si le gamin garde un vague souvenir d'un traumatisme, il ne fera pas la différence avec une image violente entraperçue dans un livre ou sur un écran. Une sorte de théorie du confinement si vous voulez. Un peu comme des déchets radioactifs qu'on enfouit.

Le psy semblait amusé.

— Continuez…

— Tenez, imaginez un gamin d'un an ou deux qui a vécu un génocide, comme les petits Cambodgiens ou Rwandais arrivés en France, dont toute la famille a été massacrée devant leurs yeux. Que vaut-il mieux, monsieur Dragonman ? Tout gommer de leur cerveau pour qu'ils oublient l'horreur et grandissent comme n'importe quel autre gosse, joyeux et insouciant ? Ou leur faire porter ce poids toute leur vie ?

— En toute franchise, commandante, du strict point de vue psychanalytique, votre théorie du déni est une hérésie ! La mémoire sensorielle du gosse entrera en contradiction avec celle que les adultes veulent lui faire entrer dans le crâne. Et vous n'effacerez pas les fantômes…

Il marqua une pause.

— Mais votre image du confinement est juste, commandante… Ce serait comme enfouir des déchets radioactifs. Ça peut tenir comme ça des années, tout comme ça peut exploser à n'importe quel moment !

Il lança un clin d'œil complice à la policière.

— En réalité, il n'y a pas de règle absolue. Le refoulement d'un traumatisme violent peut provoquer des amnésies, y compris chez les adultes. Il existe aussi des cas de mémoire retrouvée, un abus sexuel dans la petite enfance par exemple, nié, enterré, qui resurgit à l'âge adulte. Comment distinguer alors s'il s'agit d'un vrai ou d'un faux souvenir ? Les fantômes de l'inconscient sont là, commandante, ils nous accompagnent, toute notre vie, comme des petits anges fidèles et invisibles. Il n'y a au fond qu'une méthode pour apprendre à vivre avec eux en harmonie.

— Laquelle ?

— L'amour, commandante ! Un jeune enfant a avant tout besoin de sécurité physique et affective. De stabilité. De confiance dans l'adulte qui le protège. Verbaliser ou non des traumatismes n'a au fond aucun poids si cet ingrédient n'existe pas : l'amour d'une mère, d'un père, de n'importe quelle grande personne référente pour ce gosse. Il n'a besoin que de ça !

Marianne se laissait bercer par les paroles de Dragonman. Ce type, en plus de son accent de l'Est et de ses yeux chêne clair, brillants comme un bureau d'écolier un jour de rentrée, possédait un don inné de la pédagogie. Le sens du rythme, de l'ellipse et du suspense. Si tous les psychologues étaient aussi passionnants que lui, pas étonnant qu'à l'université, les bancs des cours de psycho soient pris d'assaut par les étudiantes.

Elle posa des yeux troublés sur les dessins d'enfant posés sous son nez.

— D'accord, monsieur Dragonman. D'accord ! L'amour d'une mère… Mais si on en revient à Malone Moulin, il y a quelque chose que je ne comprends pas. Vous m'affirmez que cette histoire d'échange de mamans au centre commercial du Mont-Gaillard se serait déroulée il y a plusieurs mois, presque un an. Comment Malone peut-il s'en souvenir si précisément, si la mémoire d'un enfant de son âge est aussi volatile ? Et je ne parle même pas de ce qui remonte à plus loin encore, sa supposée vie antérieure, les bateaux pirates, les fusées, les ogres…

— Parce qu'on lui rappelle ces souvenirs, chaque jour, chaque soir, chaque semaine, depuis des mois.

La commandante manqua d'en tomber de sa chaise.

— Bordel. Qui ça ? Qui lui raconte sa vie d'avant ?

Au moment précis où le psy allait répondre, le lieutenant Pierrick Pasdeloup entra dans la pièce. Il lâcha un grand sourire à Marianne tout en lui tendant un gilet pare-balles gris-bleu au logo de la police nationale.

— C'est l'heure, ma grande ! Notre cher toubib vient de rappeler. Timo Soler veut le voir, le plus vite possible, ils ont rendez-vous dans moins d'une heure dans un endroit discret, sur le port, quai d'Osaka, pile là où le docteur Larochelle l'a recousu hier.

La commandante Augresse se leva d'un bond.

— Dix hommes, cinq bagnoles, pas question de le rater !

Vasile Dragonman observa sans comprendre le tourbillon qui venait de secouer le commissariat. Marianne allait claquer la porte sans même lui prêter attention lorsqu'il leva une main timide.

— Vous ne voulez pas la réponse à votre question ?

— Laquelle ?

— Qui parle à Malone Moulin de sa vie d'avant.

— Il vous l'a dit ?

— Oui…

Marianne trépigna devant la porte tout en scratchant son gilet de kevlar.

— OK, alors allez-y !

— Son doudou.

— Pardon ?

— Son doudou. Malone l'a appelé Gouti. Il me certifie que c'est Gouti qui, chaque soir dans son lit, lui raconte sa vie d'avant. Et… pour tout vous dire…

Ce psy avait des yeux étoilés à vous persuader qu'il existe une vie sur Mars, à vous convaincre de monter à deux dans une fusée pour aller la repeupler.

— … et pour tout vous dire, commandante, aussi étrange que cela puisse paraître… je pense qu'il dit la vérité !

10

Dissimulé derrière les murs de conteneurs empilés comme des briques d'acier multicolores, le lieutenant Pasdeloup observait la Yaris blanche de l'autre côté du bassin. Elle était la seule voiture garée sur la presqu'île fermée par l'écluse François-Ier.

Toute retraite coupée.

A l'ouest, l'océan.

Au sud, quai de l'Asie, Papy, escorté de deux Mégane.

Au nord, quai des Amériques, deux autres voitures de police attendaient, elles aussi invisibles, cachées par les grues géantes qui penchaient leur cou métallique au-dessus d'un paquebot vénézuélien.

A l'est, la cinquième Mégane, celle de la commandante Augresse et du brigadier Cabral, s'était positionnée un peu plus près, sur la même presqu'île que la Yaris, derrière les dunes artificielles de sable et de gravier extraits du fond de l'estuaire pour permettre aux monstres cuirassés toujours plus hauts et profonds de venir s'accrocher aux quais de béton.

Un boulot de Sisyphe. Creuser quelques mètres cubes de sable alors que l'océan en ramenait deux fois plus à chaque marée.

Cela faisait un bout de temps que le lieutenant Pasdeloup n'était pas revenu arpenter les quais du port. Surtout de ce côté, face à l'écluse François-Ier et son pont levant. La plus grande du monde, disait-on à l'époque, avant que les Belges, puis les Hollandais, puis les Chinois ne fassent mieux.

Immanquablement, ça renvoyait Papy quarante ans plus tôt, quand il slalomait à vélo derrière son père entre les caisses que les autres dockers déchargeaient. Le Havre fumait presque encore du bombardement de 45 qui avait détruit les quatre cinquièmes de la ville.

Lui ne se le rappelait pas, Le Havre d'avant 45, celui des villas, des armateurs, du casino et des bains de mer. Celui qui faisait pleurer les vieux. Son père. Sa mère. Le Havre d'avant que les docks Café et Océane ne soient transformés en cinéma, en salle de concert, en Fnac, en Pimkie ou en Flunch. En quais où les jeunes continuaient de venir, comme lui, quarante ans plus tôt, mais pour y passer le temps, plus pour y travailler !

— Oh, Papy, tu m'entends ?

Jean-Baptiste Lechevalier se tenait pile en face, plein nord, quai des Amériques, même si cinq cents mètres d'océan et quatre kilomètres de digues les séparaient. Le lieutenant Pasdeloup sortit de sa rêverie et appuya sur le talkie-walkie.

— Ouais. Je t'entends. Tu vois la Yaris toi aussi ?

— Nickel. Je l'ai en panoramique, avec Timo Soler à l'intérieur. Bourdaine m'a déjà pris quelques jolis clichés de lui, il n'a pas l'air bien en forme. Je pense qu'il est en train de prier pour que Larochelle ne l'ait pas oublié.

Le lieutenant Pasdeloup consulta sa montre. 13 h 12.

— D'ailleurs, qu'est-ce qu'il fout, ce con de toubib ?

— Il dit qu'il arrive. Il cherche… Faut croire qu'il ne sait pas activer l'option « zone industrielle » sur son GPS…

Le lieutenant Pasdeloup coupa momentanément le talkie-walkie et porta à nouveau les jumelles à ses yeux. Timo Soler avait posé sa nuque sur l'appui-tête. Il fermait les paupières par courtes séquences, mais jamais plus de quelques secondes. Le reste du temps, son regard scrutait les alentours, aux aguets. Ses deux mains demeuraient simplement crispées sur le volant ; aucune trace visible d'arme à portée du braqueur.

Parce qu'il voulait pouvoir démarrer au plus vite ?

Parce qu'il souffrait ?

Papy éleva le talkie-walkie jusqu'à ses lèvres.

— Marianne ? On fait quoi ? On ne va pas attendre le toubib tout l'après-midi. Jibé est plutôt dans l'idée de foncer…

— Et toi, t'en penses quoi ?

— Que le beau Timo peut difficilement nous échapper. Il n'y a qu'une route au sud du bassin où il stationne, et seulement deux ponts au nord. On doit pouvoir couper toutes les issues.

— Ouais. Mais Soler ne s'est pas garé là par hasard. Il a une vue à trois cent soixante degrés sur les alentours. Il nous verra arriver à près d'un kilomètre dès qu'on sortira, et nous n'avons aucune certitude qu'il ne soit pas armé. Tu as eu le toubib ?

— D'après Jibé, il arrive…

— On s'en tient au plan prévu, alors. Larochelle va à sa rencontre et lui fait avaler du thiopental. L'induction anesthésique devrait l'endormir en moins de cinq minutes, et si ça ne suffit pas, Larochelle l'allonge et commence à le charcuter pendant qu'on s'approche. Il a quoi comme caisse, le toubib ?

— Une Saab 9-3.

Marianne siffla.

— Ce serait dommage de commencer sans lui, non ? C'est déjà dingue qu'il accepte de venir salir ses pneus sur les ballastières du port.

Papy reprit la balle au bond.

— Question d'honneur, ma grande. Solidarité de classe ! N'oublie pas que Timo Soler a rempli ses poches avec les vitrines des quatre plus grandes boutiques de luxe de Deauville. Mets-toi dans la position du bon docteur Larochelle, si on laisse les manants se servir, où va le monde ?

La commandante Augresse coupa court à l'envolée de son adjoint.

— OK, Papy. J'ai compris le message. On attend encore dix minutes que notre justicier se pointe, et ensuite, on donne l'assaut.

Le port semblait désert, offrant l'impression que les paquebots à quai avaient été abandonnés et que les portiques accrochaient seuls les rangées de conteneurs, par habitude, sans plus qu'aucun technicien ne les commande. Comme si les machines et les robots avaient pris le pouvoir, seuls à survivre dans cet enfer d'acier et de béton. Les conteneurs déchargés s'accumulaient, peut-être pour l'éternité, selon une logique absurde oubliée, perdue avec le dernier homme.

Papy se fit la réflexion que même si le chargement de n'importe lequel de ces conteneurs devait valoir une fortune, il lui apparaissait surréaliste qu'il puisse exister un ordre, un quelconque rangement rationnel dans ces piles de boîtes de fer géantes entassées au petit bonheur ; et même impossible qu'un comptable de la capitainerie puisse avoir la moindre idée de ce qui était entreposé sur ces kilomètres de quais.

Le lieutenant Pasdeloup, sans lâcher des yeux la Yaris blanche, se rappelait les mots de son père.

Un port qui tourne est un port sans bateaux.

Un bateau qui ne navigue pas, un bateau qui reste à quai, est un bateau qui perd de l'argent. Et son père de participer à l'essaim de dockers qui se précipitait sur chaque nouveau paquebot amarré pour le vider au plus vite. A se tirer la bourre entre équipes. A battre des records.

Aujourd'hui, constatait Papy, un port qui tourne était un port sans hommes.

— Le toubib est encore à Harfleur, grésilla la voix de Jibé au bout de sa main. Il dit qu'il s'est planté de route mais à mon avis, il a dû partir charrette de son cabinet. Il assure qu'il sera là dans dix minutes.

Papy regarda à nouveau sa montre. Déjà sept minutes de retard sur l'heure de son rendez-vous prévu avec Soler.

— Qu'est-ce qu'on fait, Marianne ?

— Rien. On garde la Yaris en contrôle visuel et on attend.

On attend.

Un tanker gris avançait lentement dans le bassin. Pavillon russe. Du gaz ou des hydrocarbures sans doute. A ce rythme, il allait passer devant le quai des Amériques dans quelques minutes et obstruer le champ de vision de Jibé sur la presqu'île.

Pas grave, pensa Papy à l'autre extrémité du bassin, puisque Marianne et lui conservaient une vue parfaitement dégagée. La fine averse qui s'était déversée sur les digues de béton avait laissé derrière elle une esquisse de clarté dans le ciel délavé, couleur crayon à papier mal gommé.

— Soler a bougé !

Marianne avait hurlé dans le talkie-walkie. Papy vissa les jumelles sur ses yeux, juste à temps pour apercevoir Timo Soler grimacer, se redresser encore, enclencher une vitesse.

La Yaris venait de bondir vers le bassin, faire demi-tour dans un nuage de poussière, et se dirigeait plein nord en direction du pont métallique rouge, éloigné de quelques centaines de mètres, qui commandait l'entrée de l'écluse.

— A toi, Jibé ! hurla à son tour Papy. Soler met les voiles. Il vient vers toi avec Marianne à ses basques.

Le lieutenant Pasdeloup, positionné pour barrer toute retraite vers le sud à Timo Soler, entre les citernes d'hydrocarbures et la route de l'estuaire, était désormais condamné à assister en spectateur à la poursuite. Même s'il se situait à moins de cinq cents mètres à vol d'oiseau de la scène, par les quais, plus de deux kilomètres le séparaient de la Yaris de Soler.

Il aperçut la Mégane de Marianne déboucher derrière la dune de sable, quelques secondes à peine après celle de Soler. Sirène hurlante.

Le braqueur blessé n'avait aucune chance…

Les jumelles remontèrent un peu plus haut, comme pour anticiper la course de la Yaris.

Nom de Dieu !

Le lieutenant Pasdeloup se mordit les lèvres en étouffant un autre juron.

Soler avait attendu le bon moment.

Alors que la Yaris atteignait l'écluse François-Ier, la proue du tanker russe touchait presque déjà le rebord du pont levant. La voiture de Soler accéléra encore alors que le pont commençait doucement à se dresser vers le ciel. Quelques centimètres à peine.

En écho aux hurlements de la sirène de police, l'alarme de l'écluse se déclencha. Trois feux rouges devant l'écluse clignotèrent, virant au pourpre dans le halo des gyrophares bleus, comme si la scène tournée en noir et blanc avait été brusquement colorisée.

La Yaris s'engagea sur le pont rouge. Dans les deux optiques des jumelles, elle semblait minuscule face à l'immense tanker cuirassé. Une mouche rasant la corne d'un rhinocéros.

— Faut le coincer avant qu'il sorte ! s'époumona Papy, impuissant.

— Je n'ai aucune vision, répondit Jibé dans le talkie-walkie. On longe en aveugle ce putain de bateau russe. Si Soler passe l'écluse, on devrait se retrouver nez à nez avec lui.

Ou juste après, calcula le lieutenant Pasdeloup d'un coup d'œil inquiet.

La Mégane de Marianne était à son tour presque parvenue au pont rouge. C'est Cabral qui conduisait. Un flic solide. Fiable. Expérimenté.

— Accélère, bordel ! ordonna la commandante. Si Soler passe, on doit passer aussi !

Marianne Augresse avait détaché sa ceinture et ouvert la vitre de sa portière pour bénéficier d'une visibilité maximum.

Et pouvoir tirer, si besoin.

Cabral ne broncha pas.

Papy vit le véhicule de Timo Soler prendre un ultime élan, comme sur un tremplin, puis s'élancer pour bondir entre le pont levé et le quai, un saut d'un mètre, peut-être moins, c'était difficile de l'estimer à la distance où il se trouvait.

Il eut l'impression que la Yaris rebondissait, plusieurs fois, en même temps qu'elle virait à droite, manquant de basculer en tonneau. Elle se stabilisa pourtant après un tête-à-queue improbable.

Ce fumier de Soler avait dû souffrir atrocement, pesta Papy. Charcuté par les bons soins du docteur Larochelle, plaies à vif, le choc avait dû lui retourner les entrailles.

Pas assez. La seconde suivante, la Yaris blanche filait à nouveau entre les conteneurs, avenue de l'Amiral-du-Chillou.

— Droit devant ! hurla Papy à Jibé. Tu vas l'avoir en point de mire.

Le pont se levait encore, au-delà du mètre de hauteur cette fois. La Mégane de Marianne accélérait toujours. Le bruit des sirènes les assourdissait, les flashs les aveuglaient.

— Ça ne passera pas !

Cabral écrasa soudain la pédale de frein.

Les roues de la voiture de police se bloquèrent à quelques mètres du pont levé vers le ciel. La commandante Augresse n'eut pas le temps de protester, son visage s'écrasa sur le pare-brise couvert de sable mouillé mal balayé.

La Yaris de Timo Soler, puis bientôt les deux Mégane de Jibé et du sous-brigadier Lenormand disparurent du champ de vision de Pasdeloup. Sa voix trembla dans le talkie-walkie.

— Merde, ça va ?

— Ça va.

C'est Cabral qui avait répondu.

— Ça ira. La commandante est un peu amochée, je crois qu'elle va m'engueuler sévère dès qu'elle se sera épongé le nez, mais je préfère ça à un plongeon dans l'écluse.

Le pont redescendait doucement. Enfin, le port vivait. Des hommes accouraient de derrière les conteneurs comme des Playmobil sortis de leur boîte. Des marins russes étonnés s'agglutinaient aux rambardes du tanker. La voix de Jibé fit sursauter le lieutenant Pasdeloup.

— Papy ?

— Ouais.

— On a retrouvé la Yaris.

— Vrai ?

— Vide, précisa Jibé. Avenue du 16e-Port. On boucle la zone. Il est à pied, blessé, il ne pourra pas aller loin.

— Si tu le dis, admit Papy d'une voix peu convaincue.

Il connaissait le coin. L'avenue du 16e-Port entourait le quartier des Neiges, un étrange petit village d'un millier d'habitants, moitié faubourg industriel et moitié zone urbaine sensible, intégralement encerclé par les emprises portuaires. Une enclave. Un isolat.

Timo Soler n'avait pas choisi son lieu de rendez-vous par hasard, et encore moins l'endroit où il avait abandonné sa voiture. Il se terrait sans doute depuis des mois dans le quartier des Neiges, et l'y retrouver, s'il bénéficiait de complicités, prendrait des semaines.

Bien assez pour qu'il crève avant.

11

Petite aiguille sur le 1, grande aiguille sur le 7

Malone jouait avec sa petite fusée blanche et bleue sur le tapis de la salle. Gouti l'observait, adossé au pied d'une chaise. Malone aurait préféré monter dans sa chambre et pouvoir écouter tout ce que son doudou avait à lui raconter, mais il n'avait pas le droit.

On n'a pas le temps ce midi, avait dit Maman-da.

Juste le temps de faire réchauffer les pâtes, de mettre la table et de manger vite avant de retourner à l'école.

Malone faisait décoller la fusée, cherchant une planète où la faire atterrir. Pouf-Pouf lui sembla une bonne destination, c'était une planète molle et violette en forme de poire. Dans la cuisine, il entendait Pa-di continuer de parler fort. Il buvait un café et il répétait toujours la même chose.

La maîtresse et Vasile. Vasile et la maîtresse.

Il était en colère, et même si Pa-di ne l'avait pas regardé de tout le repas, Malone savait bien pourquoi.

A cause de lui.

A cause de tout ce qu'il disait à Vasile.

Il s'en fichait, Pa-di pouvait bien lui crier dessus ou ne plus lui parler du tout. Le punir même, s'il voulait.

Il s'en fichait ! Il ne lui dirait jamais rien et il continuerait quand même de parler à Vasile. Il l'avait promis à maman.

Maman-da avait bu son café à toute vitesse, fait la vaisselle, fait un gros bisou sur son front, passé le balai, fait un nouveau gros câlin, et maintenant, elle rangeait tout le bazar des sacs qu'ils avaient apportés à l'école, les papiers, les cahiers, les livres avec des photos. Elle avait ouvert le grand placard sous l'escalier, puis Pa-di l'avait appelé. Il avait déjà son manteau sur le dos mais il lui manquait son écharpe. Maman-da disait toujours qu'elle avait deux enfants à s'occuper !

Elle était montée dans la chambre chercher l'écharpe alors que Pa-di attendait dans la cuisine devant la télé, avec son café, et criait qu'il allait être en retard.

Malone fit doucement atterrir la fusée sur la planète Pouf-Pouf. Il marcha jusqu'au couloir, vers cette grande porte toute noire, qui n'était jamais ouverte d'habitude.

Il avança jusqu'au placard, entra dedans. Seule la lumière du dehors l'éclairait, et il faisait encore plus sombre quand il se mettait devant. Il se colla sur le côté, près des livres avec les photos sur les étagères. Ce n'était pas la peine de les ouvrir, il les avait déjà vus, Maman-da lui montrait des fois, mais il ne se reconnaissait pas quand il était petit. Il se souvenait de plein de choses, grâce à Gouti, mais pas de lui. Pas de sa figure, pas de à quoi il ressemblait bébé.

Malone regarda les autres cartons et les autres objets coincés sous les marches de l'escalier. Il avait repéré un grand tableau, bizarre, parce qu'il y avait des grosses lettres écrites dessus. Malone ne connaissait pas tout son alphabet, mais il savait lire son prénom.

M.A.L.O.N.E

A l'école, il fallait reconnaître la bonne étiquette au milieu de celles des autres enfants et l'accrocher sur le mur.

M.A.L.O.N.E

Son prénom était écrit sur ce tableau caché sous l'escalier, en grosses lettres, sur un papier blanc glissé sous du verre, mais elles n'avaient pas été dessinées au feutre. Ni à la peinture. Ni avec un stylo.

Malone dut se pencher encore pour bien en être sûr.

Il escalada quelques cartons et prit le tableau à deux mains pour qu'un peu de lumière l'éclaire et qu'il puisse mieux le voir.

Les lettres de son prénom étaient écrites avec des animaux !

Des tout petits animaux.

Des fourmis.

Des dizaines de fourmis alignées, collées, puis écrasées contre la plaque de verre. Celui qui avait fait ça l'avait fait avec beaucoup de soin. Presque aucune fourmi ne dépassait. C'était joli, très propre, même si Malone était un peu triste pour toutes ces bêtes vivantes qu'on avait tuées pour écrire son prénom. A moins que le tableau n'ait été fait qu'avec des fourmis déjà mortes ?

Qui avait pu faire ça ?

Pas Pa-di, c'est sûr. Déjà qu'il détestait colorier, découper, construire des trucs en Lego, toutes ces choses-là. Maman-da alors, pour lui faire une surprise ?

Drôle de surprise. Il n'aimait pas trop les fourmis. Surtout mortes. Il préférait voir son prénom écrit avec des feutres en couleur ou avec de la peinture sur les doigts, comme à l'école.

La porte de dehors claqua, sans même que Pa-di leur dise au revoir.

— On va y aller, mon chéri ! cria Maman-da du haut de sa chambre. Tu vas chercher ton manteau ?

Malone sortit vite du placard sous l'escalier. Il avait eu le temps de voir autre chose, d'autres bêtes bizarres, mortes aussi.

Et plus grosses que les fourmis, celles-là.

12

L'affreux pansement accroché à chacune des deux joues de Marianne Augresse lui écrasait le nez.

Une allure de boxeuse, pensa-t-elle, ou de couguar sortant d'une clinique spécialisée dans la chirurgie esthétique ! Elle avait un mal fou à supporter le regard des quinze mecs braqué sur elle, et en particulier, pour des raisons différentes, celui de Jibé et de Cabral. Impossible pourtant d'échapper à ce débriefing. Avec la cavale de Timo Soler, elle devait engager le maximum d'hommes sur l'affaire, y compris des agents arrivés depuis moins d'un an, et il était indispensable que tous possèdent le même niveau d'information sur l'affaire du braquage de Deauville.

Elle avança vers le centre de la pièce, résignée. Lorsque Marianne s'était vue pour la première fois dans le rétroviseur de la Mégane, sur le pont de l'écluse François-Ier, le nez pissant le sang, elle en aurait pleuré. C'était bizarrement la première chose à laquelle elle avait pensé, avant même de songer à la cavale de Toni Soler : combien de temps pour retrouver un visage humain ? Une semaine ? Un mois ? Plusieurs, si son nez était cassé ? Autant de jours perdus sur son compte à rebours personnel, parce que trouver un mec capable de lui faire un môme avec un tel pif…

Ça tourne à l'obsession, ma vieille !

La commandante se raisonna et introduisit sa clé USB pendant que les dossiers circulaient parmi les policiers. D'ailleurs, son nez n'était pas cassé ! Larochelle avait été plutôt rassurant lorsqu'il l'avait examiné sur les quais, au milieu des dockers et des marins qui n'avaient rien d'autre à foutre que de l'observer comme un clandestin sorti d'un conteneur.

Pas même besoin de points de suture, avait ajouté le médecin, seulement un gros hématome qui disparaîtrait en quelques jours. Larochelle s'était au moins rendu utile pour ça !

Le chirurgien avait garé sa Saab 9-3 face à l'écluse moins de trois minutes après la disparition de Soler, et Marianne, sitôt pansée, s'était défoulée sur lui, allant même jusqu'à le menacer d'ouvrir une enquête pour entrave à la justice : parce que c'était tout de même un peu gros, non, son histoire de GPS qui n'indiquait pas les quais du port !

Et s'il avait traîné exprès ? Et s'il avait délibérément cherché à ce que Timo Soler leur échappe ?

C'est Papy, qui pourtant ne portait pas Larochelle dans son cœur, qui l'avait calmée en la tirant à l'écart de la foule. Du calme, Marianne, avait-il chuchoté, le toubib nous a donné le lieu et l'heure exacts, Timo Soler était présent au rendez-vous, on n'avait plus qu'à le coincer. C'est nous qui avons merdé !

Il avait raison, Larochelle n'avait pas à endosser leur incompétence. D'ailleurs, le chirurgien n'avait pas quitté une fois son sourire, plus amusé qu'apeuré par la noria de flics qui gravitait autour de lui.

OK, Papy, avait marmonné Marianne entre ses dents, on réglera ça plus tard. Son adjoint avait raison, au fond, il fallait ménager le chirurgien, on pourrait encore avoir besoin de lui. La vilaine plaie ouverte que traînait Timo, c'était un peu son œuvre personnelle…

Marianne avait pourtant ruminé jusqu'au retour au commissariat.

Aujourd'hui, à cause d'un connard de toubib, j'ai laissé filer un criminel et je suis défigurée.

Envie de tuer.

J'ai attrapé le flingue à ma ceinture et j'ai...

Elle n'avait guère d'imagination pour inventer une suite drôle ou étonnante, en tout cas beaucoup moins que les internautes d'*envie-de-tuer.com*, qui rivalisaient d'astuce pour imaginer les pires façons d'exécuter les emmerdeurs du quotidien. La règle de ce site idiot était simple : présenter quelqu'un qui vous pourrit la vie au point de déclencher une envie de le tuer, et décrire un passage à l'acte virtuel, si possible jubilatoire, émouvant ou pathétique, validé ou non par le jury des lecteurs connectés… La version 2.0 de vie-de-merde.com… Une façon comme une autre, pour les frustrés velléitaires anonymes, de se défouler sans passer à l'acte ! Et puis, pensa la commandante, d'une certaine façon, ce site avait changé sa vie.

Elle se força néanmoins à le chasser de son esprit et lança le diaporama. Elle vit avec soulagement les regards délaisser son visage pour se braquer sur le plan de Deauville. Marianne avait commandé à Lucas Marouette, un stagiaire qui s'ennuyait au commissariat avant de commencer son service actif, une animation 3D sur Google Street View. C'était un jeu d'enfant, paraît-il, si on savait télécharger les applications de base. Autant se mettre à la page, ces reconstitutions virtuelles étaient désormais le gadget préféré des juges d'instruction.

— Nous sommes le mardi 6 janvier 2015, commença Marianne. Il est 11 h 12. Le temps est froid et venteux. Presque personne ne circule dans les rues de Deauville. Deux motos s'arrêtent au rond-point central de la ville, entre la rue Eugène-Colas et la rue Lucien-Barrière, au cœur de la station, à deux pas du casino. Au même moment, un couple enlacé marche sur le trottoir. Elégant. Lui porte un chapeau Scotland en feutre gris, elle a les cheveux cachés sous un foulard de soie. Impossible de distinguer leur visage sur les caméras de télésurveillance dont la ville est truffée.

Sur le vidéorama, deux silhouettes stylisées bleu et rouge, sans vêtements ni visage, marchaient dans la rue commerçante de Deauville dont on distinguait chaque enseigne de luxe, reproduisant à l'identique la description de la commandante.

— Alors que les deux motards se garent, le couple se sépare. Lui entre dans la boutique Hermès et elle chez Louis Vuitton. Tout va alors très vite. Au moment même où les deux motards, armés de Maverick 88, pénètrent respectivement dans les deux principales bijouteries de la rue Eugène-Colas, Godechot-Pauliet et Blot, l'homme au Scotland sort un Beretta 92 et braque les deux vendeuses d'Hermès, la femme fait de même chez Vuitton. Il ne leur faut que deux minutes pour remplir quatre sacs, un chacun. Ils savent exactement ce qu'ils cherchent, prennent principalement des objets facilement transportables. Montres, bijoux, foulards, ceintures, portefeuilles, sacs, lunettes… Quelques pièces de collection plus rares. Leurs gestes sont précis et minutés. Ils sortent tous les quatre dans la rue Eugène-Colas exactement à la même seconde. Les deux motards remettent leurs sacs à la femme. L'alerte est déclenchée à ce moment-là. Le commissariat n'est qu'à sept cents mètres, au bout de la même rue. Un flic qui sortirait fumer une clope pourrait apercevoir les deux motos.

Sur Street View, les maisons normandes à colombages défilèrent en accéléré, comme filmées caméra sur l'épaule, avant que l'image s'arrête sur les quatre personnages esquissés. Marianne poursuivit.

— Je passe sur les commentaires ultérieurs de la presse, le culot des braqueurs, leur inconscience même. On en reste aux faits. En réalité, leur coup était parfaitement monté. Les deux motos remontent très vite la rue Eugène-Colas, presque jusqu'au commissariat, mais tournent deux cent cinquante mètres avant, place de Morny. L'objectif était tout à fait clair. Faire diversion ! Obliger la police à les prendre en chasse alors que les deux complices fuyaient avec le butin. Leurs motos, deux Münch Mammut 2000, étaient en théorie suffisamment puissantes pour distancer les voitures de police.

— Pas qu'en théorie, ricana un flic dans la salle.

— Nous sommes d'accord, admit Marianne. Cela confirme que le plan des braqueurs était parfaitement au point. Sans être des professionnels, ils avaient dû mettre un sacré temps à le préparer, à repérer les lieux, à minuter le tout. Sauf que les braqueurs n'ont pas eu de chance.

Google Street s'affola encore. Un champ de courses désert entouré de villas cossues fut projeté en plein écran.

— Une patrouille de police circulait en ville à cet instant précis. Elle longeait l'hippodrome, boulevard Mauger. Elle s'est immédiatement positionnée pour intercepter les motards. Vous connaissez la suite, je suppose.

Sur l'écran, l'alignement de maisons en 3D s'effaça pour laisser la place à des clichés. De très gros plans. Du sang sur le trottoir. Un casque dans le caniveau.

— Un des motards tire le premier. Nos hommes répliquent. Le second motard, celui qui n'a pas encore fait feu, est touché. Sa moto se couche sur lui, son casque cogne sur le trottoir et la visière se brise. Il est cependant partiellement couvert du tir de nos hommes par le mobilier urbain, un réverbère et un conteneur à ordures. Pendant que le premier motard continue de riposter, positionné derrière les voitures garées sur le côté, le second ôte son casque et le laisse tomber. Deux caméras de surveillance, celles placées devant l'hippodrome et l'hôtel de la Côte Fleurie, filment son visage.

La figure floue de Timo Soler apparut, projetée sur le mur. Il était plutôt joli garçon. Un regard doux, pimenté d'une pointe de défi.

— Nouveaux coups de feu. Aucun autre homme ne sera blessé. La fusillade n'a duré que dix-huit secondes au total. Les deux motards font demi-tour et obliquent vers la rue du stade. Ils suivent la voie ferrée un court moment puis quittent la route pour rejoindre les chemins le long de la Touques et se fondre dans le bocage, vraisemblablement en direction de Pont-l'Evêque. Impossible de les suivre. Malgré les barrages, on ne les reverra jamais. (La commandante marqua une courte pause et, imperceptiblement, baissa les yeux.) A l'exception de Timo Soler, pour la première fois, cet après-midi.

Marianne cliqua sur la souris. Le centre-ville de Deauville défila à nouveau au rythme de la course des deux silhouettes bleu et rouge.

— Cependant, la manœuvre de diversion n'a que partiellement fonctionné. C'est le grain de sable dans le plan des braqueurs. Dès que l'homme au Scotland sort de la boutique Hermès, Florence Lagarde, la directrice du magasin, ne se contente pas de déclencher l'alarme, elle a l'inconscience de s'aventurer jusque sur le trottoir de la rue Eugène-Colas, portable collé à l'oreille. Moins de cinq secondes plus tard, elle est en communication avec le lieutenant Gallois du commissariat de Deauville et a la présence d'esprit de lui préciser qu'il y a deux groupes de braqueurs, les motards qui foncent dans leur direction, mais aussi deux autres fugitifs, qui filent dans l'autre sens, à pied. Là aussi, tout va très vite. Moins de deux minutes en tout. Toujours armé d'un revolver, l'homme au Scotland s'engage dans la rue Lucien-Barrière, se retournant fréquemment, alors que la femme au foulard, encombrée des quatre sacs, court vers la plage. Leur stratégie semble claire : la femme doit aller mettre à l'abri le butin pendant que l'homme couvre ses arrières et évite un acte d'héroïsme de la part d'un des commerçants. Lorsqu'il parvient à la hauteur du palais des congrès, la femme a déjà rejoint la rue de la Mer et tourné à gauche, à la hauteur des Planches. Elle passe devant la caméra de surveillance du casino à 11 h 17. Une minute plus tard, la même caméra la filme à nouveau, courant en sens inverse. Sans les sacs !

La commandante marqua une courte pause, comme pour bien faire comprendre à ses hommes à quel point ce détail précis, la brusque disparition du butin, apparaissait capital, avant de continuer.

— Au même moment, l'homme au Scotland qui protège la retraite de la femme se retrouve coincé par deux policiers au bout de la rue Lucien-Barrière, dans la partie piétonne. On connaît alors précisément chaque détail de la fusillade qui va suivre. La femme crie à l'homme de la rejoindre. Il sprinte. Il est touché une première fois par une balle dans la jambe mais réplique. Il blesse le sous-brigadier Delattre. Pleine rotule. Il s'en sortira mais boitera toute sa vie. Ils atteignent la rue de la Mer mais subissent alors le feu croisé de deux patrouilles qui arrivent en sens inverse. L'homme et la femme progressent encore le long de la rue, se faufilant entre les voitures. Un de nos hommes, Savignat, est à nouveau touché, à l'épaule, sans gravité. L'homme et la femme tentent alors de traverser la rue, pour atteindre les bains pompéiens, en face, côté plage, tirant au jugé. Quelques touristes se promènent au bord de la mer, principalement des grands-parents accompagnés de leurs petits-enfants. Les policiers ne prennent aucun risque. Les deux fugitifs sont abattus dès qu'ils sortent à découvert, presque simultanément, au milieu de la rue. Rideau.

Un nouveau clic. Deux photos s'affichèrent. Un homme et une femme.

— Cyril et Ilona Lukowik, annonça Marianne. Nos Bonnie and Clyde de l'estuaire. Cyril est originaire de la région. Il possède un casier assez chargé, trafic de drogue d'abord, dès l'âge de quinze ans, puis il s'est spécialisé dans le cambriolage des résidences secondaires du pays d'Auge. Il écopera au total de vingt-six mois de prison, répartis sur quatre ans et trois séjours. Il a rencontré sa femme, Ilona Adamiack, très jeune, à Potigny, un village où ils ont grandi tous les deux, à une vingtaine de kilomètres au sud de Caen. Ils dealaient déjà ensemble au collège, Ilona le secondait pour les cambriolages, c'est généralement elle, une gamine dont personne ne se méfiait, qui s'occupait du repérage des lieux.

Marianne zooma sur les deux visages des braqueurs abattus en pleine rue.

— Des clients idéaux, apparemment. Sauf qu'ils se tenaient plutôt tranquilles depuis quelques années. Ils se sont mariés en 1997. Cyril s'était reconverti comme docker, au Havre d'abord, puis dans d'autres ports un peu partout dans le monde. Elle le suivait. Il est revenu au port du Havre à la fin de l'année 2013. A part quelques CDD, il n'a pas retrouvé de boulot. Faut croire que ça a été un motif suffisant pour qu'ils replongent…

La commandante prit le temps de laisser affichées quelques secondes supplémentaires les photos de Cyril et Ilona Lukowik. Côte à côte, jeunes, souriants, on aurait même pu croire au premier slide d'un diaporama projeté pour un mariage ou un anniversaire. Il ne manquait plus que les violons d'Elton John ou d'Adele en bande-son pour imaginer les diapos suivantes, Cyril et Ilona bébés dans les bras de leurs parents, au fond d'une poussette, sur un vélo, déguisés en Jedi et en princesse Leia, habillés en mariés sous une pluie de grains de riz, déshabillés et bronzés sur la plage de Deauville.

Marianne cliqua.

Nouvelle photo. Deux cadavres allongés face aux Planches, une foule de badauds autour.

— Vous trouverez leur bio détaillée dans le dossier. Il y aurait encore beaucoup à dire sur cette affaire, mais pour l'essentiel, depuis ce braquage, on peut résumer l'enquête en trois questions.

Une autre diapo.

Un clic.

Des lettres clignotèrent, jusqu'à former des mots, puis une phrase.

Rien à dire, ce jeune stagiaire, Lucas Marouette, savait manier un logiciel. A voir s'il était aussi doué sur le terrain.

Elle aurait bientôt la réponse…

Elle toussa et énonça à voix haute la question que tous les flics avaient déjà lue.

— D'après les commerçants de Deauville, il est estimé aux alentours de deux millions d'euros, dont un million et demi de bijoux et montres, trois cent mille euros de maroquinerie, et presque autant de fringues de luxe, lunettes et parfums. Même si ces braves commerçants ont chargé la barque pour les assurances, cela reste un joli coup, avec des marchandises pas si difficiles que ça à écouler à l'international. Mais peu importe le montant exact du butin, ce qui nous intéresse, c'est la façon dont ils ont pu escamoter les quatre sacs. Ilona Lukowik a disposé de moins d'une minute pour les dissimuler, sans se faire repérer par aucun témoin, aucun plagiste, aucun portier ou voiturier du casino. Des dizaines de nos hommes ont fouillé chaque maison, vérifié chaque chambre de chaque hôtel du front de mer. Rien ! Aucune trace ! Il restait alors une possibilité, évidente, la planque idéale pour quatre sacs : les cabines de plage du front de mer. Pas besoin de vous faire un dessin, ces cabines, c'est l'image mythique de Deauville. Quatre cents cabines face à la plage dont chacune porte le nom d'une star hollywoodienne et appartient à une personnalité discrète mais richissime de la bourgeoisie parisienne. A ce stade de l'enquête, nous n'avions pas le choix, il fallait toutes les ouvrir jusqu'à la bonne pioche. (Marianne leva les yeux au ciel.) Nos collègues de Deauville ont mis cinq semaines à en voir le bout… La mairie a ouvert tous les parapluies qu'elle pouvait, plutôt des parasols multicolores d'ailleurs, et exigé une commission rogatoire signée par un juge pour chacune de ces minuscules cabines, fermées le plus souvent par un simple cadenas. Un travail titanesque de diplomatie ! (La commandante haussa brusquement le ton.) Pour rien ! Strictement pour rien. Aucune trace de la camelote à deux millions dans aucune de ces cabanes !

Elle fit quelques pas dans la salle. La trentaine de flics assis l'écoutaient avec une attention d'élèves craintifs face à un prof trop sévère. Pas un n'avait allumé sa tablette ou son portable.

— Raisonnons différemment, alors. Il y a une autre façon de s'interroger sur la disparition du magot : s'intéresser à l'attitude étrange de Cyril et Ilona Lukowik. Comment espéraient-ils s'enfuir, même si l'effet de diversion provoqué par les deux motos fonctionnait ? Même si aucun flic ne les interceptait face aux Planches ? Même si, grâce au chapeau Scotland et au foulard, ils n'étaient pas identifiés par les caméras de surveillance ? Deauville n'est pas Paris, Anvers ou Milan ! Dès la première alarme, les barrages de police auraient bloqué toutes les sorties de la ville, auraient fouillé chaque voiture qui en sortait, contrôlé chaque identité. Cyril et Ilona auraient bien entendu pu attendre tranquillement quelques jours à Deauville que tout se tasse, mais on n'a retrouvé aucune location, aucun appartement, aucune chambre réservée qui ait pu leur correspondre. En bref, sur cette première question, mystère complet…

Clic.

Seconde question.

Les lettres s'affolèrent avant de s'ordonner sagement.

`OÙ SE CACHE TIMO SOLER ?`

L'index de la commandante, sans même qu'elle s'en rende compte, joua avec le pansement sur son nez.

— Seule certitude depuis ce 6 janvier, Soler est blessé. Assez gravement blessé, d'après les experts en balistique. Sans oublier l'effort produit pour relever la moto lors de la fusillade. Inutile de vous dire que tous les hôpitaux et cliniques du coin sont sous surveillance étroite depuis le braquage. Nous n'avions aucun doute sur ce plan, si Timo Soler n'avait pas agonisé dans un coin, abandonné ou achevé par son complice, il finirait par refaire surface, comme un gosse entêté qui à force d'avoir mal finit par avaler ses médicaments. Quand je dis « nous », je parle de tous les commissariats de l'estuaire, de Caen jusqu'à Rouen !

Marianne afficha un léger sourire qui lui tira sur la cloison nasale.

— Et c'est notre maison qui a tiré le gros lot ! Soler se cachait au Havre. Nul besoin de vous dire qu'après notre fiasco de cet après-midi, on va devenir la risée de tous les collègues de la région. On a intérêt à le coincer très vite, le Timo… Je veux dix hommes qui patrouillent en permanence dans le quartier des Neiges, jour et nuit…

La commandante souffla.

Avant-dernière diapositive, annonçait le décompte en bas de l'écran.

Pas trop tôt.

Marianne ne parlait que depuis vingt minutes et avait épuisé toute son énergie. Dire que des profs devaient tenir ainsi huit heures par jour…

QUI EST LE QUATRIÈME BRAQUEUR ?

Elle toussa encore pour s'éclaircir la voix.

— Nous n'avons aucune certitude, le motard qui accompagnait Timo Soler a conservé son casque pendant toute la fusillade. Nous disposons cependant de forts soupçons.

Dernier clic.

Une photo. Celle d'un homme d'une quarantaine d'années au visage anguleux. Ses sourcils tombants un peu trop fournis et le duvet mal rasé au-dessus de ses lèvres formaient une sorte de X brun barré par un nez fin et droit, éclairé par deux yeux vert clair, presque translucides, plus proches de ceux d'un serpent que d'un chat abyssin. Deux autres détails sautaient aux yeux, une impressionnante boucle d'oreille argentée plantée dans le lobe de son oreille gauche et une petite tête de mort tatouée dans le bas de son cou.

— Alexis Zerda, précisa la commandante. Ami d'enfance de Cyril, Ilona Lukowik et Timo Soler. Tous les quatre ont grandi à Potigny. Dans la même classe, ou presque, depuis la maternelle. Même parc de jeux à explorer, même centre aéré pour s'emmerder, même arrêt de bus à squatter. Mais des quatre, Zerda est d'évidence le plus dangereux. S'il n'a été condamné qu'à des peines mineures, il est le principal suspect dans plusieurs affaires d'homicides. En 2001, lors du casse de la BNP de La Ferté-Bernard, il est soupçonné d'avoir ouvert le feu sur une patrouille de gendarmerie. Un jeune flic marié et un père de famille sont morts sur le coup. Deux veuves et trois orphelins. Deux ans plus tard, même soupçon à propos de l'attaque du fourgon du Carrefour d'Hérouville. 5 h 30 du matin. Un vigile et une femme de ménage abattus d'une balle dans la tête. Aucune preuve, aucune empreinte, aucun témoin, mais aucun doute non plus pour les enquêteurs, Zerda a fait le coup. Il ferait un cerveau très présentable pour le braquage de Deauville, même si on ne dispose contre lui d'aucun début de preuve. On le surveille discrètement. Il voyage beaucoup entre Le Havre et Paris. Pour l'instant, on ne peut rien contre lui, sinon le serrer de suffisamment près pour qu'il ne puisse pas prendre le risque de se balader avec un foulard Hermès autour du cou, une Breitling au poignet et une valise Vuitton à la main…

La commandante souffla, visiblement soulagée. Son nez la démangeait mais elle résista à l'envie de jouer avec le pansement.

— Voilà, les garçons ! Une équation à trois inconnues. Et toute la police de Normandie compte sur nous pour au moins résoudre la deuxième.

Jibé, connement, se mit à applaudir. Tous les autres suivirent, tout aussi stupidement. C'était sans doute une marque de sympathie et d'estime ; un soutien appuyé à leur patronne après l'échec de l'arrestation de Timo Soler sur le port. Marianne aurait dû le prendre comme ça. Sauf qu'à l'inverse, elle pensait qu'elle devait avoir l'allure d'une grosse dinde au visage rougi et au nez épaté, et qui, cerise sur le pudding, pensait moins, à cet instant, à ce Timo Soler en cavale qu'aux dessins d'un gosse de trois ans, au discours étrange d'un psy hypnotisant et surtout… au rapport que devait lui faire avant la fin de la journée Lucas Marouette, le stagiaire qu'elle avait discrètement envoyé fouiller du côté de Manéglise.

13

Vasile gara sa moto sur le parking de la mairie de Manéglise, au plus près du grillage qui bordait la cour de l'école, mais n'en descendit pas tout de suite. Il voulait attendre que le dernier parent se soit éloigné pour entrer dans la cour de récréation et frapper à la porte de la classe de Clotilde.

Au pied du passage piéton, la femme au gilet jaune fluo le regarda avec méfiance, laissant pendre au bout de son bras le bâton en forme de sucette géante rouge et verte, avant de se concentrer à nouveau sur la grille de l'école, guettant les éventuels petits retardataires susceptibles de se précipiter sur la route sans se méfier du passage des voitures pressées.

Vasile sursauta.

Une ombre, une présence dans son dos.

Clotilde.

Pas vraiment souriante.

La directrice avait repéré sa moto et n'avait visiblement pas l'intention de lui laisser l'avantage du terrain. Elle ouvrit la bouche, déterminée, mais ses mots restèrent bloqués dans sa gorge : une mère d'élèves passait derrière eux, lentement, au rythme des deux enfants accrochés à sa poussette. Le psychologue scolaire en profita pour ôter son casque et ses gants. Calmement. Clotilde laissa moins de dix mètres de distance à la maman avant de porter son attaque.

— On va arrêter les frais, Vasile ! J'ai rencontré les parents Moulin ce midi. Je n'ai aucun doute. Malone est leur gosse. Ils l'aiment, ça saute aux yeux. Je crois que ça règle la question !

Vasile rangea les gants dans le casque, avec des gestes précis, presque méticuleux. On entendait les cris des enfants restés à la garderie derrière le grillage. A l'inverse de son langage corporel maîtrisé, la voix du psy trahissait un mélange d'inquiétude et de colère.

— Tu me lâches, alors ? T'as peur de quoi, Clotilde ? D'un carton rouge de la mairie ? Du lobby des parents d'élèves ? D'une coalition contre l'école ? Tous les habitants solidaires, on touche pas aux familles dans un petit village comme Manéglise, c'est bien ça ?

Il observa du coin de l'œil la femme jaune fluo qui s'était statufiée sur le trottoir, bras tendu, sucette verte exposée côté rue. Il baissa d'un ton.

— Enfin merde, Clotilde ! Tu sais bien que c'est comme ça, en se rejetant les responsabilités sans les assumer, qu'on arrive à dissimuler les pires…

Vasile hésita à continuer. Deux grands gamins, des CM, les regardaient à travers le grillage. Il connaissait l'un des deux, Marin, il était dyslexique. Ses parents désespérés le laissaient au maximum à la garderie parce qu'ils n'en pouvaient plus des heures passées chaque soir sur ses devoirs. Clotilde leur tournait le dos. Elle explosa de rage.

— C'est comme ça que l'on dissimule les pires monstruosités commises sur les gosses, c'est bien ce que tu sous-entends, Vasile ? Gosses battus, inceste et tout le reste ? Ne rien voir, ne rien entendre, ne rien dire. C'est bien de ça que tu m'accuses ?

— Allez jouer plus loin, les enfants, fit Vasile.

Clotilde n'avait rien entendu. Ou fit semblant.

— Ne joue pas ce chantage-là avec moi, Vasile ! Ne confonds pas tout. Tu m'as dit depuis le début que selon toi, ce gamin ne court aucun danger avec ses parents. On est d'accord ? Alors je gère comme je peux. Mais si, là, tout de suite, tu me dis l'inverse, si tu me laisses entendre qu'il y a le moindre soupçon de maltraitance envers Malone, alors je te fais confiance, je ne prends pas le moindre risque et je fonce avec toi à la gendarmerie faire un signalement. Mais ta connerie de double vie, les ogres et les fusées, franchement…

D'un geste énergique, Vasile intima aux enfants dans la cour l'ordre de s'éloigner. Cette fois-ci, ils obéirent et filèrent en riant sous le préau.

— Ce n'est pas la peine d'aller à la gendarmerie, Clotilde.

La directrice se prit la tête entre les mains.

— Comment ça ?

— Ce n'est plus la peine, je devrais dire…

— Putain, t'as pas fait ça ?

Clotilde avait haussé la voix. Cette fois, Madame Circulation avait entendu. Elle sursauta, agitant en direction de la rue un sens interdit éphémère. La préposée à la sortie de l'école était employée par la mairie pour un CDI de quatre fois trente minutes par jour, matin, midi et soir, mais elle ne rechignait pas à faire des heures supplémentaires bénévoles consistant à discuter avec les mères les moins affairées du village. Le lien social. Tendance garrot.

Vasile passa son bras dans le dos de Clotilde et la

pressa pour qu'ils s'éloignent de quelques mètres en direction de la mairie.

— Rien d'officiel, je te rassure. C'était juste pour vérifier deux ou trois points bizarres. Ce n'est pas une affaire habituelle, Clotilde. Je ne peux pas suivre la procédure normale, refiler le dossier, l'envoyer passer des tests dans un centre médico-psycho-pédagogique. Y a autre chose, je le sens…

Les yeux de la directrice le fusillèrent.

— Si le père Moulin l'apprend, il te tue direct. Nom de Dieu, parler aux flics sans passer par la médecine scolaire ni l'académie… Si c'est pas Moulin qui te découpe en morceaux, c'est l'inspection qui va te crucifier !

Les enfants de la cour des grands étaient rentrés en étude, le rush des voitures de 16 h 30 était passé et le silence régnait à nouveau sur la petite place de Manéglise. Malgré la distance, Madame Circulation ne se contentait plus de mots grappillés entre les cris et les bruits de moteur, elle pouvait désormais entendre sans peine toute la conversation.

Clotilde articula chaque mot, au cas où Madame Circulation aurait su aussi lire sur les lèvres.

— En tout cas, Vasile, en attendant que tout ça te pète à la gueule, interdiction de t'approcher à nouveau de Malone Moulin.

— Tu plaisantes ?

— Non.

— T'as peur de quoi ?

— Du merdier que tu vas foutre, y compris dans la vie de ce môme.

Vasile attrapa la directrice par les épaules. Elle était petite, menue, avec des doigts, des jambes, un cou presque aussi fins que la monture dorée de ses lunettes rondes.

— Tu n'as aucun droit de m'interdire de voir Malone. Je suis le seul juge, sur mon secteur. C'est moi qui décide de l'intérêt de l'enfant. Les parents Moulin ont signé l'autorisation avant le premier entretien. Si tu veux me bloquer l'entrée de ton école, il faudra que tu en informes l'académie et que tu expliques pourquoi.

Un père d'élève, costume gris et cravate, plutôt jeune, sortait de l'école en tirant par la main une gamine de huit ans qui lui racontait sa journée sans prendre le temps de respirer. Le père la couvait des yeux. Madame Circulation se positionna au milieu de la route pour qu'il puisse traverser la rue sans même que le pas et le débit de sa fille ralentissent.

— Mais peut-être, continua Vasile, que tu n'auras pas envie qu'une telle histoire soit colportée à l'extérieur de ta petite école ? Que le maire te fasse les gros yeux et te réduise de 15 % ton budget gommes et crayons. Que les parents d'élèves refusent de tenir le chamboule-tout à la prochaine kermesse…

— T'es qu'un sale con, Vasile.

— Je veux protéger ce gamin, c'est tout.

— Je veux protéger sa famille. Lui y compris.

Vasile fit un pas vers sa moto, tout en esquissant un petit signe de la main vers Madame Circulation, qui lui rendit un salut gêné.

— Je passerai voir Malone jeudi matin pour son entretien. Comme prévu.

— Et si les parents se rétractent ? S'ils refusent que tu continues de voir Malone ?

— Il suffit de ne pas leur dire qu'ils en ont le droit. On fait ça tout le temps, Clotilde, tu le sais bien, avec tous les parents qui sont dans le déni face au problème de leur gosse. (Le timbre de sa voix marqua une inquiétude.) Tu… tu leur as dit qu'ils pouvaient mettre fin à toute la procédure ? Tu leur as conseillé d'arrêter ?

Clotilde lui jeta un regard de mépris.

— Non, Vasile. Je ne leur ai rien dit. Mais écoute juste un conseil, si tu en es capable : prends rendez-vous avec la mère ! T'as pas le monopole des confidences de ce gosse. Vois la maman, Vasile, c'est important.

Elle termina par un sourire.

— Et un conseil, évite le père.

14

Aujourd'hui, après avoir pris mon bain avec mon chéri, il m'a dit que j'avais un gros cul.
Envie de tuer
J'ai une info, les filles ! Ça marche vraiment, le coup du sèche-cheveux branché balancé dans la baignoire.

Condamné : 231
Acquitté : 336

www.envie-de-tuer.com

Marianne détestait la salle de fitness de l'Amazonia. Tout. Vraiment tout.

La couleur criarde des tapis et des murs, l'odeur de sueur, le genre des mecs, le genre des filles, les shorties et les leggings moulants, le prix que ça lui coûtait, le sourire des potiches à l'accueil, le sourire des petits branleurs aux vestiaires, les appareils de torture exposés comme dans un musée de l'Inquisition.

C'était ça, très exactement. Une torture.

Marianne s'emmerdait à courir sur place. Pédaler sans avancer était peut-être plus con encore. Au même niveau de ridicule que de ramer sur la moquette.

La commandante se força à tenir le rythme de sa foulée. *7,6 kilomètres/heure*, indiquait l'écran fluo. Ne pas descendre sous les 7, avait dit le coach…

Dix-huit mois ! Elle se donnait encore dix-huit mois pour jouer le jeu, compter les kilos, raffermir les chairs, tendre la peau des fesses et dynamiser les ligaments suspenseurs censés faire tenir sa poitrine en équilibre. Allez, courage mes petits muscles, résistez encore un peu, jusqu'à ce qu'un homme tombe sous le charme de mes seins aériens et vous donne ensuite un coup de main en me les massant tous les soirs.

Et dans un an et demi, elle laissait tout tomber ! Le sport. Le régime. L'hygiène de vie. Elle reprendrait même la clope. Avec les efforts qu'elle s'infligeait, si le destin, un Dieu là-haut ou un vol de cigognes n'étaient pas foutus de lui envoyer un mec capable de lui faire un gosse, qu'on ne vienne pas lui faire la morale !

Encore dix minutes sur ce tapis et Marianne abandonnait. Ensuite, elle prendrait tout de même le temps de s'octroyer une récompense. Un réconfort, le seul dans cet enfer : une marmite sous les flammes pour y plonger les pécheresses ! Bain bouillonnant puis sauna. L'abonnement au club valait une fortune rien que pour son spa. Soixante-treize euros par mois. A ce prix-là, ils pouvaient parfumer les bulles du jacuzzi au Moët & Chandon.

Allongée dans le sauna, entièrement nue sur sa serviette, Marianne suait des litres d'eau. Elle adorait ça, plus encore que l'eau bouillonnante. Surtout lorsqu'elle disposait du sauna pour elle toute seule, comme en cette fin d'après-midi.

Elle essuya l'écran de son iPhone avec un coin de serviette et consulta ses messages.

Aucune nouvelle de Timo Soler. Elle n'en attendait pas, d'ailleurs. Pas si tôt. Soler était demeuré introuvable durant dix mois, vraisemblablement caché pendant tout ce temps dans le quartier des Neiges. Un quartier qu'ils avaient déjà ratissé de fond en comble. Une évidence s'imposait : Soler disposait d'un complice. Peut-être de plusieurs.

Il était retourné dans sa planque et il n'en ressortirait que s'il se sentait crever.

Marianne fit cependant glisser son doigt sur l'écran humide : elle avait reçu un autre mail qu'elle ouvrit avec gourmandise.

`lucas.marouette@yahoo.fr`

Un smiley en képi courait après un autre en cagoule. Rien d'autre, pas même un mot d'accompagnement. Juste un fichier joint.

La commandante soupira puis cliqua sur l'icône du document attaché par l'élève-officier stagiaire. Elle l'avait envoyé cet après-midi se promener en toute discrétion dans le petit village de Manéglise, histoire de se renseigner avec tact sur Amanda et Dimitri Moulin. Une façon pour elle de confronter ce surdoué en informatique au terrain, un terrain *a priori* moins dangereux que celui de la course-poursuite de l'écluse François-Ier.

Marianne fut impressionnée. Lucas Marouette lui avait écrit un roman. A croire que le jeune stagiaire était aussi doué avec des images et des vidéos qu'avec des lettres et des mots.

Elle passa une main sur sa poitrine qui perlait de sueur et gouttait sur l'écran du portable. Ses pensées vagabondaient vers Vasile Dragonman. Seule dans cette caisse de pin, elle se sentait un peu comme une odalisque, ces filles rondes et appétissantes qui passent leur vie dans des palais turcs au bord des hammams de faïence, ces favorites des sultans, libres de balader leurs ventres flasques et leurs gros seins à l'air sous leur hijab, de se bourrer de loukoums et d'enfanter des princes à la chaîne pour encadrer dignement la grande armée de l'Empire ottoman.

Elle passa lentement la main sur sa peau adoucie par la vapeur, presque réconciliée avec ses courbes, puis toucha l'écran tactile et écarta le pouce et l'index pour zoomer sur le texte.

Rapport du 3 novembre 2015
(élève-officier stagiaire Lucas Marouette)

Enquête de voisinage
sur Amanda, Dimitri et Malone Moulin
5 square Maurice-Ravel, Manéglise

Une première certitude, patronne ! Malone Moulin est né le 29 avril 2012, à la clinique de l'Estuaire.

3,450 kilos.

Vous allez être fière de moi, j'ai même récupéré sur mon Samsung une photo de son faire-part de naissance, deux petits chaussons bleu pastel et des lacets en forme de cœur. Je l'ai prise chez Dévote Dumontel, 9 square Ravel, le pavillon pile en face de chez les Moulin. Ça n'a l'air de rien, patronne, mais c'est un sacré exploit ! Pour obtenir cette photo, j'ai dû ingurgiter le café infâme que Dévote réchauffe dans une casserole en inox rouillée et qu'elle m'a versé en tremblant dans un verre en pyrex, fière et souriante, comme si elle était persuadée que sa casserole était en train de se transformer en cuivre et son gobelet en cristal. Passage obligé dans les toilettes après le café, pas besoin de vous faire un dessin ! C'est ainsi que j'ai découvert que cette gentille petite vieille affichait tous ses faire-part dans ses chiottes. Celui de Malone Moulin était punaisé au mur, comme ceux de ses enfants et petits-enfants, qui ne doivent pas venir souvent la voir, je suppose. Sinon, il y a longtemps qu'ils lui auraient offert une vraie cafetière, non ?

Je continue, patronne ! Outre les souvenirs émus de Dévote Dumontel, j'ai eu la confirmation de la clinique de l'Estuaire : aucun doute possible sur la naissance de Malone Moulin et l'identité des parents. J'ai également rencontré la pédiatre qui a suivi le petit pendant les vingt-quatre premiers mois de sa vie, le docteur Pilot-Canon, une fille maigre comme un haricot qui n'a d'ailleurs que des photos de légumes, de fruits et de plantes aux murs de son cabinet. Selon elle, les Moulin sont une famille tout ce qu'il y a de plus normale. La mère est très aimante, un peu trop attachée à son petit d'après elle, mais pas vraiment au-dessus de la moyenne ; lui est plus distant, bourru, mais assistait tout de même régulièrement aux visites médicales. Le genre à préférer monter l'étagère de la chambre que de lire au petit les livres posés dessus, vous voyez ce que je veux dire. Le genre à semer, planter et arroser les légumes recommandés par Mme Pilot-Canon plutôt que de se coltiner la soupe, la petite cuillère et le bavoir gluant. Bref, la pédiatre a tout inscrit sur le carnet de santé du petit, vaccins, poids, tailles. Un médecin de Montivilliers, Serge Lacorne, a pris le relais depuis les deux ans du petit. Je l'ai eu au téléphone, rien à signaler, il a vu le petit Malone quatre ou cinq fois dans son cabinet, pour un rhume ou une gastro. D'après lui, il s'agit d'un gamin plutôt en bonne santé.

J'enchaîne, patronne ? Vous suivez ? Je passe aux voisins ! Les Moulin habitent le lotissement des Hauts de Manéglise depuis trois ans. Ils ont acheté leur maison très exactement quatre mois après qu'Amanda Moulin a appris qu'elle était enceinte. Auparavant, ils occupaient un appartement à Caucriauville. J'ai traîné une heure dans le lotissement de Manéglise, en plein après-midi. Je vous assure, patronne, je n'ai pas croisé un chat. Des chiens oui par contre, beaucoup, plutôt genre bergers allemands qui gueulent derrière des haies de thuyas hautes de deux mètres. Bon, j'exagère, il y avait tout de même Dévote, debout derrière sa fenêtre. Et puis juste avant de partir, j'ai aussi croisé un type qui faisait les quarts et qui rentrait se coucher. Un gars qui empile des palettes toute la nuit dans un entrepôt de la zone industrielle de Fécamp, il avait l'air content de parler à quelqu'un. Ils connaissent les Moulin, ils se rendent des services. Amanda Moulin nourrit les perruches de Dévote par exemple, une fois par an, quand la petite vieille descend voir ses enfants en Vendée, le type aux palettes et Dimitri Moulin font rentrer du bois ensemble. Ça s'arrête là, sinon, bonjour bonsoir. Ils voyaient de temps en temps le petit dans sa poussette, avec sa mère pour le pousser, puis depuis qu'il a grandi, ils voient le petit faire du vélo dans le lotissement, avec sa mère pour le surveiller.

Vous m'excuserez, patronne, je n'ai pas interrogé la garde rapprochée des Moulin. Amis, cousins, collègues… Vous m'avez demandé de faire dans la discrétion, alors je me suis contenté de surfer, de discuter l'air de rien, sans trop insister. J'ai quand même posé quelques questions dans le village, histoire de croiser mes informations avec celles dont on aurait pu éventuellement disposer au commissariat. Une sorte d'enquête de moralité, si vous voyez ce que je veux dire. Amanda Moulin est assez connue dans le village parce qu'elle y habitait avec ses parents quand elle était jeune. Elle a fichu le camp lorsqu'elle était ado, puis est revenue des années plus tard. La fille prodigue !

Pas vraiment la fille prodige par contre, j'ai retrouvé une institutrice en retraite qui se souvient bien d'elle. Une brave fille d'après l'instit, ni très intelligente, ni très futée, mais plus volontaire que la moyenne. Une battante. Pas le genre à se faire marcher dessus. Amanda Moulin a plutôt bonne presse auprès des clients de la supérette où elle est caissière. Ponctuelle. Aimable. Bavarde même. Ce serait plutôt une qualité d'après les clients qui m'ont répondu, mais le compliment semble assez corrélé avec l'âge des habitués.

Je vous vois venir, patronne, vous allez finir par croire que les Moulin à Manéglise, c'est *La*

Petite Maison dans la prairie, où en prime, Caroline Ingalls aurait viré Harriet Oleson de l'épicerie. Mais non, j'y viens, c'est un peu plus croustillant côté Dimitri Moulin ! Papa Moulin possède un CAP d'électricité, mais saute depuis des années d'un petit boulot à un autre, avec entre les deux de longues périodes de chômage. Bref, il galère… Mais surtout, et c'est ma petite surprise rien que pour vous, patronne, il a son nom gravé chez nous ! Sur la liste du Casier judiciaire national, pour être plus précis. Une histoire de trafic de voitures en région parisienne, il y a plus de onze ans. Il ne connaissait pas encore Amanda alors. Il a été enfermé à Bois-d'Arcy pendant trois mois. Visiblement, ça l'a calmé. Plus aucun problème avec notre belle institution depuis 2003. Vous souhaitez aussi que je creuse de ce côté-là ?

Enfin, pendant que j'y étais, j'ai aussi cherché à partir des mots-clés que vous m'avez fournis.

Fusée. Château. Bateau pirate. Forêt. Ogre.

Tenez-vous bien, patronne ! Aucune fusée n'a décollé de l'estuaire depuis que le petit Malone est né ! Pire encore, aucun bateau pirate n'a attaqué le port du Havre au cours des quatre dernières années. Et en ce qui concerne les ogres, c'est carrément l'omerta, faut croire que les gens ont peur.

Heu, je ne veux pas vous vexer, patronne, mais ces mots-clés, c'était quoi ? Un bizutage ?

Pour finir, d'après Dévote Dumontel, depuis trois ans, les Moulin n'ont jamais quitté le lotissement plus d'une semaine. La dernière fois, c'était pour aller à Carolles, à côté de Granville, l'été des deux ans de Malone. Il y a aussi des cartes postales dans ses toilettes, à côté des faire-part, cela doit l'aider à se souvenir. Dévote se rappelait un mariage au Mans aussi, et une virée en Bretagne avec le petit aux dernières vacances de Noël.

Voilà, patronne ! J'ai fait ce que j'ai pu. Je suis allé à la pêche aux informations avec doigté, mais je ne vous promets rien... Vous savez, dans ces petits villages, pas besoin de caméras de surveillance pour repérer les fouineurs. A vos ordres pour de nouvelles aventures. La suite du bizutage ? Je me renseigne sur les soucoupes volantes, les Martiens et les armées de trolls ?
Plus sérieusement, je creuse encore ou je rebouche les trous ?

Marianne sourit malgré elle. Finalement, ce jeune flic ne s'en était pas mal sorti. Elle tapa un rapide SMS :

Continue de creuser !

La porte du sauna s'ouvrit au même moment. Deux blondes filiformes entrèrent, enroulées dans des serviettes roses qu'elles ôtèrent sans pudeur et plièrent avec méticulosité. Peau bronzée sans même la marque du string. Ongles des doigts et des orteils vernis. Petits culs et seins plats. Ce ne fut pas leur regard méprisant qui acheva Marianne, le regard qu'on jette à une maison moche qui défigure un paysage, celui-là, elle y était habituée de la part des filles ; ce fut leur début de conversation.
Un seul thème. Les hommes.

Tous des chiens fous, fainéants et obsédés, à tenir en laisse. Mari. Amants. Patron. Même combat.

Marianne sortit du sauna pour se plonger directement sous une douche glacée. La première chose qu'elle fit en sortant fut de se précipiter sur son téléphone. Un tic professionnel.

Toujours pas de nouvelles de Jibé ou de Papy. Timo Soler allait passer une nuit en enfer…

19 h 23.

Elle disposait d'une heure avant de rejoindre Angie au Uno. Elle allait avoir de quoi alimenter la conversation… et quelques questions à lui poser à propos d'un psy roumain aux yeux terre de Sienne.

15

Petite aiguille sur le 8, grande aiguille sur le 7

Les yeux de Malone se fermaient, doucement, même s'il essayait de les garder ouverts. Les caresses de Maman-da le berçaient. Il aimait bien les câlins de Maman-da, les chatouilles dans son dos, les bisous dans son cou, l'odeur de son parfum.

Mais il avait aussi envie qu'elle s'en aille.

Tant qu'elle était là, il ne pouvait pas écouter Gouti. Et aujourd'hui, c'était le jour de la guerre ! Malone avait essayé de parler avec son doudou avant que Maman-da monte dans sa chambre, pour qu'il lui raconte ce qu'il n'avait pas entendu à l'école, quand Clotilde, Maman-da et Pa-di s'étaient enfermés dans la classe. Mais il n'avait rien compris. C'était trop compliqué, ils parlaient trop fort, ou trop bas, ou trop longtemps.

Il préférait son histoire.

— Il faut dormir maintenant, mon chéri.

Amanda borda Malone, bien serré, posa un dernier baiser sur son front, éteignit le plafonnier, laissant seulement la petite veilleuse qui projetait des étoiles et des nuages sur les quatre murs et le plafond.

— Bonne nuit, mon chéri.

Puis elle ajouta :

— Tu sais, papa, il crie fort parfois, mais c'est parce qu'il t'aime très fort. Il a envie que tu l'aimes toi aussi, que tu l'aimes aussi fort que tu m'aimes.

Malone ne répondit rien ; la porte se ferma doucement.

Malone attendit, longtemps. Les yeux grands ouverts cette fois. Fixés vers les aiguilles vertes du réveil cosmonaute.

Pour être sûr de ne pas s'endormir, de temps en temps, il tournait les yeux vers le petit calendrier accroché à côté de son armoire. Chaque jour de la semaine était représenté par une planète, et pour savoir quel jour on était, une petite fusée aimantée pouvait se poser sur chacune d'entre elles. Aujourd'hui, l'engin spatial rouge et blanc s'était arrêté sur Mars. Malone le faisait décoller chaque jour, quand il se réveillait, jusqu'à la planète la plus proche. De la Lune à la planète Rouge ce matin.

MARS.

Le jour de la guerre.

Il connaissait par cœur les planètes et les jours. Celui d'aujourd'hui et tous les autres.

Il connaissait par cœur les histoires de Gouti. Une chaque jour.

Tout était calme.

Le cœur de Gouti se remit à battre. Malone rampa sous la couette et dans le plus grand silence, dans le noir complet à l'exception des étoiles qui glissaient en silence sur les murs, il écouta le récit de son doudou.

Il devait les écouter tous les soirs, juste avant sa prière contre les ogres. Il ne devait jamais les oublier. Il l'avait promis à sa maman. Sa maman d'avant.

* *
*

Il était une fois un grand château en bois qui avait été construit avec les arbres de la grande forêt qui poussait tout autour.

Dans ce grand château, qu'on pouvait voir de très loin à cause de ses quatre hautes tours, habitaient des chevaliers.

En ce temps-là, les chevaliers portaient tous le nom du jour où ils étaient nés, et chaque jour portait le nom d'une qualité, une qualité que tout le monde devait avoir ce jour-là.

Tu trouves que c'est un peu compliqué ?

C'est un peu vrai, alors je vais te donner un exemple. Tu vois, les chevaliers du château nés le jour de la Saint-Juste s'appelaient Juste, *ceux nés le jour de la Saint-Courtois s'appelaient* Courtois, *d'autres* Fidèle, *ou* Aimable, *ou* Constant, Modeste, Clément, Prosper, Prudent... *Et le jour de l'anniversaire des* Aimable, *tout le monde devait être aimable. Tu vois, en fait, c'est très simple !*

Sauf que dans l'année, il y avait aussi quelques jours qui correspondaient à des défauts, parce que c'est ainsi, et que ce jour-là, mais rien que ce jour-là, tout le monde avait le droit d'avoir ce défaut, mais rien que ce défaut. Par exemple, certains chevaliers s'appelaient Gourmand, *ou* Curieux, *ou* Farceur.

Le chevalier qui nous intéresse, lui, s'appelait Naïf. *Pour te le décrire, à sa ceinture, alors que les autres chevaliers portaient une épée, lui il avait glissé une flûte. Alors que les autres chevaliers portaient une armure de fer, la sienne était en pétales de fleurs. Et ce n'était pas tout, son casque était fabriqué avec des plumes, et le seul bouclier dont il se servait, c'était un grand livre sans lequel il ne sortait jamais. Les chevaliers les plus courageux,* Hardi, Preux, Vaillant, *ne pouvaient pas se moquer de lui, sauf un seul jour, celui où était né le chevalier* Moqueur.

Il faut que je te dise autre chose aussi, il y avait des règles strictes dans le château, on ne savait pas pourquoi, ou plutôt, on n'osait pas dire pourquoi, sauf le jour où était né le chevalier Franc, *mais ce n'est pas aujourd'hui. Deux règles simples et strictes.*

Il était interdit de s'éloigner du château.

Il était interdit de sortir du château la nuit.

Mais un jour, le jour de naissance du chevalier Généreux, Naïf *voulut chercher un cadeau pour les autres chevaliers. Il faisait beau. Il eut l'idée d'aller cueillir un bouquet de fleurs, le plus joli et le plus gros possible.*

Je vois ce que tu penses, tu te doutes de la suite, le chevalier Naïf *va cueillir une fleur, puis une autre, puis une autre, et hop, il va trop s'éloigner du château et il va lui arriver des ennuis. Pas du tout ! Je te raconte l'histoire du chevalier* Naïf, *pas celle du chevalier* Imprudent *!*

Alors Naïf *cueillait les fleurs dans la forêt en faisant bien attention de toujours voir les tours du château. Tout en composant son bouquet, il croisa une cigale et prit le temps de jouer de la flûte pour elle. Puis il croisa un oiseau et lui donna une plume de son casque pour son nid. Puis il croisa un lapin et lui raconta l'une des histoires de son grand livre. Puis il croisa un papillon et lui offrit ses pétales pour qu'il puisse se poser.*

Il avait déjà rassemblé un énorme bouquet et allait retourner vers le château quand il vit la princesse. Elle ressemblait un peu à Blanche-Neige. En fait, on aurait même dit vraiment elle !

Elle souriait à Naïf, *elle lui fit un petit signe de la main, puis elle s'éloigna en riant.* Naïf, *son bouquet toujours à la main, la suivit.*

Tu devines la suite cette fois. Blanche-Neige disparaissait derrière les fougères, réapparaissait dans une clairière, Naïf *la cherchait des yeux, des oreilles, guettait une ombre fine qui se mêlait à celle des arbres, un rire qui se mélangeait à celui des oiseaux.*

Et puis, à force de jouer ainsi à cache-cache, Naïf *arriva dans une clairière plus grande encore. Au milieu, il découvrit une grande chaumière. De la fumée sortait de la cheminée. Blanche-Neige l'attendait devant la porte, elle était encore plus jolie de près. Elle lui prit la main et lui dit :*

— Viens, entre !

Quand il fut à l'intérieur, tout le monde était à table devant la cheminée.

Tout le monde se retourna. Naïf *n'en croyait pas ses yeux ! Tu imagines ? Autour de la table, il y avait d'autres princesses qui ressemblaient à Cendrillon, Aurore, Belle, Raiponce et beaucoup d'autres filles toutes plus belles les unes que les autres, avec des robes et des diadèmes ; il y avait des petits garçons aussi qui ressemblaient à Pinocchio, au Petit Poucet, à Hansel, et aussi Gretel et une autre petite fille avec un capuchon rouge.*

Tous lui souriaient.

— *Viens,* Naïf. *Viens manger avec nous.*

Il y avait une place à côté de Blanche-Neige.

Naïf *s'installa et offrit son bouquet à sa voisine. Elle rougit. Elle était encore plus jolie de très près.* Naïf *ne s'était jamais senti aussi bien, n'avait jamais été aussi heureux, n'avait jamais aussi bien mangé.*

Il ne vit pas le temps passer. Il ne vit pas la nuit tomber. Ce fut lorsqu'il entendit le premier cri qu'il s'en rendit compte ; un cri qui venait de dehors, mais on ne voyait rien à travers les fenêtres, sauf le noir.

— *Qu'est-ce que c'est ? s'inquiéta* Naïf.

— *Rien, répondit Blanche-Neige, ce n'est rien,* Naïf.

Blanche-Neige était encore plus belle quand elle avait un peu peur.

Malone sortit la tête de sous la couette. Il fit chut avec le doigt et demanda à Gouti de se taire.

Lui aussi avait entendu du bruit ! Un cri, comme le chevalier Naïf. Cela venait du bas de la maison. Peut-être que c'étaient Maman-da et Pa-di qui se disputaient. Comme presque tous les soirs.

Ou peut-être qu'il avait rêvé.

Cette partie de l'histoire lui faisait toujours un peu peur.

Malone resta un moment à écouter le silence, puis quand il fut certain que personne ne montait l'escalier, ne grattait à sa porte, ne se faufilait dans le noir jusqu'à son lit, il se glissa à nouveau sous la couette.

Gouti l'attendait. Et comme tous les autres jours de la guerre, comme s'il se fichait des monstres, des bêtes féroces et du noir, il raconta la suite de l'histoire du chevalier.

Le repas continuait. Naïf *entendit d'autres cris, qui venaient tous de dehors. Des grognements aussi, et d'autres bruits étranges comme si on grattait à la porte on qu'on cognait contre les murs.*

Blanche-Neige souriait toujours. Les autres princesses aussi.

— Il est tard, Naïf, *tu devrais rentrer maintenant.*

Le petit chevalier frissonna.

Rentrer maintenant ? La nuit ? Dans cette forêt ? Si loin du château ?

— Mais je...

Et puis soudain, une autre idée passa par sa tête. Tu vas peut-être trouver cela bizarre, mais il n'y avait pas pensé avant.

Où étaient les méchants ? Il se trouvait à table avec tous les gentils des contes, mais où étaient passés les méchants ? Les loups, les ogres, les sorcières ?

Comme si elle avait soudain compris, Blanche-Neige se pencha vers lui. Elle était encore plus belle quand elle lui faisait un peu peur.

— A force de vivre ensemble, nous nous sommes arrangés.

— Arrangés ? répéta Naïf *sans comprendre.*

— Oui. Nous nous partageons la forêt, mais sans nous croiser. Ils nous la laissent le jour, et nous la leur laissons la nuit. Tout va bien ainsi.

Naïf *trouva ça très bien aussi, avant qu'une autre question lui vienne :*

— Mais alors ? Que mangent les loups ? Les ogres ? Les monstres ?

Blanche-Neige était devenue toute rouge, plus belle que jamais quand elle baissait les yeux comme pour se faire pardonner. C'est le garçon qui ressemblait à

Pinocchio qui répondit, et pas une fois son nez ne s'allongea.

— On leur donne à manger des petits chevaliers Naïf *que nous attirons au plus profond de la forêt. C'était la seule solution pour vivre en paix.*

Alors, le chevalier Naïf *comprit... Il regarda une dernière fois Blanche-Neige et tomba dans les pommes.*

Quand il se réveilla, il était dehors. Dans la forêt. Dans le noir.

La chaumière était toujours là, fermée, il voyait la lumière des fenêtres et la fumée de la cheminée au-dessus du toit. Il entendit un hurlement de loup et se mit à courir très vite. Longtemps. En rond sûrement, sans jamais retrouver son chemin.

Il sentait des ombres tordues partout autour de lui, comme si chaque branche d'arbre cachait les doigts crochus d'une sorcière. Lorsqu'il s'arrêta, trop fatigué pour continuer, les monstres se rassemblèrent autour de lui. Il y avait des loups, des renards, des corbeaux, des serpents, des araignées géantes et beaucoup d'autres animaux féroces dont il ne voyait que les yeux jaunes ou les crocs. Soudain, le cercle s'ouvrit, pour laisser passer le chef des monstres.

Le grand ogre de la forêt.

Naïf *se recroquevilla encore un peu plus. Le grand ogre de la forêt avait une tête de mort tatouée sur son cou et une boucle d'oreille en argent qui brillait dans la nuit. Il éclata de rire.*

— Nous sommes le jour où est né le chevalier Généreux, *fit l'ogre en se penchant vers lui. Je vois que nos amis de la chaumière ne l'ont pas oublié.*

Il sortit son grand couteau. La lame fit un éclair dans la nuit, comme si la lune au-dessus d'eux n'était qu'un fromage que l'immense arme pouvait découper en tranches.

A ce moment-là de l'histoire, peut-être qu'elle te fait trop peur et que tu veux que je m'arrête un instant, même si tu l'as déjà écoutée et que tu connais la fin. Mais tu te doutes aussi que Naïf *avait plus peur que toi encore, surtout qu'il n'apprit que bien plus tard ce que je vais te raconter maintenant.*

Pendant que les monstres et les créatures féroces se rapprochaient de Naïf, *se léchant déjà les babines, la cigale pour qui il avait joué de la flûte le matin s'était réveillée et avait sauté jusqu'au château pour pousser des cris d'alerte. L'oiseau à qui* Naïf *avait donné une plume de son casque avait volé jusqu'au plus haut créneau des tours pour prévenir le garde qui dormait sur sa lance. Le lapin à qui* Naïf *avait raconté une histoire avait bondi jusqu'au pont levis, le papillon à qui* Naïf *avait offert ses pétales s'était posé sur le bouquet de fleurs de la grande table où tous les chevaliers dînaient.*

— Naïf *est en danger !*

Alors, le pont levis s'ouvrit et les chevaliers galopèrent dans la nuit, armés de vraies épées, de vrais casques, de vraies armures et de vrais boucliers.

Il y avait là Hardi, Preux, Vaillant, *mais aussi* Ardent, Robuste, Aguerri, *et même* Couard, Poltron, Chétif. *Tous les chevaliers du château !*

Ils arrivèrent juste à temps. Les fauves et les loups, et même l'ogre de la forêt, s'étaient enfuis.

Naïf *était sauvé.*

Il tremblait encore quand le plus vieux des chevaliers du château, Placide, *s'assit sur un tronc à côté de lui.*

Il lui apprit deux vérités importantes, tu veux les connaître ?

La première est que les gens qui paraissent gentils ne le sont pas toujours.

Mais la seconde est plus importante encore, et sans elle, la cigale, le lapin ou le papillon que tu as aidés ne nous auraient pas prévenus, et nous ne serions pas arrivés à temps pour te sauver.

Tu vois, même si les gens qui paraissent gentils ne le sont pas toujours, dans le doute, choisis toujours la gentillesse ! C'est le pari le plus raisonnable. Je me doute que tu ne comprends pas tous les mots que je prononce. Certains sont compliqués, mais à force de les répéter, tu finiras par les retenir.

Malgré les méchants, la gentillesse est le pari le plus raisonnable. C'est toujours elle qui gagne à la fin.

16

Y a que ça à manger ce soir ?

Envie de tuer

J'hésite entre l'omelette aux amanites et le tartare sauce curare.

Condamné : 49

Acquitté : 547

www.envie-de-tuer.com

Angélique avait trop bu.

La bouteille de rioja posée sur la table était aux trois quarts vide, mais Marianne n'y avait pratiquement pas touché. Devant elles, à travers les vitres du restaurant, un tram passa sans s'arrêter devant la station déserte et disparut entre les immeubles vers le cierge de béton de l'église Saint-François.

— Attention, Angie, prévint Marianne.

Le serveur du Uno, un brun à l'accent catalan parfaitement raccord avec les tapas qu'il servait, posa devant elle une assiette de tortilla. Il laissa un peu trop traîner le regard sur le profil d'Angélique, avec juste assez d'insistance pour qu'elle tourne son visage vers lui. Ses longs cheveux noirs, retenus par deux pinces mal ajustées, barraient l'ovale de son visage. D'un geste presque inconscient, et sans doute terriblement sexy aux yeux du Catalan perdu dans le Grand Nord, elle les repassa derrière ses oreilles, dégageant son front, ses cils, ses pommettes, ses yeux amandes, avant que le rideau délicat ne retombe aussitôt.

Un jeu innocent.

Angie ne semblait pas vraiment mesurer son pouvoir de séduction sur les hommes. Elle porta le verre de rioja à ses lèvres en souriant à la commandante de police.

— Vasile Dragonman ? Tu as vraiment craqué pour lui, Marianne ? Je ne l'ai vu que deux fois dans ma vie ! En soirée, chez des copains, Camille et Bruno. On était à chaque fois une bonne dizaine. La seconde fois, c'était samedi dernier, il a commencé à raconter son histoire bizarre, un gosse qui se souvenait d'une vie, une autre vie avant celle d'avec ses parents actuels. Sans donner de nom, tu t'en doutes... Il était dans une sorte d'impasse, démuni, c'était assez troublant. On le sentait seul, seul contre tous, les parents, l'école, l'administration. Sans avoir assez d'éléments pour qu'on le prenne au sérieux, pour déposer une plainte officielle. Il cherchait de l'aide, ça crevait les yeux. Quelqu'un qui puisse enquêter, discrètement...

— Et tu lui as filé mon portable ?

— Ouais. J'ai trouvé cette histoire de gosse trop *strange*.

— Juste pour ça ?

Angélique lança un clin d'œil à Marianne.

— Et parce que je l'ai trouvé mignon, aussi. Pas d'alliance au doigt ni dans la poche, je me suis renseigné auprès de Camille. Question marmots, surdiplômé ! Je suis une bonne copine, j'ai pensé à toi !

Marianne singea une grimace alors que le serveur arrivait et échangeait les tapas de la commandante contre un *arroz con costra*. Elle le laissa s'éloigner.

— Merci, Angie ! T'es trop gentille avec mamy.

— Arrête tes conneries. Tu t'entretiens comme une championne olympique, t'es super bien conservée !

— Ouais, bien conservée... (Elle observa les lignes grises des bâtiments rectangulaires du quartier Perret.) Conservée comme un quartier historique. Bientôt classée au patrimoine mondial !

Elle passa un doigt sur son nez et le pansement qui lui barrait toujours l'arcade nasale.

— Mais il faudra attendre la fin des travaux de rénovation...

Angélique sourit.

— Les risques du métier, ma vieille ! Plains-toi, t'es entourée de mâles virils que tu mènes à la baguette. Si tu veux, on échange, tu prends ma place dans le salon de coiffure et tu passes tes journées à teindre en blond les gamines, en noir les brunes argentées.

Marianne éclata de rire.

Elle avait compris qu'Angélique vivait ses enquêtes par procuration. La commandante veillait toujours à ne pas trop en raconter, à ne pas violer le secret professionnel, mais échangeait parfois à mots couverts avec cette détective en herbe sur les affaires criminelles auxquelles elle était confrontée. Angie pouvait avoir des intuitions étonnantes.

Même si, dans l'immédiat, Angélique semblait principalement s'intéresser à ses histoires de cœur. D'ailleurs, si quelqu'un avait pu écouter leur conversation, un serveur, un type à une table voisine, n'importe quel espion qui se serait glissé dans les pas et les pensées de Marianne, il l'aurait prise pour une sorte de prédatrice obsessionnelle, principalement occupée à évaluer le potentiel de séduction des hommes qu'elle croisait : adjoints, témoins…

Une impression d'autant plus étrange que Marianne avait gravi les échelons de la police nationale en n'y croisant quasiment que des mecs et en ne couchant avec presque aucun. Une fliquette plus ambitieuse que cavaleuse, et franchement chatouilleuse à toute atteinte à l'égalité des genres dans cet univers où les filles, ultraminoritaires, devaient se serrer les coudes, les poings et le ceinturon.

D'ailleurs, en matière d'égalité des genres, Marianne commençait seulement à se rendre compte de cette terrible injustice biologique : un mec n'avait aucune horloge interne à respecter ! Aucun compte à rebours ! Un vieux gars pouvait même se décider à draguer à cinquante ans et devenir père à soixante. Mais une vieille fille, si elle se réveillait trop tard… Adios, le petit Jésus, la chair de sa chair, le fruit de ses entrailles.

Game over !

Même si le prince charmant finissait par se pointer en s'excusant du retard.

Game over !

Du coup, Colombine n'avait pas le choix, si elle voulait avoir son Polichinelle à elle, elle devait illico trouver le bon Pierrot.

Oui, une sacrée injustice, ruminait Marianne. Et même une double injustice ! Car c'était justement les filles les plus libres, les plus exigeantes, les moins enclines à foutre leur jeunesse en l'air pour le premier connard venu, qui se retrouvaient à l'approche des quarante ans à devoir partir en chasse, un peu comme une fille qui n'aime tellement pas faire du shopping qu'elle se découvre la veille d'une cérémonie sans rien à se mettre sur le dos, et se retrouve comme une gourde le dernier jour des soldes à jouer des coudes au milieu de la foule qu'elle déteste tant.

Elle en avait parlé mille fois avec Angélique. La belle Angie qui avait encore la vie devant elle, qui adorait le lèche-vitrine, la foule, les soldes et les premiers connards venus.

La belle cligna un œil complice.

— Dans ta chasse à l'homme, Marianne, il n'y a pas que le petit Vasile. T'en es où avec Jibé ?

— Jibé ?

— Ouais, ton adjoint canon. On a passé la dernière soirée à parler de lui ! J'ai réfléchi depuis. Verdict sans appel. Trop beau ! Trop gentil pour être honnête. Il trompe sa femme. Ou il en rêve. Obligé ! Tu devrais l'allumer un peu, rien que pour voir.

— Tu déconnes ?

Angie cogna son verre à celui de Marianne.

— Les mecs parfaits, ça n'existe pas, ma belle. Fonce !

— Nom de Dieu, Angie, il est marié ! Il est le seul mec du commissariat capable de laisser en plan une planque pour aller chercher ses gosses à l'école. Et puis c'est mon adjoint… Et puis…

— Justement ! Reste dans les parages, tu seras l'épaule qui le consolera quand ce sera le bon moment. Bordel, Marianne, tu te rends compte, t'as que l'embarras du choix ! T'es pas shampouineuse, serveuse dans une boulangerie ou nounou dans une crèche, t'es commandante de police ! T'es une icône pour tous ces mecs !

— J'étais… Depuis cet après-midi, je suis grillée. On tenait ce type. J'avais dix hommes et cinq voitures, et on l'a laissé passer. Flagrant délit d'incompétence !

Elle passa à nouveau un doigt sur son nez endolori. Angélique avait mordu à l'hameçon du changement de conversation.

— Merde… C'est le type que vous cherchiez depuis neuf mois que vous avez laissé filer ? Vous l'aviez repéré comment ?

Marianne hésita un instant à parler du chirurgien et à le charger. Après tout, Larochelle était autant responsable qu'elle du fiasco de cet après-midi, mais elle n'allait pas tomber dans le même jeu que ce con et briser elle aussi le secret professionnel.

— On a eu un coup de bol. Une patrouille sur le port. On l'a repéré alors qu'il attendait près de l'écluse François-Ier.

La commandante pouvait parler du reste. La cavale ferait la une du *Havre Presse* dans quelques heures.

— Jusqu'à ce qu'il nous file entre les doigts. Quartier des Neiges.

Les yeux d'Angélique pétillèrent. L'excitation de la traque par procuration.

— Je connais plein de monde aux Neiges. J'ai des clientes qui habitent là-bas. Je pourrais me renseigner.

C'était vrai. Marianne était consciente qu'une coiffeuse habile à soutirer des confidences à des clientes un peu bavardes pouvait être plus efficace qu'une armée d'indics infiltrés sur place. Alors qu'elle tâtait encore son nez, Angie évalua d'un œil professionnel les dégâts sur le visage de la commandante.

— En tout cas, tu ne t'es pas ratée. T'en fais pas, demain au réveil, avec un peu de fond de teint, on ne verra presque plus rien.

— On pouvait le coincer, Angie ! J'ai engueulé Cabral pour le principe, c'est lui qui tenait le volant, mais il m'a peut-être sauvé la vie en écrasant le frein. J'aurais pu y rester… Je n'ai rien montré devant mes hommes, mais j'ai eu la frousse de ma vie en m'engageant sur le pont levant.

Les mains d'Angélique tremblaient un peu. Elles entouraient ses mèches rebelles autour de ses oreilles avec davantage de nervosité.

— Je comprends…

— Tu comprends quoi ?

— La peur. La peur de l'accident. Le moment de panique avant l'impact.

Les yeux de Marianne se bloquèrent sur ceux de son amie. Angie parlait rarement d'elle. Elle s'était beaucoup confiée au début de leur rencontre, par obligation. Elle avait tout déballé, sa haine, ses peurs, ses *envie-de-tuer*, sa rédemption. Ça avait scellé à jamais leur amitié, comme un poison qu'on verse d'un flacon dans un autre. Puis Angie était redevenue une bouteille vide, un très joli flacon de luxe, un miroir de coiffeuse, n'importe quel objet en verre, parfois transparent, parfois vous renvoyant votre propre image.

La copine idéale.

Complémentaires, toutes les deux. Marianne était pragmatique, calculatrice, stratège. Angie était romantique, idéaliste, naïve. Juste un je-ne-sais-quoi de vulgaire dans son expression, une faute de goût indéfinissable que les hommes repéraient immanquablement. Un défaut corrigeable sans doute, avec un peu de chirurgie psychologique. Plus facile à assumer qu'un nouveau nez ou qu'une liposuccion.

— Tu as déjà eu un accident ?

— Ouais. Il y a longtemps.

Elle hésita. Le serveur, tout sourire, apportait des profiteroles. Caramel au beurre salé, parasols miniatures et biscuits-éventails. Il eut beau se pencher un peu trop vers Angie, son visage demeura cette fois dissimulé derrière mille fins barreaux noirs.

Elle écarta ses cheveux dès que le serveur tourna le dos.

— Je n'en ai jamais parlé à personne, Marianne.

— Je ne te force pas…

Angie vida son verre. Trop vite. Quelques gouttes grenat coulèrent le long de son menton.

— J'avais vingt et un ans. J'étais avec un type qui s'appelait Ludovic. Un garçon de mon âge. Beau gosse. Fort en gueule. Le genre qui me plaisait alors. Qui me plaît encore, d'ailleurs. On était ensemble depuis sept mois quand je suis tombée enceinte. Je m'attendais à sa réaction quand je lui ai appris, je n'étais pas cruche à ce point. Bien entendu, il ne voulait pas le garder, le pauvre chou. Le fort en gueule était moins fier d'un coup. Il m'a fait la totale, le câlin, les yeux doux, le carnet d'adresses et le carnet de chèques, un oncle médecin et des parents qui pourraient payer l'avortement. Je lui ai dit au creux de l'oreille, en chuchotant : « Je veux le garder. » Une décharge électrique, le malheureux ! J'ai insisté, j'ai augmenté l'intensité des électrodes. « C'est mon enfant. Je veux le garder. Je te demanderai rien, ni pension, ni de le reconnaître. Rien. Je m'en occuperai seule. Mais je veux le garder. »

Marianne avait pris la main de son amie. Au loin, une foule clairsemée sortait du Volcan et se dispersait dans l'Espace Oscar Niemeyer. Jamais la commandante n'avait mis les pieds dans la mythique salle de spectacle du Havre.

— Faut croire que je ne comprenais rien aux hommes. Ou à Ludo. Il m'a regardée comme si j'étais folle, il est allé se servir un whisky, est revenu, et m'a dit calmement que ça ne marchait pas comme ça. Que même s'il ne reconnaissait pas ce gosse, il saurait tout de même qu'il existait. Il s'était resservi un whisky. Qu'il y penserait forcément tous les jours, à ça, qu'un morpion qui lui ressemblait vivait quelque part, un autre whisky, et que même s'il l'oubliait, il pourrait tomber un jour nez à nez avec un ado qu'il n'aurait jamais vu de sa vie et qui serait son portrait craché. Et que non, il ne voulait pas vieillir avec l'impression d'avoir laissé un morceau de lui, plus jeune, repousser ailleurs.

Marianne caressait la main d'Angie sans l'interrompre. Les boules de vanille fondaient, fissurant l'écorce de caramel au beurre salé.

— Ludo m'a fait la totale, la morale, pendant une heure, la bouteille de whisky y est passée, mais il tenait bien, il avait l'habitude. Je répliquais point par point. Les pires banalités depuis Adam et Eve. Moi que c'était mon corps, mon ventre, et que personne d'autre que moi n'avait le droit de décider d'y planter un bistouri. Lui, que c'était son sperme, et que personne n'avait le droit de fabriquer des clones de lui sans qu'il le décide. Je n'ai pas cédé, je m'en foutais de toute façon, il pouvait dire ce qu'il voulait, il était coincé. Qu'il choisisse de l'élever avec moi ou pas, je gardais cet enfant ! J'avais le droit pour moi, je le savais. Ludo avait fini par le comprendre aussi. Au bout du compte, il s'est calmé. On a même fait l'amour, puis vers minuit il m'a dit : « Je te ramène ? » J'habitais dans un appartement à Graville à l'époque.

Un sourire de clown triste s'afficha sur ses lèvres un peu trop chargées de gloss.

— Pour monter à Graville, il y a une dizaine de virages. A la sortie du quatrième, la 205 GTI de Ludo a été tout droit, sans qu'il tente le moindre coup de volant ou de frein. Direct dans le mur d'en face. On devait rouler à 50 kilomètres/heure, 60 maxi. On avait nos ceintures. On s'en est sortis avec des égratignures.

Marianne serra très fort la main. La voix d'Angie était devenue très faible.

— L'enfant est mort sur le coup. C'est ce que m'ont dit les médecins. Ludovic avait 1,2 gramme d'alcool dans le sang, il a reconnu ses torts, il était ivre, il était déboussolé, il venait d'apprendre que j'étais enceinte. Mais de là à imaginer, monsieur le juge, que j'aurais délibérément foncé dans ce mur pour qu'Angie fasse une fausse couche…

La vanille dans les coupes s'était liquéfiée en une bouillie beige. Le parasol avait été emporté par un glissement de terrain visqueux et salé. Un tram vide filait sans s'arrêter, le Volcan s'éteignait place Oscar-Niemeyer. Les dernières ombres de la nuit.

— J'y ai tant repensé depuis. Je me suis mise à la place de Ludovic. Il avait raison, au fond. Je ne pouvais pas faire ce gosse toute seule. Pas dans son dos. Pas contre lui. J'ai payé cash. Il a été le plus malin, ce salaud. Après quelques examens complémentaires, les médecins de l'hôpital Monod m'ont confirmé que l'altération des trompes utérines était irréversible et que je ne pourrais jamais avoir d'enfant. Ludovic habite toujours Graville. Je le croise de temps en temps dans le tram. Il a trois gosses. Il a l'air de bien s'en occuper.

Les mots se bloquaient dans la gorge de Marianne.

— C'est pas grave, fit Angie. C'est ma vie. Tu n'y peux rien…

Elle vida son verre.

— Y a plus malheureuse que moi.

Elle se leva, enfila un cuir élimé aux manches, accrocha à son cou une écharpe fatiguée sur le collier de perles fantaisie. Marianne insista pour payer la note. Le regard d'Angie se perdit à travers la grille de fer qui barrait la vitrine de la boutique de mode face à eux. Elle lâcha un dernier sourire.

— Si je retrouve ton Timo Soler, tu me négocies une part du butin des braqueurs ? Avec une robe Hermès, un cuir Gucci et des souliers Dior, je suis sûre que je pourrais être belle.

— La plus belle, mon Angie. La plus belle. Même sans tout ça.

17

Petite aiguille sur le 11, grande aiguille sur le 3

Les rideaux s'affolèrent tels des oiseaux qui s'envolent en un tourbillon quelques instants avant que n'éclate l'orage.

Puis la fenêtre s'ouvrit d'un coup.

La vitre se brisa, comme si un monstre invisible l'avait traversée pour entrer dans la chambre. Une pluie de milliers d'éclats de verre se déversa sur le lit.

Malone n'eut que le temps de se protéger le visage avec ses deux mains. Juste le temps de voir, entre son index et son majeur collés à ses yeux, son doudou lui tendre sa patte, avant d'être lui aussi emporté par l'immense courant d'air.

Impossible de décoller les paumes de sa figure. Impossible de l'aider.

Gouti disparaissait déjà. Deux autres mains se tendaient, sans qu'il puisse davantage les attraper. Celles de maman. Elles étaient rouges.

Elle aussi s'éloignait, en tournant sur elle-même, de plus en plus vite, aspirée par le vide.

Malone hurla.

Il voulait basculer, lui aussi. Rejoindre Gouti et maman, dans le noir. Au-delà du vent.

Deux bras le retinrent.

— C'est fini, mon chéri. C'est fini. Maman est là.

Malone était trempé de sueur. Il s'accroupit dans son lit et laissa Maman-da le bercer, doucement, longuement, et le recoucher enfin.

— C'est juste un cauchemar, mon chéri. Rendors-toi. Juste un cauchemar.

Déjà, les lourdes paupières de Malone retombaient.

MERCREDI
Le jour du voyage

18

Petite aiguille sur le 8, grande aiguille sur le 4

Les cris de Pa-di réveillèrent Malone. Il fit trois pas hors de sa chambre, encore en pyjama, et se tint debout en haut de l'escalier.

Les cris venaient d'en bas. De la cuisine. Cette fois, pas besoin de laisser Gouti dans un coin pour qu'il écoute leurs secrets et lui raconte ensuite. Pa-di parlait tellement fort qu'il entendait tout. Il criait, même.

— 7 h 30 du matin ! Tu m'entends ? Max m'a envoyé un texto à 7 heures et demie ce matin !

Un bruit d'évier, d'eau, de tasses, de porte du frigo qui s'ouvre et se ferme. Maman-da devait préparer le petit déjeuner et Pa-di boire son café.

— Tu vois qui est Max, quand même ? Le gars qui bosse aux espaces verts ! Son gosse, Dylan, joue goal chez les poussins. Il a causé à la mère Amarouche, celle qui fait la sortie de l'école. Elle a entendu le psy parler à l'instit… Elle est formelle, le Roumain va continuer de nous emmerder !

Malone descendit trois marches. Il ne voyait de la cuisine que les étagères du haut, celles où on range les objets qui coupent. Pa-di et Maman-da, toujours occupés à discuter, ne s'étaient même pas rendu compte qu'il était réveillé. Ça lui donna une idée. Il descendit encore trois marches, pieds nus, sans faire de bruit.

La voix de Pa-di résonnait encore plus fort.

— D'après la mère Amarouche, le psy veut revoir Malone demain matin. Il va se pointer à l'école. La petite directrice est bien gentille, mais elle ne fait pas le poids face à ce fouille-merde.

Un silence. Il devait boire son café.

— C'est simple, Amanda. On foutra pas Malone à l'école demain.

Un carillon. Des verres qui se cognent et des assiettes qu'on empile. Maman-da devait vider le lave-vaisselle.

— C'est pas une solution, Dimitri. Après-demain ou la semaine prochaine, faudra bien que le petit y retourne.

Malone se tenait dans l'entrée. Il fit doucement glisser sa petite chaise de bois qui lui servait pour jouer, colorier ou mettre ses chaussures. Il la plaça devant la porte.

— Tu proposes quoi, alors ? Le changer d'école ?

— Je vais aller voir Teixeira. Il est adjoint, quand même. Il est bien content que je fasse jouer son gosse avant-centre alors qu'il a pas mis un but depuis le début de la saison. Je lui demanderai de parler au maire. On va leur foutre la pression !

Un bruit de mitraillette et trois coups de feu. Des fourchettes et des couteaux qu'on trie puis qu'on jette dans le tiroir d'un buffet dont les portes claquent.

— Ça servira à quoi, Dimitri ? Le maire, il peut pas rentrer dans l'école. Pas plus que les flics. Une école, c'est comme une église. Les instits y font ce qu'ils veulent ! T'écoutes leur baratin, c'est tout.

Malone était grimpé sur la chaise, toujours sans un bruit. Il tourna la poignée jusqu'à ce que la porte s'ouvre, puis poussa la chaise et tira la porte derrière lui, laissant juste assez de lumière pour voir sous l'escalier.

— T'as peut-être raison pour les flics, Amanda. Mais les parents, ils ont le droit d'entrer dans l'école, eux ! Alors je vais aller leur coller moi-même, la pression. Je vais me renseigner aussi. Même si on a signé la première fois pour que le môme voie le psy, on peut peut-être tout arrêter ! Ou en choisir un autre.

Pa-di avait hurlé cette fois. Derrière sa voix d'ogre, la voix de Maman-da ressembla à un chuchotement de fée :

— Ça ne changerait rien, Dimitri. Je vais lui parler.

— Parler à qui ?

— A Malone. Je vais lui expliquer qu'il nous fait de la peine en racontant ces histoires. Il est grand maintenant. Il comprendra. Il…

En avançant sous l'escalier, à cause de la porte presque fermée, Malone n'entendait presque plus la voix de Maman. Il avait déjà visité le grand placard, hier, mais il ne put s'empêcher de regarder à nouveau le tableau avec son prénom.

M.A.L.O.N.E

D'observer encore les fourmis mortes collées pour écrire chaque lettre. Il eut l'impression que des milliers d'autres, vivantes, lui couraient dans le dos. Vite, Malone se tourna. Ce sont les autres cartons qui l'intéressaient, ceux posés les uns sur les autres, avec dedans des petites boîtes transparentes comme celles où on range les perles, les crayons ou les gommettes.

Il se mit à genoux et commença à fouiller dans le premier, celui qui était presque plus grand que lui. Il n'entendait plus ce que Maman-da disait, mais la voix de Pa-di continuait de cogner dans le placard sombre comme celle d'un ours qui rentre dans sa caverne.

— On va faire comme ça, alors ! Ta méthode douce avec le gosse d'abord. Et si ça ne marche pas, on passera à la mienne de méthode douce, avec le psy, entre quat'z'yeux.

Il éclata de rire.

Un coup de cymbale. Une poubelle qu'on referme avec le pied. La voix de Maman-da redevint à nouveau audible. Peut-être qu'elle s'était approchée de l'escalier ou qu'elle parlait plus fort.

— Il a pourtant tout. Des jouets. Des livres. Tout. Nous. Qu'est-ce qu'il veut de plus ?

Dans le carton, Malone avait attrapé une petite caisse en plastique de la taille d'une boîte à chaussures. A chaussures de grands. Elle était fermée par des élastiques et à travers le couvercle transparent, il voyait des petites formes noires.

Des bonbons ? Des réglisses ? Des petits personnages ?

La boîte était légère, mais les élastiques étaient trop serrés, il arrivait à peine à passer ses doigts dessous pour les faire glisser.

— Ce qu'il veut de plus ? Peut-être autre chose que ta méthode douce ! Déjà, t'as qu'à lui confisquer son doudou ! Il passe trop de temps avec cette peluche, ce môme. Comment veux-tu qu'il passe à autre chose, si son seul ami, c'est un rat qu'il tète depuis qu'il est né…

— Dimitri, c'est de son âge, tous les gosses ont un…

Le vacarme couvrit la suite de sa phrase. Amanda se précipita hors de la cuisine, jeta un coup d'œil affolé dans l'escalier.

— Malone ?

Personne.

La porte du placard de l'escalier était entrouverte.

Les cris d'un enfant, tout au fond.

— Malone !

La porte vola. La lumière s'engouffra.

Malone était à genoux, Gouti posé à ses pieds. Une boîte Tupperware était tombée à côté de lui, ouverte. Amanda avait eu le temps d'observer Malone, quelques secondes, avant que la lourde silhouette de Dimitri s'avance entre l'ampoule de l'entrée et la porte du placard, et que la pénombre envahisse à nouveau le placard.

Quelques secondes d'horreur.

Son petit garçon avait renversé sur lui tout le contenu de la boîte de plastique.

Il suffoquait, tendait des mains paniquées pour que Maman-da le sorte de là, de ce trou, de ce puits sans fond.

Hurlait plus fort encore dans le noir, à s'en déchirer les poumons.

Il était couvert d'insectes.

Morts.

Des centaines de mouches, de scarabées, de coccinelles, de punaises, de cloportes, d'abeilles, qui s'étaient accrochés à ses cheveux, à son pyjama, sur ses pieds nus, dans les poils de son doudou.

19

Aujourd'hui, il m'a dit je t'aime, tu sais… Mais avoir un enfant, l'élever, moi, tu sais…
Envie de tuer
Je lui ferai quand même, le gosse. Dans le dos. Et je l'appellerai Œdipe.

Condamné : 323
Acquitté : 95

www.envie-de-tuer.com

Vasile Dragonman se leva et observa le port de plaisance à travers la baie vitrée. Du haut du douzième étage de la Résidence de France, les bateaux à moteur, voiliers et catamarans semblaient garés comme des véhicules jumeaux sur le parking d'un immense concessionnaire. Presque tous blancs. Presque tous de la même taille modeste. Aucun yacht luxueux ne perturbait la tranquillité des barques, aucune haute voile de vieux gréement ne troublait l'alignement discret de mâts. Un port pour citadins amoureux de la mer, sans ostentation ni excentricité.

Vasile s'avança encore, collé à la fenêtre, plus de quarante mètres au-dessus du bassin. Aucun des rares passants sur le boulevard Clemenceau ou l'une des deux digues du port ne pouvait l'apercevoir.

Même dans une attitude aussi impudique.

En quittant le lit défroissé, Vasile n'avait pas pris le temps de s'habiller. Il offrait le spectacle de ses fesses nues, légèrement de trois quarts, de son torse couvert de duvet brun, de son sexe libre, à la jolie fille restée sous les draps.

Elle se leva et marcha vers lui, vint coller ses deux seins à son dos, son pubis à ses fesses, enroula ses bras autour de sa taille et, de ses doigts, joua avec les poils de son bas-ventre.

— Je dois y aller.

— C'est mercredi, bouda la fille. Les écoles sont fermées aujourd'hui, non ?

— J'ai rendez-vous avec la fliquette.

— Ta commandante ? Ton Augresse ? Je pourrais être jalouse…

Vasile se retourna et embrassa son amante, longuement, puis se détacha d'elle avant que le désir ne devienne trop intense. Elle se recula jusqu'à la baie vitrée et se colla à la paroi de verre comme un personnage de caoutchouc, façon ventouse.

Un peu vexée. Un peu amusée l'instant d'après par la maladresse de Vasile, assis sur le lit, qui peinait à enfiler son pantalon sur son sexe en érection.

Un jean moulant. Un pull de laine gris porté à même la peau. Ebouriffé comme un oiseau du large. Elle le trouva beau.

— Vous avez rendez-vous où, toi et ta gendarmette ?

Vasile hésita avant de répondre. Il accrocha une écharpe écrue à son cou. Une veste de lin sombre sur ses épaules en harmonie avec ses yeux. Pas le temps de se raser, à moins que cela ne soit un choix pour être plus craquant encore.

— Au commissariat. Y aura sans doute ses adjoints, la moitié de la brigade…

— J'espère !

Il posa la main sur la porte de l'appartement. Il ne l'avait pas embrassée, pas depuis tout à l'heure, au-dessus du port, face à l'océan.

— Elle commence un peu à te monter au cerveau, ton histoire de gosse et de fantômes ressuscités. Faudrait pas que ça t'éloigne de…

Elle ne termina pas sa phrase. Sa peau collée à la fenêtre était piquetée de chair de poule.

— Que ça m'éloigne de quoi ?

Un timide rayon de soleil se glissa au même instant entre deux nuages interminables, projetant un spot lumineux dans l'appartement, dorant la peau nue collée à la plaque de verre. Elle pivota et écrasa les deux aréoles de ses seins contre la vitre qu'elle imagina brûlante.

Comme volée à l'automne.

— Que ça nous éloigne, murmura-t-elle.

Il sortit.

20

Les lieutenants Jean-Baptiste Lechevalier et Pierrick Pasdeloup attendaient depuis près d'une heure dans le Touran garé en face de la pharmacie du Hoc. Ils étaient en place depuis 8 heures du matin, Marianne Augresse avait insisté pour qu'ils se positionnent bien avant l'ouverture des commerces.

C'était la seule pharmacie du quartier des Neiges. Dans l'hypothèse où Timo Soler bénéficiait d'une aide et d'une protection, on pouvait facilement imaginer qu'un complice se rende dans la pharmacie la plus proche pour acheter de quoi atténuer sa douleur. Ils avaient établi avec Larochelle la liste des produits susceptibles de soulager la blessure du braqueur, ceux que recommandait n'importe quel site d'automédication sur Internet.

Polyvidone iodée, cétrimide, gluconate de chlorhexidine, lidocaïne, anatoxine tétanique, métronidazole…

La pharmacienne était dans la confidence. Si un de ses clients lui réclamait un de ces médicaments, dès qu'il aurait passé la porte, elle devait retirer sa blouse blanche et l'accrocher au porte-manteau derrière elle. Leur code ! Il ne leur resterait plus alors qu'à suivre discrètement le suspect.

A condition qu'il soit assez stupide pour se fournir dans le quartier…

Jibé et Papy avaient pris la première heure de planque pour régler tous les détails sur place. Ensuite, deux autres agents les relaieraient. La rue du Hoc demeurait encore déserte, à l'exception des rares clients de la pharmacie, comme si, même en pleine semaine, tout le quartier s'était mis d'accord pour s'accorder une grasse matinée.

Papy développait une théorie qu'il garda pour lui : les Neiges comptaient 26 % de chômeurs, d'après les statistiques fournies par la brigade de proximité. Le double parmi les 18-25 ans. Pour quelle foutue raison les gamins et les adultes à la recherche d'un boulot se lèveraient-ils plus tôt que les fonctionnaires de Pôle emploi ?

Jibé laissa son doigt appuyé sur l'autoradio jusqu'à ce qu'il capte une station.

Il s'arrêta sur 101.5.

Chérie FM.

Papy le regarda avec curiosité.

— Sérieux ?

Daniel Lévi hurlait : « Ce sera nouuuus, dès demain… »

— La chanson de mon mariage, précisa le lieutenant Lechevalier en souriant. J'en ai encore des frissons chaque fois que je l'entends.

— Tu me sidères, Jibé…

Il jeta un œil dehors. Toujours aucune animation dans la rue. Pas même un camion poubelle. Les chats et les mouettes semblaient assurer l'intérim autour des conteneurs au coin de la rue.

— Pourquoi ?

— Pour rien ! Enfin, pour tout en fait. T'as un physique de jeune premier, Jibé. Une belle petite gueule de voyou. T'es flic ! Et tu mènes une vie de préposé de la Poste.

Daniel Lévi s'époumonait toujours à donner « l'envie d'aimer », et avec lui tous les choristes d'une comédie musicale oubliée.

— Désolé, Papy, je comprends rien.

— Putain, Jibé, tu veux que je te dise tout ce que le service raconte dans ton dos ?

— Non. Pas vraiment.

Elton John enchaînait avec *Your Song*. Le lieutenant Lechevalier augmenta cette fois le volume tout en continuant de fixer la vitrine de la pharmacie. A l'intérieur, une mère de famille tenait deux enfants, un dans chaque main, et patientait à la caisse.

Papy se passa de l'accord de son collègue.

— Déjà ta femme, Marie-Jo. On se demande tous ce que tu fous avec une fille comme elle. Elle te fait chier à chaque fois que tu planques le soir, t'appelle dix fois par jour, t'oblige à rentrer à minuit même quand on va fêter la fin d'une affaire sur laquelle on bûche depuis des semaines. Tu te cognes tout, les gosses, les courses le samedi, le bricolage le dimanche, les réunions de parents d'élèves en semaine… Et en prime, c'est pas Miss Monde, ta Marie-Jo, faut reconnaître !

Jibé ne se vexa pas. Il observa simplement Papy avec un peu d'étonnement.

— Vous racontez vraiment ça dans mon dos ?

— Ouais. T'es le plus canon de la brigade. T'as été élu par plébiscite devant la machine à café. Toutes les gendarmettes de la circonscription fantasment sur toi, genre Bachelor avec les galons et l'uniforme en prime.

Alors forcément, ta Marie-Jo, elle intrigue. Même la commandante est plus sexy !

Le lieutenant Lechevalier osa cette fois un franc sourire.

— Surtout avec son nez fendu en deux ! Tu vois, si un jour Marie-Jo me largue, je me verrais bien avec une fille comme ça.

— Comme ça quoi ? Avec des couilles, c'est ça ?

— Ouais. Si tu veux…

— Et pourquoi que ta Marie-Jo te larguerait ?

— J'en sais rien. Parce que je suis flic. Parce que j'ai des horaires à la con et un salaire de merde.

Papy plissa les yeux. Un type, bonnet sur le crâne et col relevé, venait d'entrer dans la pharmacie. Il répondit à Jibé sans quitter le client des yeux.

— Je confirme, tu me sidères ! T'as qu'à être le premier à retrouver le butin des braqueurs de Deauville, si possible trois jours avant la Saint-Valentin. Tu mettras deux ou trois bricoles dans ta poche.

Un vieux Rolling Stones passait sur Chérie FM.

Paint it Black.

Jibé baissa le volume sans rien répondre. Papy insista.

— Mieux, même ! Tu les files à une autre fille. Plus jolie, plus gentille, plus coquine…

Jibé demeura silencieux, comme s'il hésitait, puis, d'un coup, il lui lança un clin d'œil.

Etrange, pensa Papy.

Il n'eut pas le temps de se questionner davantage sur la signification de l'œillade de son collègue, derrière la vitrine la pharmacienne venait de retirer sa veste, au moment même où le type au bonnet sortait de la pharmacie, un sac de médicaments à la main.

Le lieutenant Pasdeloup braqua l'appareil photo sur l'homme, stabilisa le zoom, puis soudain baissa l'appareil pendu à son cou.

— Nom de Dieu, c'est Zerda !

Jibé confirma d'un imperceptible signe de la tête : il avait lui aussi reconnu le quatrième braqueur de Deauville, du moins celui qui était pressenti pour le rôle ; dans le même mouvement, il sortit du Touran banalisé, effectuant des gestes précis qu'il s'efforça de ne pas précipiter.

Le type marchait tranquillement sur le trottoir. Il fit vingt mètres et entra dans l'épicerie qui faisait le coin. Le lieutenant Lechevalier lui emboîta le pas pendant que Papy traversait la rue en direction de la pharmacie.

Une dizaine de personnes traînaient dans les rayons de la boutique. Davantage que dans les rues ou devant les administrations du quartier. Alexis Zerda, si c'était bien lui, s'était arrêté devant le rayon des bières. Lechevalier s'approcha, observant distraitement les diverses marques de rhum.

Juste avant de se mordre les lèvres de rage.

Baisés !

Alexis Zerda soulevait à hauteur de ses yeux un pack de Corona.

Les deux mains libres...

Aucune trace du sac de médicaments !

Jibé jeta un regard paniqué autour de lui. Les clients allaient et venaient. Trois faisaient la queue devant la petite caisse. A l'entrée, sur le trottoir, deux femmes se servaient directement dans les caisses de fruits.

Lechevalier s'approcha encore de Zerda, pour la forme, pour être certain qu'il ne dissimulait rien sous son cuir, mais il avait déjà compris…

Zerda avait confié le sac de médocs à un complice posté dans l'épicerie !

Un type ou une femme qu'ils n'avaient pas eu le temps de repérer. Ils pourraient suivre Alexis Zerda pendant des heures et des jours, comme ils le faisaient d'ailleurs en pointillé depuis des mois, il ne les mènerait pas à Soler !

Alors que le lieutenant Pasdeloup se faisait confirmer par la pharmacienne que l'homme venait de lui acheter des compresses stériles, de la Bétadine, du Coalgan et de l'adhésif Micropore, le meilleur cocktail possible disponible sans ordonnance pour soigner une plaie ouverte, Lechevalier passait derrière Zerda.

Dos contre dos, le nez collé aux pastis, Ricard, 51 et autres Berger, tournant la tête rien qu'un instant.

Identification confirmée.

Non seulement le type qui reposait les Corona à côté des Desperados ressemblait parfaitement au portrait supposé du motard anonyme de Deauville, mais, dépassant de son bonnet, une grosse boucle d'oreille argentée coupait en deux le lobe de son oreille gauche. Lorsque le lieutenant le frôla et que son cuir glissa de quelques centimètres sur son épaule, il reconnut distinctement une tête de mort tatouée sur le bas de son cou.

21

Marianne Augresse hésita avant de répondre, mais dès qu'elle lut le nom de son adjoint sur l'écran, elle appuya avec fébrilité sur la touche verte de son iPhone.

— Jibé ? Vous avez du neuf ?

La commandante se laissa submerger par une délicieuse montée d'adrénaline, le temps que le lieutenant Lechevalier réponde :

— On a failli…

En quelques mots, Jibé résuma leur planque devant la pharmacie, l'apparition d'Alexis Zerda et l'intervention probable d'un complice qu'ils n'avaient pas pu identifier. La commandante se fit violence pour ne pas élever la voix et leur balancer que ce n'était pas la peine de mobiliser deux lieutenants de police dans une voiture banalisée pour se faire aussi facilement rouler dans la farine. Après le fiasco d'hier, mieux valait la jouer solidaire.

Pile face à Marianne, trois créatures de caoutchouc, mi-oiseaux, mi-dauphins, effectuaient des figures aquatico-aériennes au rythme des vagues et du vent piégé dans la voile de leurs kitesurfs.

— OK, Jibé. Vous ne lâchez pas Zerda. Il y a une centaine de pharmacies dans l'agglomération du Havre, il y a peu de chance qu'il soit venu par hasard dans celle des Neiges. C'est le premier lien depuis le 6 janvier entre Alexis Zerda et le braquage de Deauville, alors on va positiver.

Jibé répondit plus rapidement cette fois, rassuré que la commandante le prenne avec autant de philosophie.

— Je confirme, Marianne. C'est le signe que les loups sont acculés et vont bientôt sortir du bois ! Je vais mettre Bourdaine sur la filature de Zerda. On se retrouve au commissariat ?

— J'arrive. J'aurai peut-être juste un peu de retard.

Instinctivement, la commandante recouvrit le haut-parleur avec sa paume pour que le lieutenant n'entende pas les cris des mouettes au-dessus d'elle. Elle raccrocha, et se tourna vers Vasile avec un grand sourire.

— Désolée. Les urgences… Je suis à vous, mais pas pour longtemps.

Devant eux, l'immense plage du Havre s'ouvrait. Le croissant d'immeubles bourgeois était ceinturé par la large digue de béton, égayée de palmiers en pot, de drapeaux européens flottant au vent, de bandes de gazon rasé de frais. Galets à l'infini, ferrys d'outre-Manche voguant au loin… c'était à se demander comment Nice avait pu voler au Havre le label de « promenade des Anglais », et avec lui la réputation de plus beau front de mer urbain.

Ils marchèrent sur une petite allée qui se résumait à quelques planches posées sur les galets, entretenant l'illusion de pouvoir s'approcher de la mer, un peu en contrebas, sans se tordre les pieds. Marianne et Vasile avançaient côte à côte. Pour éviter de sortir du chemin de bois, leurs épaules se frôlaient. Les centaines de cabines de plage blanches alignées formaient un rempart entre la digue et la plage déserte, une sorte de mâchicoulis improvisé contre la mer, posé au ras du sol.

Dès qu'ils les eurent dépassées, Marianne se cassa le cou pour parler au psychologue qui la dominait de vingt centimètres.

— J'ai tenu mes promesses, monsieur Dragonman, j'ai procédé à une enquête discrète sur la famille Moulin. La conclusion est claire. Je suis désolée, mais les parents sont clean. Malone est bien leur enfant, et ceci depuis sa naissance, même si c'est un peu bizarre de le formuler ainsi. Il n'y a aucun doute possible !

Les cabines closes, les emplacements vides des restaurants du front de mer, fermés et démontés en septembre, contrastaient avec l'animation de la plage en été. Marianne, pourtant, adorait cette atmosphère automnale un peu mélancolique. Il ne manquait qu'une terrasse abritée pour y prendre un café en regardant passer les paquebots à l'arrière-plan. Et les yeux couleur croissant doré de Vasile au premier.

— Une famille normale, continua Marianne. Un couple sans histoire. Dimitri Moulin a été condamné à quelques mois de prison, mais c'était il y a des années. Depuis, c'est un mari irréprochable et un père de famille parfaitement intégré à la vie de son village.

Vasile esquissa une moue discrète.

— Si c'est votre définition du père modèle…

Marianne ne releva pas.

— On peut prendre le problème par tous les bouts, monsieur Dragonman, mais il est impossible que Malone ne soit pas leur fils…

— J'ai bien compris, fit le psy. Merci d'avoir essayé.

Sur certaines cabines était clouées de grandes photos en noir et blanc, ambiance Années folles et *Titanic,* paquebots transatlantiques et couples endimanchés sur le pont. Avec cent ans de moins, Le Havre devenait terriblement romantique.

Tout en laissant son regard traîner sur les affiches, Marianne se laissait distraire par des questions idiotes.

Vasile était-il encore célibataire ? Amoureux d'une autre fille ? Troublé de se promener avec une femme au bord de l'océan ?

Si c'était le cas, ce salaud ne le montrait pas ! Il semblait continuer de ruminer sa conviction, sans la renier, comme un gosse qui refuserait d'admettre que les sirènes ou les licornes n'existent pas. Il se retourna lentement vers elle.

— Quel est votre plus vieux souvenir, commandante ?

— Pardon ?

Un grand sourire illumina la figure du psy.

— C'est un test que j'adore faire ! Tout le monde devrait d'ailleurs y penser à un moment de sa vie. Allez-y, réfléchissez, quel est votre plus ancien souvenir ? Pas un truc qu'on vous a raconté, hein, un véritable souvenir, dont vous avez des images précises.

— Eh bien…

Marianne ferma les yeux, laissant juste le bruit des vagues la distraire, puis elle les rouvrit après quelques secondes.

— Vous m'avez prise au dépourvu, je ne suis pas très sûre de moi… Mais je dirais un séjour à la ferme de ma tante. Je l'avais vue traire une vache et je me revois prendre un petit tabouret et essayer de l'imiter. Je crois que je n'en ai jamais parlé à personne…

— Vous aviez quel âge ?

— Je ne sais plus trop… Quatre ans ? (Elle hésita.) Non, plutôt cinq, peut-être même presque six, c'était au printemps.

— Alors avant, pendant vos cinq ou six premières années, c'est le trou noir ? Vous êtes obligée de faire confiance aux autres pour savoir ce qui s'est passé, n'est-ce pas ? Pour les images, à de vieilles photos dans un album. Pour les émotions, aux récits de votre maman lâchés un dimanche après le repas. Pour les repères, à des lieux dont on vous a dit que vous les fréquentiez, une école maternelle, une maison, la vôtre, celle de votre nounou, celle de vos premières vacances…

Il reprit son souffle, comme pour happer le vent du large, avant de déclamer la suite :

— Malone Moulin n'a pas encore quatre ans, commandante ! Tout ce qu'il a vécu et vivra encore pendant plusieurs longs mois, il va l'oublier ! Il n'en restera que des fantômes. Je vous l'ai expliqué, la mémoire d'un enfant de moins de quatre ans est une pâte à modeler dont les adultes font ce qu'ils veulent. Alors je veux bien vous croire quand vous me dites que Malonc est bien le fils d'Amanda et Dimitri Moulin, mais dans ce cas, il faut prendre le problème autrement. Ces souvenirs ne sont pas entrés dans la mémoire de Malone par hasard !

— Qu'est-ce que vous voulez dire ?

— Avant trois ans, un enfant n'a aucune conscience autonome de lui-même. Le « je » est associé à ce qu'on appelle dans notre jargon la « psyché communautaire ». Sa maman, son papa, sa nounou sont en quelque sorte des prolongements de lui-même… Donc quand Malone nous parle de sa maman d'avant et des souvenirs qu'il associe à sa vie avec elle, il y a une chose dont nous pouvons être certains : ces images antérieures existent ! Et pour qu'elles existent, il a fallu que quelqu'un les sème, puis les entretienne. Quelqu'un qui appartient à sa psyché communautaire. Quelqu'un qui a tout fait pour que Malone s'en souvienne. Comme s'il en était le dernier témoin. Le gardien d'un secret, en quelque sorte. Et par voie de conséquence…

Il marqua une pause. Devant eux, sur une autre cabine, couleur sépia, un moustachu en chapeau melon écartait le voile d'un bibi pour embrasser une jolie fille court vêtue et coiffée à la garçonne.

— Et par voie de conséquence, continua le psy, si quelqu'un a produit tous ces efforts pour que Malone se souvienne, forcément, d'autres ont intérêt à ce que Malone oublie…

— Les parents de Malone ?

— Par exemple. Cela peut sembler stupide, mais tout ce que me raconte ce garçon me donne l'impression que des indices ont été délibérément placés dans son cerveau, comme des balises, des sortes de repères pour qu'il les mobilise au bon moment !

Vasile s'emballait. Ses bras s'agitaient et ses lèvres tremblaient légèrement. La commandante trouvait cela charmant, intrigant, presque convaincant.

Sauf que le raisonnement du psy butait sur une faille majeure !

Son hypothèse supposait qu'une personne machiavélique incruste des souvenirs dans le cerveau de Malone, en lui racontant en boucle une vie différente, antérieure.

C'est ce qui clochait !

Car cet être qui lui bourrait le crâne existait, le petit Malone l'avait désigné sans aucune ambiguïté. C'était Gouti, son doudou !

Ridicule !

Marianne laissa de longues secondes la houle bercer ses pensées, comme pour les élever au-delà des nuages, les aider à accepter une part de rêve ou de surnaturel. Elle n'avait pas envie de traiter par la dérision la passion de Vasile. Rien dans ce paysage d'outre-temps n'y invitait. Contre toute logique, elle choisit de prendre les craintes du psy au sérieux, de le feindre au moins.

— Ce serait ça l'explication ? Un danger qui menace Malone ? Et ces souvenirs serviraient à le protéger ?

— Peut-être. Comment expliquer autrement cette peur panique de la pluie ? Ce froid perpétuel qu'il ressent également ? Mais pour le reste, cela ne ressemble en rien à une mémoire traumatique habituelle. Les images sont trop précises.

Une bourrasque de vent souleva les cheveux de Marianne. Pleine figure. Tignasse de pieuvre morte, face rougie, manteau boutonné au menton, autant de détails sexy pour compléter le tableau de son nez fracassé.

— Venez, fit Vasile. Venez à l'abri, je vais vous montrer quelque chose.

Il désigna une cabine de plage ouverte et vide, quelques mètres plus loin, identique à une dizaine d'autres qu'un employé de la mairie repeignait.

Deux mètres sur deux. A l'intérieur, une tenace odeur d'humidité contrastait avec une étonnante sensation de chaleur. Mais visiblement Vasile Dragonman n'avait pas entraîné la commandante dans un recoin intime pour l'embrasser en douce.

Il s'agenouilla et déplia sur le sol une carte au 1/25 000 sortie de son sac à dos. Pour ne pas la piétiner, Marianne dut se coller à la cloison de bois. Le papier glacé était griffonné de flèches de couleur, de formes géométriques hachurées, de cercles de différentes couleurs.

— J'ai essayé d'y voir plus clair, expliqua Vasile en relevant les yeux. J'ai tenté de matérialiser les récits de Malone. Vous voyez, je ne suis pas si farfelu. Méthode hypothético-déductive. La police procède de la même façon, non ?

Marianne observa plus en détail la carte, presque amusée. Effectivement, au commissariat, il leur arrivait souvent d'utiliser des supports identiques pour organiser des enquêtes dans l'estuaire, à partir de témoignages plus ou moins fiables.

— Selon Malone, continua Vasile, sa maison, celle d'avant, se situait au bord de la mer. Il la voyait de la fenêtre de sa chambre. Donc j'ai hachuré tous les espaces littoraux habités. Il n'en existe pas tant que ça, si l'on tient compte des falaises, des réserves naturelles, des espaces industriels. Ensuite, Malone évoque sans cesse un bateau pirate. Ce sont mes cercles, j'ai entouré tous les lieux d'où l'on peut apercevoir un bateau, n'importe lequel, des barques de pêcheurs aux supertankers. Toutes les vues sur le port de pêche, de plaisance, de commerce ! J'ai même pensé aux bateaux en bois des aires de jeu de la Mare-Rouge, Saint-François ou Bléville. Regardez, commandante, même si on intersecte les bords de mer et les vues sur un navire, l'espace couvert reste désespérément vaste. Une bonne partie du centre Perret du Havre est concernée, par exemple.

Son doigt désignait les cercles et les traits, la commandante le coupa.

— Et le reste ? La forêt ? Malone dit aussi qu'il habite à côté d'une forêt où grouillent les ogres et les monstres, non ?

Le psy ne perdit pas son assurance et montra les à-plats verts de la carte.

— On a l'embarras du choix. La forêt de Montgeon, bien entendu, ou les jardins suspendus autour du fort de Sainte-Adresse, le bois de l'entrée du tunnel Jenner... Mais rien ne se recoupe, ou tout, plutôt. Dès qu'on monte un peu sur les hauteurs du Havre, on peut voir la mer de très loin.

— Et les fusées ?

Vasile se prenait au jeu. Il semblait apprécier que Marianne se souvienne de tous ces détails. Dans son regard bois et braise couvait une flamme qui troublait la commandante.

— Aucune idée pour les fusées ! Il y a bien l'aéroport du Havre-Octeville, il n'est situé qu'à un kilomètre de la mer, pas très loin du centre commercial du Mont-Gaillard, mais Malone est formel, il me parle de fusée, pas d'avion ! Pour tout vous dire, commandante, aucune trace non plus de château avec quatre tours rondes. Les plus proches sont le château d'Orcher, qui n'a qu'une tour, le château des Gadelles à Sainte-Adresse, qui en a huit… J'ai tout de même recensé tout ce qui ressemble à un donjon ou à un manoir, y compris les châteaux d'eau, ils sont localisés sur la carte par ces petites croix bleues.

Marianne baissa les yeux et resta un moment à observer les couleurs superposées. Dragonman aurait fait un bon flic. Bien plus imaginatif que la plupart de ses collègues bornés. Vasile lui lança un sourire désolé.

— Aucun lieu idéal ne rassemble tous les critères ! J'ai l'impression d'avoir affaire à plusieurs puzzles différents dont les pièces seraient rangées dans la même boîte. Comme si plusieurs couches de souvenirs étaient mélangées. Comment savoir lesquels vont ensemble ? Lesquels mettre de côté ? Lesquels éliminer ?

La commandante Augresse n'en avait aucune idée. Un halo bleuté éclaira un instant la pénombre de la cabine de plage.

Un message sur son portable.

T'arrives quand ?
Jibé

Elle fit un pas vers la porte de la cabine tout en se détournant de la carte de Vasile. Comme si le message de son adjoint l'avait soudainement tirée du sommeil.

Qu'est-ce qu'elle fichait là ? A se pencher sur une carte au trésor imaginée par un gosse de trois ans et un psychologue allumé ! Pendant que cavalaient deux braqueurs qui n'avaient pas hésité à tirer de sang-froid sur des policiers, qui les narguaient depuis neuf mois, dissimulant un butin de près de deux millions d'euros quelque part dans l'estuaire.

— Je dois y aller, monsieur Dragonman. On en reparle. J'ai mis un homme là-dessus. Un jeune, il est plutôt débrouillard, il va continuer à chercher, au cas où…

Ils échangèrent une poignée de main un peu étrange. Le vent cingla Marianne dès qu'elle sortit. Elle s'éloigna rapidement pour rejoindre sa Mégane garée face aux Frites à Victor, le seul commerce ouvert sur le front de mer.

* *
*

Tout en repliant la carte, Vasile Dragonman observa la commandante s'éloigner. Des ados descendaient du tram, rollers aux pieds, et filèrent en direction du skatepark. Face à lui, une fille courait sur le chemin de planches, queue de cheval fouettant ses épaules et écouteurs de son MP3 vissés dans les oreilles.

Jusqu'où la commandante le soutiendrait-elle ?

Combien de temps avant qu'elle ne lui rie au nez, comme tous les autres ?

Et même si elle ne le faisait pas, comment la convaincre d'aller plus loin, de creuser davantage, plus profond, plus vite, avant que tous les indices semés dans le cerveau de Malone ne s'assèchent, comme des graines pourries qui ne donneront jamais aucun fruit ? Avant qu'on ne lui vole définitivement sa vie, sa vraie vie…

Malone lui avait fait confiance. Jamais, depuis le début de sa carrière de psy, il n'avait eu à faire face à une telle responsabilité.

Il rangea avec minutie la carte dans son sac à dos. Il était la dernière chance de ce môme. Une sorte de morceau de bois flottant, ballotté par les vagues, auquel ce gosse se raccrochait avant de se noyer.

Ça le terrifiait.

La joggeuse était jolie. Elle passa devant le psy en plantant avec insistance son regard dans le sien, sans ralentir pour autant, certaine sans même avoir à se retourner que le beau brun suivrait des yeux, jusqu'au bout de la plage, le roulis de ses fesses moulées dans son legging.

Les petits plaisirs de la séduction ordinaire.

Elle se trompait !

La seconde d'après, Vasile ne la voyait déjà plus, perdu dans ses pensées. Stupéfait de l'évidence qui explosait dans son esprit.

Il venait brusquement de comprendre comment Malone entrait en communication avec sa peluche.

22

Petite aiguille sur le 10, grande aiguille sur le 7

Avec son bonnet rouge et orange, son écharpe et ses gants assortis, ses bottes chatouillées par les tiges d'herbes mal rasées, Malone ressemblait à un nain de jardin.

Amanda sortit le vélo à roulettes du garage et le posa sur les dalles, pile devant la barrière.

— On va jusqu'à la mare aux canards.

Seule la tête de Malone remuait. Un nain de faïence, mais haut de gamme, au cou articulé, avec option baromètre intégré. Bottes plantées dans la pelouse, Malone regardait apeuré le ciel menaçant.

Il allait pleuvoir.

Amanda le fit décoller du sol et le posa sur la selle.

— Allez ouste, mon gros fainéant, pédale !

Malone roula un mètre avant de bloquer les roues du vélo sur trois graviers. Amanda soupira tout en le poussant.

— Avance, bébé ! Je suis sûre que Kylian et Lola n'ont déjà plus de roulettes à l'arrière.

L'argument eut peu d'effet. Elle appuya plus fort sur le dos de Malone pour qu'il prenne de l'élan, en profita pour redresser le bonnet qui lui tombait sur les yeux.

Les cheveux de son garçon étaient encore mouillés. Il avait hurlé sous la douche, tout à l'heure. Malone ne prenait que des bains ! Pendant une éternité, chaque soir. Il détestait qu'on projette de l'eau sur lui, cela déclenchait chez lui une véritable terreur, mais Amanda n'avait pas eu le choix cette fois. Elle l'avait empoigné, déshabillé, traîné de force dans la salle de bains. Les cheveux de Malone, son visage, ses bras, ses mains étaient couverts d'insectes morts.

Morts, seulement morts. Pas sales.

Lorsqu'elle avait trouvé Malone dans le placard, c'est ce qu'elle avait expliqué à son garçon, à son mari, en se forçant à sourire, comme s'il s'agissait d'une bonne blague. Ces insectes sur sa peau et ses vêtements n'étaient pas plus méchants que des confettis, qu'un nuage de farine soufflé au visage, que des aigrettes de pissenlit.

La réponse de Dimitri avait claqué.

« Tu fais prendre une douche au gosse et tu passes le balai ! »

Docile, Amanda s'était accroupie, serrant Malone dans ses bras, et ramassant de sa seule main libre les cadavres de mouches, scarabées et abeilles éparpillés autour d'eux, avant de les déposer, un à un, dans la boîte de plastique.

Debout devant la porte du placard de l'escalier, Dimitri l'avait observé un moment, consterné, puis avait explosé de rage. Malone s'en était bouché les oreilles.

« Et tu me fous tout ça à la poubelle ! »

Cette fois, cette seule fois, Amanda avait résisté.

« Non, Dimitri. Non ! Ne me demande pas ça, s'il te plaît… »

Elle avait cru qu'il allait le faire lui-même, arracher cette boîte, prendre un balai pour la première fois de sa vie, faire le vide. Mais non, il s'était contenté de hurler encore.

« T'es folle. T'es aussi folle que ce gosse ! »

Et il avait claqué la porte en sortant.

Le lotissement était en pente légèrement descendante jusqu'à la mare. Malone n'avait presque pas besoin de pédaler pour rouler. Il avait installé Gouti dans le panier accroché au guidon et se laissait glisser sur le goudron lisse et noir, comme celui d'une piste de Formule 1.

Aucun danger. Aucune voiture ne passait jamais dans la rue à part celles des habitants des autres pavillons du square Maurice-Ravel. Les architectes qui avaient tracé les plans des Hauts de Manéglise étaient des experts en labyrinthe. Ils l'avaient expliqué à Dimitri et Amanda, au moment où ils avaient acheté la maison, que leurs lotissements fonctionnaient sur ce qu'ils appelaient le contrôle social : personne ne pouvait y entrer ou en sortir sans être vu, chacun surveillait la maison de l'autre. Chacun son bout de rue et son bout de parking. Le génie consistait à donner l'impression d'être seul chez soi, de pouvoir fleurir, arborer et potager son petit jardin en toute liberté, tout en restant entouré d'autres pavillons identiques ; à se croire coupé du monde, de la ville et même du village, tout en restant encerclé par les centres commerciaux, les zones d'activité et échangeurs autoroutiers.

Fortiches, les urbanistes !

Et au milieu de cette maquette stratégiquement aménagée, les gosses pouvaient jouer sans risques.

Avec même une mare, droit devant, conservée en l'état, comme une autre preuve du talent visionnaire des architectes en labyrinthes : planification stricte de l'ensemble, mais improvisation éclairée pour les détails.

Amanda retint Malone par le col afin qu'il ne prenne pas trop de vitesse. Il éclata de rire, c'était la première fois de la journée. Elle adorait ces instants-là, ils lui faisaient toujours penser aux paroles de la chanson de Renaud, qu'elle écoutait en boucle ensuite, pour graver à jamais ces petits moments dans sa tête. Les chansons servent à ça, se disait-elle, même les plus idiotes, à se souvenir des émotions toutes bêtes.

Et entendre ton rire s'envoler aussi haut que s'envolent les cris des oiseaux.

Ces paroles et d'autres de la même chanson, les derniers mots avant les dernières notes de piano, quand Renaud dit que *le temps est assassin et emporte avec lui les rires des enfants*.

Des vérités toutes bêtes.

Il n'y avait pas de canards près de la mare, il n'y en avait plus depuis des semaines, depuis les premiers matins froids de septembre. Amanda le savait mais elle fit tout de même semblant d'être déçue. Malone paraissait s'en moquer, il avait attrapé Gouti et s'enfonçait dans les joncs pour chercher des nids et des œufs, comme il l'avait fait au printemps dernier, quand les canetons étaient nés, avant que les chats du quartier ne les dévorent.

Amanda le laissa jouer. Attendrie.

Ce coin de campagne à cinquante mètres de leur maison, c'était pour Malone le rebord du monde, l'infini à explorer, un océan sans rivage, qu'il verrait rapetisser en grandissant. Ce lotissement allait se recroqueviller, au fil des ans. Les confins de l'univers ne seraient alors plus qu'une planète rabougrie dont on fait le tour en trois pas.

Une prison. Comme celle où le roi Minos enfermait pour l'éternité les jeunes Grecs. Un savant piège de culs-de-sac et d'impasses murés par des thuyas et des troènes. En vérité, les architectes du lotissement n'avaient pas construit un labyrinthe, mais un dédale !

Trop fortiches !

Seuls les canards se tiraient d'ici.

Même elle, Amanda, s'était juré de partir de là, de Manéglise, de ne jamais revenir, lorsqu'elle avait seize ans. Elle était pourtant revenue… comme les canards. Parce que c'est ainsi, parce qu'on a beau faire le tour du monde, chercher le soleil et l'amour ailleurs, les trouver ou ne pas les trouver, peu importe, les canetons doivent naître ici.

Et se faire dévorer.

Une goutte troua la surface pétrole de la mare.

Malone ne s'en était pas rendu compte. Amanda, si. Elle avait compris qu'ils devaient rentrer, avant que l'averse ne tombe et que Malone ne réveille tout le quartier par ses cris.

— Ils sont où, Maman-da, les bébés canards ?

Les canetons doivent naître ici, repensa Amanda sans répondre à Malone.

Et se faire dévorer.

Sauf si elle l'empêchait.

Tomates coupées en dés. Steak haché. Frites maison. Un épisode de *Jake et les Pirates* pendant qu'elles cuisaient. Un autre pendant le repas.

Un troisième, juste un troisième, Malone insista mais Amanda ne céda pas.

— A la sieste, moussaillon !

Malone ne protesta pas. Il connaissait déjà par cœur tous les épisodes de *Jake et les Pirates*, ils repassaient toujours les mêmes à la télé, et surtout, il aimait rester dans sa chambre. Trop, sans doute, mais comment Amanda aurait-elle pu le lui reprocher ?

Malone était allongé dans le lit, seules sa tête et celle de Gouti ressortaient de la couette. Amanda s'assit à côté de lui.

— Tu sais, mon chéri, parfois, papa crie très fort. Mais il t'aime quand même. Fort ! Aussi fort qu'il crie. C'est juste que parfois, il est en colère.

Malone n'osa pas répondre.

— Tu trouves que papa est souvent en colère ? insista Amanda.

Malone détourna les yeux vers le calendrier punaisé à côté de son lit. La fusée avait atterri sur Mercure.

Le jour du voyage.

Malone aimait mieux la nuit que la sieste, quand il faisait noir et que les planètes et les étoiles s'allumaient vraiment.

— Tu vois, mon chéri, quand tu racontes des histoires, à l'école par exemple, quand tu dis que je ne suis pas ta maman. Pour moi, ce n'est pas très grave, je sais que ce n'est pas vrai. Mais papa, lui, ça le met très en colère.

Amanda caressa doucement les cheveux de son fils. Il la fixait maintenant, les yeux grands ouverts. Le soleil, filtré par des rideaux orange tirés devant la fenêtre, diffusait dans la chambre une lumière cuivrée. Malone ânonna quelques mots :

— Tu veux plus que je le dise, c'est ça ?

— Je ne veux plus que tu le dises, et je ne veux plus que tu le penses.

Malone sembla réfléchir profondément.

— Mais c'est pas possible, puisque t'es pas ma maman.

La main droite d'Amanda continua de caresser les cheveux de Malone, pendant que sa gauche se crispait sur la couette, écrabouillant dans son poing, d'un seul geste, Woody, Buzz l'Eclair et Pile-Poil.

— Qui t'a dit ça, mon chéri ? Qui t'a mis ça dans la tête ?

— C'est un secret. Je peux pas le dire.

Amanda se pencha, hésita à hausser la voix. Finalement, elle décida de baisser encore le ton.

— Tu sais bien que ces secrets-là rendent maman triste.

Sans attendre de réponse, elle se colla à lui. Un long câlin silencieux que Malone rompit le premier.

— Je veux pas que tu sois triste, Maman-da. Je… je t'aime… Je t'aime à l'infini !

— Alors il ne faudra plus dire que je ne suis pas ta maman. Promis ?

— Même si je le pense dans ma tête ?

— Même si tu le penses dans ta tête. Ne t'inquiète pas, mon chéri, ce sont des idées qui vont s'en aller, comme les microbes qui rendent malade, comme les boutons quand tu as eu la varicelle, tu te souviens ?

Malone se redressa et se tortilla pour s'extraire de l'étreinte d'Amanda.

— Je veux pas qu'elles partent, Maman-da ! Je dois m'en rappeler toujours. Toujours.

Cette fois, Amanda ne put retenir ses larmes. Elle les étouffa dans le traversin de Malone, puis elle le serra à nouveau dans ses bras, plus fort encore, et murmura à son oreille :

— Il ne faut pas dire ça, mon chéri. Il ne faut plus dire ça. Ils vont finir par te croire, ils vont finir par nous séparer, tu comprends ? Tu ne veux pas qu'on nous sépare ?

— Je veux rester avec toi, Maman-da !

Elle le pressa contre son cœur. A lui écraser les poumons. Elle avait eu si peur.

— Moi aussi, sanglota Amanda. Moi aussi.

Les trois secondes qui suivirent furent peut-être les plus douces de sa vie, la sensation de chaleur, le goût des larmes séchées, le cocon inviolable de cette chambre d'enfant, hors du monde, hors du temps, l'impression que le bonheur ne pourrait jamais s'en échapper, juste avant que Malone ne reprenne sa respiration et ne termine sa phrase.

— Je veux rester avec toi jusqu'à ce que maman revienne me chercher.

23

Aujourd'hui, le type devant moi à la banque a déposé un chèque de 127 000 euros.

Envie de tuer

Je draguerai sa veuve.

Condamné : 98

Acquitté : 459

www.envie-de-tuer.com

Dans l'indifférence générale, un jingle annonçait 17 heures. Pas grand monde dans le commissariat n'écoutait la radio allumée en sourdine, à l'exception des titres, une petite minute toutes les heures.

Le journaliste n'évoquait déjà plus la cavale de Timo Soler suite à son interception manquée sur le port du Havre. Depuis ce matin, les radios locales avaient multiplié les appels au commissariat, dans l'espoir d'obtenir une information inédite. Un journaliste avait même campé sur les marches du commissariat pendant deux heures.

Rien de neuf, avait systématiquement fait répondre Marianne. Et ce n'était pas de la mauvaise volonté de sa part, même envers ce campeur qui avait filé en zigzaguant sur les pavés après que la commandante eut menacé de crever les pneus de son scooter.

Rien de neuf ! Pour de vrai.

Le lieutenant Lechevalier enfila son blouson.

— 5 heures. Je me rentre…

Marianne afficha un air désolé.

— Ouais. Traîne pas. Avec les bouchons, t'es pas à la maison avant le face-à-face de *Questions pour un champion*.

— Un peu après, précisa Jibé en exhibant avec fierté une liste manuscrite (une écriture féminine) sortie de la poche de son jean. Je vais en profiter pour passer remplir le Caddie au Mont-Gaillard…

— T'as raison, plaisanta Papy, levant la tête de son ordinateur. Si Soler refait son apparition, on sera peut-être de planque non stop pendant une semaine.

La commandante acquiesça :

— Ecoute Papy, c'est la voix de la sagesse dans la maison ! Fais des provisions si tu veux que ta petite famille ne crève pas de faim.

Papy en rajouta :

— Et si maman est dispo, profite de la fenêtre de tir… En 95, pendant la cavale de Khaled Kelkal, on avait planqué onze nuits de suite…

Jibé avançait déjà dans le couloir du commissariat, sans même se donner la peine de répondre.

— La prévention, crut bon d'insister Papy. Prévenir, Jibé, toujours prévenir. Avec mon ex-femme, j'appelais ça un tir de sommation…

Cette fois, le lieutenant Lechevalier esquissa un sourire.

— Vous avez mon numéro si cela bouge. Mais à mon avis…

Il ne prit même pas la peine de terminer sa phrase, et au fond Marianne ne pouvait pas donner tort à Jibé. Il ne servait à rien de rester à se tourner les pouces toute la soirée au commissariat, à lire et relire les mêmes comptes rendus d'enquête. Elle avait fait suivre Alexis Zerda toute la journée, depuis sa sortie de l'épicerie rue du Hoc jusqu'à chez lui, rue Michelet, en passant par un concessionnaire Ford, le bar Amiral Nelson et la salle de musculation Physic Form.

Pour rien.

Plusieurs fois, l'agent Bourdaine, chargé de filer le train au suspect, avait appelé Marianne pour lui demander des instructions, lassé des efforts déployés à se dissimuler :

« Zerda ne se cache pas ! Il vit sa petite vie peinarde de De Niro en retraite. Soit ce type est blanc comme neige, soit il se fout de notre gueule. »

Blanc comme neige, avait répété Marianne dans sa tête. Cela prenait une signification toute particulière dans le contexte, même si la conviction de la commandante était définitive.

« Il se fout de notre gueule ! »

Elle ne croyait pas aux coïncidences, au hasard miraculeux qui aurait poussé Alexis Zerda à se retrouver dans la pharmacie des Neiges le lendemain de l'interpellation manquée de Timo Soler, à commander tout le petit nécessaire pour calmer une plaie ouverte ; autant de médicaments dont il se débarrasse mystérieusement quelques minutes après sa sortie de la pharmacie.

Il était le quatrième braqueur. Il protégeait Timo Soler. Restait juste à le coincer !

« On le lâche pas ! avait tonné la commandante au téléphone. Il finira par nous mener à Soler. Ou bien il sera obligé de le laisser pourrir sur place. »

Avant de se radoucir :

« Mais méfie-toi, Bourdaine. Ne prends aucun risque. Si Timo Soler n'est qu'un pauvre gars dépassé par les événements, Alexis Zerda est un fou dangereux. Un tueur de flics. Un tueur tout court… »

A la radio, des auditeurs se succédaient et évoquaient la crise. L'Atlantique LOG, une entreprise de logistique employant cent cinquante-sept salariés, venait de déposer le bilan. Selon une alternance savamment orchestrée, des chômeurs disposaient de quelques dizaines de secondes pour hurler contre le système, puis laissaient l'antenne à d'autres salariés excédés de payer pour les autres. A chacun sa révolution.

Tout en écoutant d'une oreille distraite, Papy avait étalé sur son bureau l'intégralité du butin du braquage de Deauville. Il avait imprimé en couleur une photo de chaque pièce du butin puis, avec minutie, avait découpé les objets.

Un diadème Piaget, un étui à lunettes Lucrin et quelques dizaines d'autres pièces de luxe en papier…

Une vraie collection pour petite princesse ! Quand l'affaire serait terminée, il enverrait le tout à Emma, sa petite-fille. Pour l'instant, il s'amusait à déplacer les objets sur la table, inventant un défilé avant-gardiste pour l'homme et la femme invisibles.

— C'est plutôt l'inverse qui m'étonne, bougonna le lieutenant.

— L'inverse de quoi ? interrogea Marianne.

— On panique après le braquage de Deauville. On s'étonne, on s'inquiète. Ça vire même à la psychose. Mais ce qui me sidère, moi, c'est plutôt que les braquages soient si rares. Tu vois, que les passants n'aient pas plus souvent envie de se servir directement dans les magasins. Tu ne trouves pas ça étrange, Marianne, tous ces gens qui passent devant toutes ces vitrines sans les exploser ? Qui se contentent de regarder à travers elles comme s'il s'agissait d'un écran virtuel, sans même oser envisager que tous ces objets qu'ils ne pourront jamais se payer, après tout, ils y ont autant droit que les autres. Sans même se dire que puisque le fric est un truc qui a été inventé par les riches, pourquoi les pauvres n'inventeraient-ils pas la fauche comme mode de transaction ?

La commandante bâilla devant son écran. Ça ne coupa pas Papy dans son élan.

— Franchement, tu ne trouves pas sidérant que tous ces gens qui remplissent leur Caddie continuent de payer sagement à la caisse pour enrichir des boîtes qui font des milliards de bénéfice, plutôt que de filer en sprint tous ensemble, en explosant façon bélier les tourniquets de tous les hypers de France ? Tu ne trouves pas ça dingue, que des types puissent encore se promener en Porsche dans la rue sans se faire caillasser, avec une Rolex au poignet sans se le faire trancher ? Que les gens qui n'ont plus rien à perdre acceptent de se retirer du jeu comme ça, sans même miser le peu qu'il leur reste, même pour l'honneur, même pour épater leur copine, même pour garder un peu de dignité face à leurs gosses… Bordel, même au poker, tu ne perds pas tes derniers jetons sans faire tapis !

La commandante profita d'une brève pause pour glisser un commentaire. Une fois lancé, le lieutenant Papy pouvait monologuer des heures.

— C'est parce qu'on fait bien notre job, Papy ! Et on est même payés pour ça. Pour faire peur aux gens. Gardiens de la paix, de la paix civile et publique, c'est notre titre officiel depuis cent cinquante ans ! Même si depuis, le monde est devenu un enfer.

— Plus Cerbère que saint Pierre, j'ai compris le message, Marianne.

Le lieutenant Pasdeloup balaya d'un revers de main une montre Longines en papier, puis continua.

— Alexis Zerda est un détraqué dangereux qu'on doit coffrer, d'accord. Mais d'après son dossier, Timo Soler était plutôt un brave type. Pareil pour Cyril et Ilona Lukowik. Ces gamins de Potigny, ces gosses de mineurs, m'avaient l'air *a priori* plus sympathiques que les P-DG de LVMH qui ont porté plainte contre eux…

— J'en sais rien, Papy. J'en sais rien. Je ne suis pas sûre qu'on doive se poser ces questions… Tiens, tu te souviens des trois tonnes de Nike contrefaites qu'on a interceptées il y a un mois avec les douanes dans un conteneur en provenance de Cebu ? Pourquoi tout balancer à la benne, hein ? Les Philippines ont plus besoin de se développer que les USA. Les pays pauvres n'ont rien à perdre, au fond. Le monde est une vaste partie de poker ? Alors tapis, les petits pays ! (Elle leva les yeux au ciel.) Ça ne marche pas comme ça, Papy, tu le sais bien. Faut des règles, et des bons petits soldats pour les faire appliquer.

Papy hocha imperceptiblement la tête, façon Sphinx engourdi, tout en tordant entre ses doigts un ruban de papier marron : une ceinture floquée *Hermès-Paris*.

— T'as raison, ma belle. Tiens, pour finir, tu sais qui était Hermès ?

— Un dieu grec, non ?

— Exact ! L'une des stars du Panthéon avec son siège tout en haut du mont Olympe. Il était le dieu du Commerce… et des Voleurs ! Les Grecs avaient déjà tout compris, non ? Plus de trois mille ans avant que la Banque centrale ne confirme les oracles de Delphes.

La commandante lâcha un bref éclat de rire, poussa sa chaise et fit quelques pas dans le couloir. Le commissariat se vidait. Elle tapa un texto à l'intention d'Angélique tout en allant se servir un café.

Ça te dit, un pot au Uno ce soir ?

La réponse lui parvint quelques minutes plus tard.

Pas ce soir. Vais voir mes vieux. Ai besoin de thunes.

Marianne sourit en écrasant le gobelet entre ses mains. Elle n'avait pas envie de rentrer seule, pas envie de courir seule sur les tapis roulants de l'Amazonia, pas envie de se faire à manger seule, de se coucher seule, de se lever seule le lendemain. Elle repensa en un flash à Vasile Dragonman. Elle avait son numéro de portable, mais elle n'allait tout de même pas appeler ce type pour l'inviter à dîner. Sous quel prétexte ?

— Tu restes tard ? fit-elle à Papy.

— Ouais. Je bouge pas avant 3 heures du matin…

— On te payera pas tes heures sup, tu sais.

— Je sais. J'attends juste qu'il soit 20 heures aux Etats-Unis pour appeler ma fille à Cleveland avec le téléphone de service. Si je le fais de chez moi, ça me coûte la moitié de ma paye !

Marianne évita d'insister et de se demander si Papy plaisantait ou non. Elle enfila elle aussi son manteau et sortit.

Seule.

24

Petite aiguille sur le 5, grande aiguille sur le 11

Malone dormit trois heures. Il dormait beaucoup l'après-midi, bien plus facilement que le soir.

Après le goûter, Amanda lui apporta un nouveau jouet qu'il ne connaissait pas. Un avion vert et jaune, avec une hélice, des roues bleu ciel et cinq petits personnages qui avaient tous les deux jambes collées, un casque marron et de grosses lunettes noires.

Amanda lui offrait un jouet nouveau chaque mercredi ! Elle les faisait apparaître comme par magie. Cela rendait Malone heureux à chaque fois, il ne s'en séparait pour ainsi dire pas dans les jours qui suivaient, plus rien d'autre ne comptait que ce jouet, à l'exception de Gouti bien entendu.

Un avion Happyland cette semaine, un camion de pompiers mercredi dernier, un dinosaure, un cow-boy sur son cheval, une voiture de course les semaines précédentes. Et lorsqu'un jouet nouveau remplaçait le précédent dans l'ordre de ses préférences exclusives, Malone n'en restait pas moins attentif à ce que chaque objet, chaque personnage, chaque figurine trouve sa juste place dans son univers imaginaire, même mélangé au fond d'une caisse ou étalé parmi des dizaines d'autres sur un tapis. Selon un ordre que nul autre que Malone ne pouvait comprendre, comme s'il était un Dieu débutant, doué d'une mémoire infinie lui permettant de n'oublier aucune des créatures du monde qu'il venait de créer.

— Merci, fit Malone en couvant l'avion des yeux.

Il n'avait pas dit « Merci, Maman-da ». Ni « Merci, maman », même si elle aurait bien voulu, ça il l'avait compris.

Il aurait bien voulu, lui aussi. Lui dire *maman.*

Il en avait envie à chaque fois qu'elle lui donnait un cadeau, ou qu'elle l'embrassait, ou qu'elle lui disait « Je t'aime ». Il en avait envie très souvent, en vrai.

Mais il ne fallait pas.

Dès que Maman-da lui tourna le dos pour préparer le goûter, il courut vers la salle, posa Gouti par terre, fit rouler l'avion sous la table, puis, bien caché entre les chaises, sortit la feuille de sa poche.

Elle était pliée en tout petit, pour qu'il puisse la glisser un peu partout sans que personne la voie. A chaque fois qu'il avait un peu trop envie de dire *maman* au lieu de *Maman-da*, et qu'il ne pouvait pas en parler avec Gouti, parce que tout le monde les écoutait, alors à ce moment-là, pour ne pas faire de bêtises, il dépliait son dessin.

Enfin, plutôt, le dessin qu'il avait fait avec maman. Le dessin secret, celui qu'il ne montrait à personne, même pas à Vasile.

Ses petits doigts déplièrent la feuille de papier tout en surveillant la porte ouverte de la cuisine. Il regarda très vite l'image, l'étoile, l'arbre vert, les guirlandes, les bougies, les cadeaux, les trois silhouettes. Il s'arrêta un instant sur la sienne et celle de maman. C'est elle qui s'était dessinée. Il la trouvait trop belle avec ses longs cheveux. Lui, il était trop petit à ce moment-là, il ne se reconnaissait pas sur le dessin.

Son cœur battait très fort, comme à chaque fois, mais il prit tout de même le temps de détailler les lettres en haut et en bas du dessin, les lettres qu'il connaissait par cœur. Il y en avait des grandes et des petites.

Dix en haut, au-dessus de l'étoile posée au sommet de l'arbre.

Noël Joyeux

Treize en bas, à côté des cadeaux.

N'oublie Jamais

Ses yeux glissèrent de haut en bas, puis très vite il replia la feuille. Maman-da revenait déjà avec le goûter posé sur un plateau. Elle avait même ajouté une paille dans son sirop de fraise.

Petite aiguille sur le 6, grande aiguille sur le 3

Malone jouait encore sur le tapis de la salle à manger quand Dimitri rentra.

Sans faire attention à lui, sans même dire bonjour, il se dirigea directement vers le réfrigérateur de la cuisine et décapsula une bière.

Amanda épluchait les légumes, indifférente.

Dimitri but d'une traite la moitié de la bouteille avant de prononcer ses premiers mots.

— Faut qu'on cause.

Amanda poussa la porte de la cuisine. Pas assez vite. Malone avait eu le temps de venir se hisser sur ses genoux, de sourire à Pa-di, d'essuyer les miettes sur son menton et le rouge autour de sa bouche avec le torchon posé sur la table.

— Laisse-nous, chéri. Va jouer dans le salon avec ton avion.

Malone sauta joyeusement sur le carrelage. Il s'en fichait. Il était le plus malin. Il avait laissé Gouti à côté de la télé de la cuisine, appuyé contre la boîte en plastique.

Dimitri tournait en rond, sa Leffe déjà presque vide à la main.

— J'ai réfléchi. Toute la journée. Faut dire que j'avais pas trop la tête au boulot. On a plus le choix. Faut lui téléphoner.

Amanda, qui jusqu'à présent ne lui avait pas accordé un regard, concentrée sur les épluchures de ses carottes, leva d'un coup des yeux furieux.

— Hors de question ! On était bien d'accord, non ? Hors de question d'avoir encore affaire à lui. Tu m'entends ?

Dimitri appuya nerveusement sur la pédale de la poubelle. La bouteille de verre cogna au fond et il pesta contre la manie d'Amanda de la vider alors qu'elle n'était qu'à moitié pleine. Il ouvrit la porte du frigo, fit sauter une nouvelle capsule sur la table, lécha la mousse qui frémissait au goulot.

— Putain, Amanda, tu ne comprends pas que c'est la seule solution ?

Amanda répondit calmement, par petits mots secs et précis, au rythme de sa pluche.

— Le gosse ne racontera plus ses histoires. Je lui ai parlé. Il a promis.

— Bordel, c'est déjà trop tard ! Ça cause dans le village. Il paraît même que les flics fouinent dans le coin, posent des questions aux gens.

Amanda se leva, ouvrit la poubelle. La pluie d'épluchures ne fit aucun bruit.

— Et alors ?

— Et alors ? Ils vont m'emmerder. Ils vont ressortir mon casier et mes mois de taule. Ils vont plus nous lâcher.

— Et après ? Qu'est-ce qu'ils vont faire ? Ils vont pas nous prendre le gosse pour des histoires d'ogres, de fusée et de pirates ? Laisse-les s'agiter, ils finiront bien par se fatiguer.

— Pas le psy ! Il peut pas supporter qu'un gosse comme Malone soit élevé par des gens comme nous. C'est lui qui a prévenu les flics. J'appelle. Faut en finir. Faut qu'il nous sorte de la merde…

La Leffe vide tomba en silence sur un lit de fanes de carottes. Amanda continuait d'éplucher d'autres légumes, du même geste mécanique, mais à l'intérieur, une peur panique l'étreignait.

En finir ? L'appeler ? Pour qu'il nous sorte de la merde...

Dimitri était-il naïf à ce point ?

Alors qu'elle cherchait vainement une issue, elle remarqua que la main de son mari tremblait en cherchant le téléphone dans sa poche.

Il hésitait !

Amanda s'engouffra dans la brèche.

— T'es pas capable de régler ça tout seul ? C'est ça ? De régler ça à deux et de faire comprendre au Roumain qu'il nous foute la paix ?

Elle se leva et se planta devant lui.

— T'avais pas besoin d'aide quand je t'ai connu.

D'un geste instinctif, elle ramassa le doudou qui traînait à côté de la télé et le posa sur la chaise de Malone. Dimitri avait déjà rangé le téléphone dans sa poche, presque soulagé, comme si au fond il attendait une telle réaction de sa femme.

— Comme tu veux. Je règle ça à ma façon, alors ?

Il fixa la boîte plastique collée à la télé, celle où Amanda avait versé les insectes éparpillés par Malone, puis ajouta :

— Si c'est ce que tu préfères… Mais j'ai l'impression que tu perds les pédales, toi aussi.

Amanda bloqua à son tour son regard sur les insectes, puis sur le doudou assis, puis à nouveau sur la boîte de plastique. Enfin, elle s'avança vers Dimitri. L'économe dans son poing serré, pointé vers Dimitri, ressemblait à un dérisoire couteau de théâtre dont la lame aurait glissé dans le manche.

— J'aurais peut-être des raisons d'être dingue, non ?

25

Les bruits de pas de la commandante s'éloignaient, ils furent les derniers à troubler le silence du commissariat. Le lieutenant Pierrick Pasdeloup avait également coupé la radio. Papy appréciait ces moments de calme où il pouvait se plonger dans les pièces à conviction d'une enquête, les étaler comme un puzzle, prendre un temps infini à les ordonner, les relier, comme un artisan façonne mille fois un meuble, pièce après pièce, en utilisant pour chaque étape l'outil approprié.

Il aimait laisser son esprit s'évader, quelques instants, puis se replonger pour de longues minutes dans les arcanes de l'enquête, puis vagabonder à nouveau.

Vers ses enfants, comme toujours.

Il n'avait que vingt ans lorsque Cédric était né. Delphine avait suivi, deux ans plus tard. Ses deux premiers enfants étaient aujourd'hui âgés de plus de trente ans, habitaient le Sud, étaient à leur tour devenus parents ; deux enfants pour Cédric, trois pour Delphine, cinq petits-enfants au total, que Papy ne voyait presque jamais. L'aîné, Florian, était déjà entré au collège. Quelques années encore et il quitterait à son tour ses parents pour aller vivre plus loin encore. Chacun son tour !

Deux photos de cadavres posées sur le bureau. Cyril et Ilona Lukowik. Abattus le 6 janvier 2015, rue de la Mer à Deauville.

Papy avait divorcé cinq ans après la naissance de Cédric. Il s'était battu pendant des mois pour obtenir la garde partagée de son fils et de Delphine, il avait même proposé de changer de boulot. Le salaud de juge n'avait rien voulu savoir ! Pendant toutes ces années, il avait vu ses gosses un week-end sur deux.

Calcul rapide, avec l'école le samedi, cela représentait moins de trente-six jours par an, un sur dix ! Une misère.

Lorsqu'il rencontra sa seconde épouse, Stéphanie, il avait vingt-six ans et il savait déjà qu'ils ne finiraient pas leurs jours ensemble. Elle non, elle était amoureuse. Stéphanie était trop jeune, trop belle, aimait trop la vie. Elle avait sept ans de moins que lui, n'avait connu aucun autre homme : avec le temps, elle finirait forcément par le tromper. Il se dépêcha de lui faire deux enfants, Charlotte et Valentin.

Quand ils divorcèrent, quatre ans plus tard, après que Stéphanie eut enfin pris un amant, Papy avait toutes les cartes en main. La responsabilité de Stéphanie crevait les yeux ! Elle-même s'était persuadée de sa culpabilité, et ce fut Papy qui lui concéda la garde alternée. Dans l'intérêt des enfants. Beau joueur.

Les plus beaux moments de sa vie.

Le doigt du lieutenant Pasdeloup caressait la photo découpée d'un diadème de rubis estimé à quinze mille euros. Pas grand monde, au fond, ne s'était intéressé à la brève vie des Bonnie and Clyde normands. L'enquête s'était concentrée sur les deux fuyards, Timo Soler et son complice supposé, Alexis Zerda. Sur le butin aussi, qui faisait fantasmer les journalistes et les lecteurs de la presse locale. Mais Cyril et Ilona Lukowik, une fois leurs cadavres évacués du front de mer de Deauville dans deux housses de plastique, n'avaient pour ainsi dire plus fait parler d'eux. A peine quelques visites de routine des flics de Caen à Potigny, le village où tout, sans doute, s'était noué.

Papy avait rencontré Alexandra quelques années plus tard, elle avait trente ans et avait élevé Charlotte et Valentin comme ses propres enfants, sans jamais rien demander de plus, lui laissant les pleins pouvoirs ! Une belle-mère parfaite, qui avait pourtant fini par lui céder l'année de ses trente-trois ans. Un nouvel enfant ! Le premier pour Alexandra, qui n'en avait pas tant envie, le cinquième pour Papy.

Anaïs était née en 1996. Une princesse, adorée de tous. SA princesse ! Sa chouchoute, sa seule raison de se lever chaque matin. Un rêve éveillé, jusqu'à sa majorité. Bac mention très bien, en juin dernier. Direction Cleveland pour une école de commerce à dix mille dollars l'année. Elle les avait tant suppliés, il n'avait vécu depuis dix-huit ans que pour lui rendre la vie plus belle, comment lui refuser ? Même si cela signifiait pour lui dix-huit ans de bonheur balayés en miettes, d'un coup, puis jetés dans le vide, emportés par le vent.

Papy avait quitté Alexandra le lendemain des résultats du bac.

A cinquante et un ans, il la trouvait pourtant encore sexy, élégante, libre, libérée même, définitivement débarrassée du boulet de la maternité. Femme à temps plein, enfin.

Ils avaient formé une famille formidable.

Et Papy s'était senti soudain terriblement vieux.

Le lieutenant Pasdeloup résistait tant bien que mal à la fatigue, les yeux posés sur le dossier s'ouvraient, se fermaient. Il devait seulement tenir encore un peu, dans un quart d'heure il aurait Anaïs au bout du fil, ça suffirait à réveiller sa nuit.

Il se redressa et se concentra sur chaque détail de l'enquête.

Timo Soler, Alexis Zerda, Cyril et Ilona Lukowik étaient tous les quatre originaires de Potigny, un petit village de Basse-Normandie connu pour avoir abrité pendant quatre-vingts ans les plus grandes mines de charbon de l'ouest de la France. Un village de mineurs et de corons planté au beau milieu du bocage normand.

Les mines de Potigny avaient définitivement fermé en 1989, laissant derrière elles deux générations de chômeurs répartis entre vingt nationalités différentes, même si les Polonais, qui avaient recréé dans la plaine de Caen une petite Varsovie, étaient majoritaires.

Quatre braqueurs. Quatre enfants de Potigny. Trois garçons et une fille. Tous chômeurs et enfants de chômeurs. Une question taraudait le lieutenant Pasdeloup : comment, pourquoi ces quatre gamins, qui avaient tous grandi jusqu'à leur majorité dans la même cité ouvrière de leur village, rue des Gryzońs, avaient-ils pu se transformer des années plus tard en un gang organisé ?

Les collègues de Caen avaient un peu fouillé la mémoire collective du village, traîné quelques heures dans les rues de Potigny, interrogé les anciens, tout consigné dans le rapport.

Les mots dansaient devant les yeux cernés du lieutenant Pasdeloup.

Et si les collègues de Caen étaient passés à côté de l'essentiel ?

Et s'il était capable de sentir ce qu'ils n'avaient pas senti ? D'entendre ce qu'ils n'avaient pas entendu ?

Papy était persuadé que la clé reposait sur cette conversion macabre. Un groupe de quatre copains décide de s'attaquer à des commerces, arme au poing, selon un protocole quasi suicidaire. C'est ce processus qui l'intéressait, davantage au fond que de retrouver ce fameux butin ou de prouver la culpabilité d'Alexis Zerda.

Le lieutenant s'arrêta un moment sur les photos des quatre braqueurs. Il rapprocha celles des deux cadavres jusqu'à les coucher l'un à côté de l'autre. Sa conviction était plus précise encore, même si bizarrement, jusqu'à présent, aucun flic ne semblait s'être posé la question. Ilona et Cyril Lukowik étaient les seuls des quatre dont la culpabilité était prouvée, abattus le Beretta à la main, sans aucun doute possible sur leur implication, même s'ils n'avaient pas eu le temps de s'expliquer devant un juge ou de se confier à un avocat. Pourtant, cette version troublait Papy.

Pourquoi ce couple avait-il accepté de participer à ce commando suicidaire ? Cyril travaillait comme docker depuis des années. Certes, il enchaînait les CDD ces dix derniers mois, mais son passé de petit délinquant était loin derrière lui. Un mariage. Un amour. Une famille. Le mythe des Bonnie and Clyde de l'estuaire, c'était bon pour les journalistes ! Lui et tous les flics savaient que ce couple menait une vie rangée. Comment Zerda avait-il pu les convaincre de s'engager dans ce jeu de massacre programmé ? Eux et Timo Soler ?

Au nom de leur amitié passée dans le coron normand ?

Au nom d'un pacte secret ?

Une dette ? Un contrat ? Une menace ?

Papy avait l'intuition que la clé se trouvait là-bas. A Potigny. Bien cachée dans leur passé. Après tout, le village était à moins de deux heures de route. Le plus simple aurait été de vérifier directement sur place tout ce qui était griffonné dans le dossier ; de passer au crible tout ce qu'Ilona et Cyril avaient définitivement abandonné sur les planches de Deauville, leur enfance, leur jeunesse, leurs amis, leur famille…

En particulier, le lieutenant Pasdeloup sentait qu'il devait vérifier au moins un détail, un détail que les flics de Caen, qui s'étaient perdus avant lui dans les mines de Potigny, avaient classé en moins de trente minutes. Un détail qui pourtant, selon lui, changeait tout.

26

— Tu pouvais pas répondre plus vite ? J'ai laissé le téléphone sonner pendant au moins trois minutes… J'ai les flics qui…

— Je suis en train de crever, Alex.

Un bref silence.

— Raconte pas de conneries. Les médocs te calment pas ?

Une toux grasse. C'était une forme de réponse. Alexis Zerda imagina les glaviots de sang que Timo devait cracher sur l'écran de son téléphone. Il colla le sien à son oreille. Même si le parking des Docks Vauban était désert, il y avait sûrement pas très loin un flic ou deux à se geler les couilles, cachés derrière une voiture, mais trop loin, bien trop loin pour entendre ce qu'il disait. Déjà que les vagues qui cognaient la digue de béton du quai des Antilles, à moins de dix mètres, couvraient quasiment la voix de Timo…

Un râle, plutôt. Les ondes laissaient mieux passer l'odeur de mort que le son.

— Je tiendrai pas comme cela longtemps, Alex.

Juste un peu, mon pote. Quelques heures encore. Un jour ou deux...

— Tu vas t'en sortir, Timo ! T'es au chaud. Les flics ne peuvent pas te trouver. Moi par contre, ils me collent du matin au soir. Impossible de bouger. Alors on va faire vite. Tu fais pas le con, hein ? Si tu mets le nez dehors, si tu tentes de revoir un toubib, n'importe lequel, de t'approcher d'un hosto, ils te coinceront !

— Tu proposes quoi ?

C'est comme si Timo avait téléchargé une application *je-vais-crever* sur Apple Store, pensa Zerda. Tout y était. Le timbre rauque percé d'un sifflement continu, la respiration lente, le tremblement de la voix et sans doute de tout le reste de son corps. Il sentait chaque minuscule part de la vie de Timo qui foutait le camp.

Les vagues claquaient et éclaboussèrent le bas de son pantalon. Il se recula d'un demi-mètre. Pas plus, au cas où les flics seraient équipés de micros longue portée, ou même accompagnés de types pour lire sur les lèvres.

Il y avait peu de chances qu'ils disposent d'un tel matos au Havre…

— On temporise, Timo. Les flics ont fait le lien avec moi, à cause de cette putain de pharmacie. J'y suis allé pour toi, je peux pas en faire plus. Faut qu'on soit prudents. On peut pas tout perdre, pas maintenant…

Zerda, tout en parlant, chercha un prétexte pour raccrocher. Il était rassuré, Timo n'irait pas se livrer aux flics. Pas encore. Ça lui laissait un peu de temps. Au bout de la jetée, après le quai de Marseille, un yacht à peine éclairé entrait dans le port. Comme si le bateau se repérait uniquement à la lumière du phare.

— Passe-le-moi !

C'était une voix de femme, un peu lointaine. Zerda se figea, surpris.

— Passe-le-moi, je te dis !

La voix vrilla cette fois l'oreille de Zerda.

— Alexis. C'est moi ? Tu te rends compte que Timo est en train de mourir ? Tu comprends ça, au moins ?

— Tu veux que je fasse quoi ? Que je commande une ambulance ? Que je m'occupe de la femme flic qui dirige l'enquête ?

— Pourquoi pas ? Je te laisse choisir… N'importe quoi qui puisse faire diversion pour qu'on prenne le large.

— Laisse-moi la nuit. Rien que cette nuit. Si on panique, on est morts…

— Et si Timo ne se réveille pas ?

Alexis Zerda se laissa déconcentrer par les lumières bleu électrique du yacht. Quarante-cinq pieds minimum. Coque acier et pont de bois. Une petite fortune, une poignée de millions minimum. Il se demanda une fraction de seconde qui vivait derrière les hublots fluorescents. Quel milliardaire pourrait avoir envie d'amarrer son bateau au Havre, d'emmener ses putes de luxe dans ce trou ?

Pas lui, en tout cas.

Il se força à repenser à Timo en train d'agoniser. Sa veuve en pleurs…

— Je t'adore, ma grande. T'es une fille beaucoup trop bien pour lui !

* *
*

Timo se laissa tomber sur les oreillers, dos contre le mur, dès que le téléphone fut raccroché. C'était la position la moins inconfortable. Il était resté ainsi des heures depuis la veille, mi-assis, mi-allongé, tel un grabataire dans un hospice qui n'a plus rien d'autre à espérer de la vie que le confort d'un lit médicalisé.

— Quel enfoiré ! siffla la fille.

Timo se força à sourire. Sa plaie ne saignait plus depuis quelques heures. S'il ne bougeait pas, elle ne le faisait même plus souffrir.

— Il n'était pas obligé, pour les médicaments.

Elle ramassa une serviette-éponge écrue sur la pile de l'armoire, la passa sous l'eau, puis vint se coucher près de lui. Elle posa le linge humide sur les gazes écarlates qui recouvraient sa plaie.

Timo tremblait. Sa peau semblait avoir encore blanchi, comme si son hâle naturel se délavait, de la couleur des draps, des gélules qu'il ingurgitait, des compresses qui s'accumulaient dans la poubelle. Jusqu'à perdre, en quelques jours enfermé dans cet appartement sans lumière, son teint brun hérité de cinq générations de paysans galiciens.

Ce teint brun qu'elle aimait tant.

Elle passa ses doigts dans ses cheveux.

— Zerda a la trouille que tu sortes, que les flics te coincent et que tu le dénonces. Ce salaud préfère te voir mourir dans un coin.

— Je ne vais pas mourir si tu t'occupes de moi.

Sa main glissa sur sa nuque. Humide. Fiévreuse.

— Bien entendu. Bien entendu, Timo, tu ne vas pas mourir.

Elle se pencha sur son épaule et ne put retenir ses larmes. Elles tombaient sur son torse, coulaient encore jusqu'à la serviette humide. Elle aurait aimé qu'elles aient un pouvoir magique, qu'une seule larme puisse cicatriser ses blessures, comme dans les contes. Et la seconde suivante, elle culpabilisait comme une gamine d'avoir des pensées aussi idiotes.

Il fallait qu'elle tienne le coup.

Elle resta longtemps dans la même position, immobile. Timo s'était endormi. Du moins, il sombrait dans un état oscillant entre semi-conscience et sommeil saccadé. Enfin, elle se décolla de lui avec une infinie précaution, sans toucher sa peau, sans soulever le matelas. Un Mikado grandeur nature.

Un pied par terre. Un pas.

Les pupilles blanches de Timo s'écarquillèrent dans la pénombre.

— Il faut que tu dormes, murmura-t-elle.

La blessure ne saignait plus. La Bétadine et le Coalgan étaient rangés à côté du lit, avec une bouteille d'eau.

Elle posa une main sur son épaule et un long baiser sur sa bouche. La sueur poisseuse qui coulait sur sa peau contrastait avec ses lèvres dures et sèches.

— On va s'en sortir, Timo. On va s'en sortir.

Il baissa les yeux, puis la fixa à nouveau.

— Tous les deux, tu crois vraiment ?

— Tous les trois, précisa-t-elle.

Il ne put dissimuler un spasme de douleur. Il grimaça puis continua.

— Rien à foutre de ce salaud d'Alex.

Elle ne répondit rien. Elle devait juste se taire et attendre. Attendre que Timo s'endorme. Mais le temps d'un instant, elle fut déçue que son fiancé n'ait rien compris.

27

Petite aiguille sur le 8, grande aiguille sur le 9

Sous la couette, Gouti lui avait tout raconté. Tout ce que Pa-di avait dit à Maman-da, mais Malone n'avait rien compris. Et puis comme hier, il n'avait pas envie d'écouter. Il avait trop envie d'entendre son histoire.

L'histoire de Mercure.

C'était peut-être son histoire préférée.

Il aurait presque voulu n'écouter que celle-là, mais ce n'était pas possible. Gouti lui en racontait une différente chaque soir. Gouti obéissait toujours à ce que lui avait dit maman. Et lui aussi.

* *
*

Sur son île, tout le monde le surnommait Bébé-pirate. Il n'aimait pas beaucoup ça, surtout qu'il n'était plus un bébé depuis longtemps, mais comme il était né le dernier, ses cousins grandissaient en même temps que lui, il restait toujours le plus petit.

Bébé-pirate habitait sur une petite île, une toute petite île, tellement petite que dès qu'il marchait au bord de la mer pour partir de leur cabane et faire le tour de l'île, au bout de quelques minutes de promenade, au lieu de s'éloigner, il commençait déjà à se rapprocher de chez eux.

Pourtant, Bébé-pirate ne s'ennuyait pas. Avec ses cousins, ils grimpaient dans les palmiers pour attraper des noix de coco, sauf que lui, Bébé-pirate, n'avait pas le droit de monter jusqu'aux plus hautes branches.

— Quand tu seras grand, disait sa maman.

Avec ses cousins, il jouait aussi à cache-cache, même si c'était difficile de trouver de nouvelles cachettes sur une île aussi minuscule. Alors, ils s'enterraient dans des trous dans le sable, des terriers de lapin ou des grottes au bord de l'eau, sauf Bébé-pirate, qui n'avait jamais le droit de s'enfoncer en entier.

— Quand tu seras grand, disait sa maman.

Alors souvent, Bébé-pirate s'amusait avec la seule personne de son âge. Lily. Comme lui, elle habitait une cabane construite sur des poteaux au-dessus de la mer, une cabane qui touchait la sienne, et ainsi, depuis qu'ils étaient nés, leurs deux lits étaient posés contre le même mur de bambou séparant leurs deux maisons ; Lily était si jolie que Bébé-pirate n'avait qu'un seul désir : se marier avec elle.

— Quand tu seras grand, disait sa maman.

Une fois par an, à Noël, une fois par an seulement, la petite taille de Bébé-pirate lui était utile.

Ce jour-là, il montait sur les épaules de son papa (il était le seul pirate de l'île que son papa pouvait encore porter sur ses épaules), et avait pour travail d'accrocher la grande étoile en haut de l'arbre décoré de boules et de guirlandes.

— Jusqu'à ce que tu sois grand, prévenait sa maman.

Un jour, Bébé-pirate en eut assez d'attendre d'être grand, de tourner en rond sur son île. Alors, il prit le grand bateau qui était amarré sur la plage et partit. Tout seul.

Il s'était à peine éloigné depuis dix secondes qu'il fit une découverte extraordinaire.

Sa petite île ronde n'était pas une île, mais une planète !

Son vaisseau pirate n'était pas un bateau, mais une fusée !

La mer tout autour de son île n'était pas la mer, mais le ciel !

Tant mieux, se dit Bébé-pirate. Une fusée avance beaucoup plus vite qu'un bateau à voile. Une fusée va à la vitesse de la lumière. Alors, il voyagea des années-lumière.

Il y avait à bord de la fusée un petit GPS dans lequel la direction de toutes les planètes était indiquée, même celle de la plus petite planète de la galaxie la plus éloignée. Bébé-pirate n'avait plus qu'à suivre les indications.

« Après le troisième satellite, prenez à droite en direction de la Voie lactée. Tenez la gauche pendant trois années-lumière. »

« Avant le trou noir, faites immédiatement demi-tour. »

« Votre itinéraire comporte des pluies de météorites. Souhaitez-vous continuer ? Oui-Non. »

Le GPS indiquait aussi les soleils de chaque galaxie, et il suffisait de passer assez près de l'un d'eux, à peine quelques secondes-lumière, pour que la fusée fasse le plein d'énergie solaire. Le GPS était même équipé d'un système de limitation de vitesse, sauf que c'était idiot, puisque personne ne peut dépasser la vitesse de la lumière.

Bébé-pirate voyagea pendant vingt années-lumière. Assez, se dit-il, pour ne plus être un bébé. Puis il retourna sur sa planète.

Quand il mit un pied par terre, tous ses cousins, sa maman, son papa, Lily coururent se jeter dans ses bras.

Ses cousins étaient devenus des adultes grands et barbus, sa maman et son papa étaient presque devenus des mamy et papy, et Lily était devenue la plus jolie des princesses. Ils avaient tous vingt ans de plus que quand il les avait quittés. Il se rappelait les mots de sa maman, il y a si longtemps. « Quand tu seras grand ».

C'était maintenant !

C'est du moins ce que Bébé-pirate croyait...

Car il ne s'en était pas encore aperçu, mais il avait oublié un détail, un détail bête comme chou mais qui changeait tout : quand on voyage à la vitesse de la lumière, on se déplace aussi vite que le temps et on ne vieillit pas !

Bébé-pirate avait passé vingt ans dans sa fusée mais n'avait pas vieilli d'un seul jour.

Tout le monde avait grandi sauf lui !

C'était même pire qu'avant, car plus aucun de ses cousins ne voulait grimper dans les palmiers avec lui, ils étaient devenus sérieux et forts, et se contentaient de faire tomber les noix de coco en secouant le tronc ; il était le seul à pouvoir encore se glisser dans les terriers de lapin et les grottes, mais plus personne ne voulait jouer à cache-cache avec lui ; quand arriva Noël, son père lui expliqua qu'il était trop vieux et fatigué pour le porter sur ses épaules et accrocher la grande étoile en haut de l'arbre ; quant à Lily, jamais une aussi jolie princesse n'aurait pu se marier avec un Bébé-pirate qui avait vingt ans de moins qu'elle !

Bébé-pirate était devenu le pirate le plus triste de la galaxie. Il avait beau tourner le problème dans tous les sens, il ne trouvait pas de solution. Il n'y en avait aucune ! Il se sentait seul, le pirate le plus seul de la galaxie. Et pourtant, même si cela peut sembler incroyable, il allait bientôt se retrouver plus seul encore.

Un matin, il se réveilla, et tout le monde était parti ! Tout le monde, ses cousins, ses parents, Lily, tous étaient montés à bord de la fusée et s'étaient envolés.

Sans lui. Ils l'avaient abandonné !

Alors Bébé-pirate pleura. Il ne comprenait pas. Il pleura ainsi pendant trois jours et trois nuits dans une grotte, avant de monter dans le plus grand palmier de l'île, puisqu'il n'y avait plus personne pour lui interdire de le faire.

Et là, tout en haut, il vit qu'on avait tracé des mots immenses dans le sable, il reconnut même l'écriture de sa maman. Elle avait écrit : « Attends-nous. »

Alors, Bébé-pirate attendit. Il fut très courageux, très patient, très sage, et il resta des milliers de jours tout seul sur son île loin de ses parents, de ses amis et de sa fiancée.

Il avait fini par comprendre.

Et un matin, très exactement vingt ans plus tard, la fusée revint et se posa.

Lily descendit la première. Elle n'avait pas vieilli d'un jour alors que pendant tout ce temps, seul sur son île, Bébé-pirate était devenu un pirate aussi grand et fort que tous ses cousins qui sortaient de la fusée.

Lily et lui avaient exactement le même âge et ils se marièrent le lendemain.

— Maintenant que vous êtes grands, avait admis maman.

Et quand arriva Noël, Bébé-pirate, que plus personne n'appelait comme ça maintenant, se baissa, puis souleva son vieux papa et le posa sur ses épaules, afin qu'il puisse accrocher la grande étoile tout en haut de l'arbre aux guirlandes.

Alors, son papa se pencha contre son oreille et lui murmura ces mots : « C'est difficile à comprendre quand on est petit, mais écoute bien. Quelqu'un que l'on aime, que l'on aime vraiment, il faut parfois oser le laisser partir loin. Ou savoir l'attendre longtemps. C'est une vraie preuve d'amour, la seule, peut-être. »

* *
*

L'histoire était terminée. Malone se laissa bercer par les étoiles projetées sur les murs de sa chambre. Comme chaque nuit, dès que Gouti se taisait et s'endormait, la marque revenait. D'abord elle n'était qu'une ombre floue, comme celle que ferait sa main s'il l'avait promenée devant une lumière. Sauf que ses deux mains étaient bien cachées sous la couette.

Ce n'était pas la sienne.

Petit à petit, quand ses yeux s'habituaient, la forme devenait plus nette, chaque doigt apparaissait, exactement comme les dessins qu'ils avaient faits avec Clotilde en trempant leurs deux mains dans les assiettes de peintures, ceux qui étaient scotchés aux fenêtres de l'école.

Après que chaque doigt se fut formé, venait la couleur. Une seule couleur. Rouge. Sur tous les murs de la chambre.

Malone fermait alors les yeux, pour ne pas la voir. Pour qu'elle disparaisse, comme les étoiles aux murs, comme les planètes et la fusée qui brillaient au-dessus de lui, comme la chambre, comme tout.

Et tout disparaissait dans le noir, même Gouti.

Sauf la main rouge.

Avant que tout le reste devienne rouge aussi.

28

Aujourd'hui, Laurent m'a dit qu'il ne m'aimait plus.
Envie de tuer
La terre entière, sauf lui et moi.

Condamné : 15
Acquitté : 953

www.envie-de-tuer.com

Vasile Dragonman laissait l'eau bouillante couler sur sa peau nue. C'était devenu une habitude, une obligation, presque une obsession.

Prendre une douche après avoir fait l'amour.

Les rares fois où il n'en avait pas eu l'occasion, parce qu'il avait baisé dans la nature, entre deux portes ou entre deux chiottes, il avait eu l'impression que les traces de doigts, de lèvres, de sexe sur son corps s'y imprimaient de façon indélébile. Que s'il ne les effaçait pas tout de suite, elles pénétreraient définitivement dans sa propre chair, se fondraient en lui et qu'il y perdrait une partie de son identité, de son intimité.

L'instant d'après, il se maudissait. Psy. Barré. Compliqué. Pas même capable d'apprécier sans le théoriser le contact sur sa peau de celle d'une jolie fille.

Elle ouvrit sans pudeur la porte de verre de la douche.

Elle avait juste enfilé un sarouel orange aux motifs africains. Torse nu. Seins libres. Cheveux noués. Une allure de villageoise dans les histoires de Kirikou. Version européenne. Peau de lait. Cette réminiscence de ses premiers fantasmes de gosse le troubla encore un peu plus.

— Je crois que c'est pour toi.

Elle lui tendit son téléphone portable. Il coupa le jet.

Un texto !

Il effaça du pouce la buée sur l'écran.

Idiote sans doute, mais envie de vous faire confiance.
Conscience de l'urgence, ferai mon possible.
Contactez-moi, n'importe quand.
Marianne

— Toujours ta commandante ?

Vasile se contenta d'afficher une mimique désolée, celle d'un petit garçon pris en faute et qui nie toute responsabilité.

Irrésistible !

Ce n'était pas pour autant une raison pour laisser passer le message de la flic.

— Un texto à minuit ? Elle te drague !

Elle était consciente que sa grimace de maîtresse courroucée était moins bien interprétée que le sourire naïf et innocent de Vasile.

— J'ai besoin d'elle. Je joue le jeu.

— Pour ton môme. Le petit garçon qui parle à son doudou ?

— Oui.

Il posa le téléphone sur le lavabo, puis se recula sous la douche. Le jet gicla à nouveau. Elle le suivit sous la cascade brûlante, sans même ôter son sarouel. Il suffit de quelques secondes pour que le tissu de coton forme une seconde peau qui allait déteindre sur ses fesses et ses cuisses, tatouer des éléphants, des girafes et des zèbres sur son corps d'albâtre.

Elle colla sa bouche trempée contre son cou, joua avec ses poils bruns.

— Tu le retrouves demain matin à l'école ?

— Oui. S'ils me laissent le voir.

— Ils peuvent t'en empêcher ?

— Oui, bien entendu… Tous. Ses parents, l'école, les flics…

— Il a besoin de toi. Tu ne me parles que de ça depuis des semaines. Que tu es le seul à qui il se confie. Que tu avances avec d'infinies précautions. Que s'il se referme comme une huître, c'est foutu.

Elle renversa une noisette de gel douche au creux de sa main, se frotta les paumes puis les posa à plat sur ses épaules, pour les faire glisser le long de son corps.

Il recula. Ses mains passèrent sous le sarouel, entre deux peaux. Sa cuisse heurta le mélangeur de la douche et doucement, sous la pression des caresses coco-vanille, le fit pivoter de quelques centimètres vers la gauche.

De brûlante, la douche devint tiède.

— A moins que ça ne soit la meilleure solution, Vasile. Laisser ce gosse oublier son traumatisme.

Vasile avait un corps d'étudiant qui aurait choisi des études de STAPS[1] plutôt que de psycho. Option rugby. Des muscles fins de demi d'ouverture. Les doigts féminins suivaient les courbes de son torse, s'aventurant entre ses abdominaux.

Elle murmura encore.

— Si un fantôme dort dans son crâne, est-ce qu'il ne faut pas le laisser enfermé dans son cachot, pour toujours ?

Vasile souffla sa réponse, avant que sa respiration ne s'emballe.

— Tu as oublié une étape.

L'eau vira de tiède à glacée. Ils ne bougèrent pas.

— Quelle étape ?

— Avant de condamner à perpétuité ce fantômc, de le condamner à vivre dans une des cellules du crâne de Malone, mon boulot est de le trouver, de le regarder droit dans les yeux, de l'apprivoiser. De l'affronter au besoin…

Elle se hissa sur la pointe des orteils pour chuchoter à son oreille, après avoir coupé d'un pied agile le flux d'eau gelé.

— Dangereux, non ?

Dans la salle de bains, trois notes électroniques carillonnèrent.

— Encore ta fliquette ?

Vasile anticipa la grimace de provocation par un sourire agacé et attrapa en aveugle le téléphone posé sur le lavabo.

Son expression bascula d'un coup.

— Un problème ?

1. Sciences et techniques des activités physiques et sportives.

Il hissa le téléphone à la hauteur de leurs yeux.

Numéro inconnu

Une photo et un message.

Une photo d'abord.

Ils distinguaient sur le petit écran une tombe de marbre, dont la croix se détachait dans un ciel rouge, au premier plan, mais sans que la perspective permette de distinguer les mots et les chiffres gravés sur la stèle.

La sépulture d'un inconnu ? La tombe d'un enfant ? Le caveau d'une famille ?

Ils lurent le message ensuite.

Toi ou le gosse. Tu as encore le choix.

Elle se mordit les lèvres. D'un coup, les gouttes glacées venaient de triompher de sa peau tendue de désir.

— Tu vas faire quoi ?

— Je sais pas. Appeler les flics.

— Ta flic ?

Il posa ses fesses nues sur le rebord du lavabo.

— Je sais pas. Bordel, c'est quoi ce cirque ?

Elle se tenait debout devant lui. Belle. Ses longs cheveux pleuvaient sur ses seins nus. Sur ses jambes de savane. Aussi belle que le jour où il l'avait croisée chez Bruno. Doucement, elle tira sur l'élastique du sarouel. Son geste n'avait pourtant rien d'érotique, il ressemblait plutôt à un rituel primitif, une incantation.

Elle descendit la toile de quelques centimètres, suffisant pour dévoiler la naissance de son pubis. Avec pudeur, sans provocation, comme lorsqu'un médecin vous demande de baisser votre culotte avant d'appuyer ses doigts sur chaque aine.

Son index contourna son nombril, pour descendre sur son ventre lisse.

— Regarde-moi, Vasile. Regarde-moi et écoute-moi. Tu vois ce ventre ? Il ne portera jamais d'enfant. Tu vois cet utérus, aucune vie n'en sortira jamais. Ça ne te semble peut-être pas le moment, pas le sujet, et je te rassure, je ne te donnerai aucun détail sordide, tu as eu ta dose ce soir, j'ai l'impression, mais c'est pour te dire que contrairement à ce que prétend le salaud qui t'a envoyé ce message, tu n'as pas le choix.

Vasile la dévisageait, incrédule, incapable de réfléchir. Dix ans de pratique en tant que psychologue, et dix autres années d'études théoriques avant ne lui fournissaient aucune lumière sur les enchaînements des événements.

— Protège ce gosse, Vasile ! Protège-le, il n'a que toi pour le sauver. Tu comprends ?

Non, il ne comprenait pas. Il ne comprenait plus rien. Mais elle avait au moins raison sur une chose, il n'avait plus le choix.

Il la prit dans ses bras et mentit.

— Je comprends, Angie. Je comprends.

JEUDI
Le jour du courage

29

Petite aiguille sur le 11, grande aiguille sur le 6

— Malone, écoute-moi bien, c'est important. Il faut que tu me parles de ton secret, si tu veux que je te croie. Il faut que tu m'expliques comment Gouti te raconte toutes ces histoires.

Malone ne répondit rien. Son regard ne quittait pas la table d'école qui le séparait du psy, dirigé vers un point invisible, comme si la réponse y avait été inscrite, puis effacée. Gouti, entre ses genoux, n'était pas plus bavard, même si son sourire rose et ses yeux rieurs n'avaient pas l'air affectés par la question du psychologue scolaire.

— Il faut que je sache, Malone.

Vasile hésita. Le lien de confiance qu'il avait tressé entre ce gosse et lui était aussi mince qu'un fil de nylon. S'il se rompait, chaque souvenir de ce gamin s'échapperait comme un collier de perles brisé. Il lui fallait pourtant le tendre. Avec une infinie précaution.

— Si tu veux retrouver ta maman. Celle d'avant, je veux dire. Il faut que tu m'aides, Malone.

L'enfant ne releva pas la tête. Prisonnier de son silence. Il se contentait de serrer son doudou entre ses cuisses, comme si cette peluche était la seule personne capable de lui venir en aide, en ouvrant d'un coup la bouche rien que pour prouver à ce psy combien son univers imaginaire était étriqué.

La peluche grise resta pourtant silencieuse.

Vasile tira encore sur le fil.

— Il faut que Gouti se confie à quelqu'un d'autre que toi, Malone, tu comprends ? Il faut qu'il parle à une grande personne.

Malone tourna la tête vers son doudou. Vasile eut l'impression qu'il lui demandait son avis. Peut-être communiquaient-ils par télépathie ? Peut-être que tous les gosses faisaient ça avec leurs jouets et perdaient ce pouvoir magique en grandissant.

Ils se tenaient face à face dans le bureau de Clotilde depuis déjà près d'une heure.

— Prends ton temps, Malone. Prends ton temps.

Tout en marquant une pause, il observa le bureau de direction encombré de cahiers, de grandes feuilles de papier multicolores, de pots de feutres et de lots pour la kermesse entassés dans des cartons.

Clotilde passa dans le couloir derrière lui, sans lui jeter un regard. Trois quarts d'heure avant, elle s'était fait couler un café sans même lui en proposer. Elle avait laissé depuis la cafetière percoler dans son dos, comme par défi.

Vasile leva les yeux vers la pendule. Dans quinze minutes, les mamans arriveraient, il serait alors trop tard. Aurait-il ensuite une autre occasion d'interroger Malone ?

L'enfant semblait toujours supplier son doudou de l'aider. Tant pis. Vasile devait accélérer les choses, au mépris de toute déontologie.

— Malone, écoute-moi. Une peluche, un doudou, ne peut pas parler ! Tu le sais bien.

L'enfant se mordit les lèvres tout en se tortillant sur sa chaise. Vasile avait au moins franchi une étape, il venait de provoquer un choc dans le cerveau de Malone, de déclencher un engrenage qui finirait par le faire réagir. Il fallait juste attendre. Un peu.

Le psychologue scolaire baissa à son tour les yeux sur la table. Trois feuilles étaient étalées devant lui. Il les avait imprimées ce matin, sur deux colonnes.

A gauche, des questions, des photos, des symboles.

A droite, les réponses qu'il avait griffonnées ces dernières semaines.

Colonne de gauche, un bateau pirate, tiré d'un album d'Astérix.

Colonne de droite, la réaction de Malone.

Non, il n'était pas pareil mon bateau de pirate. Il était plus noir, et sans le truc au milieu.

Le mât ? Sans le mât, c'est cela ? Et il était noir comment ?

Vasile avait tâtonné de longues minutes avant d'obtenir une réponse précise.

Noir, entièrement noir, comme un bateau de guerre.

Colonne de gauche, un château, celui de Pierrefonds, avec ses douves, son pont-levis et sa dentelle de créneaux, de tours et de donjons.

Non, les tours étaient plus grosses, et moins grandes. Sans tout ça.

Sans tout quoi, Malone ? Sans les toits en pente ? Sans les sculptures ? Sans les trous dans les pierres ?

Vasile avait dessiné sept brouillons, et chaque fois Malone hochait négativement la tête. Jusqu'à ce que le psychologue, après avoir épuisé toutes les formes architecturales possibles, aligne quatre ronds sur une ligne.

O O O O

Les yeux de Malone s'étaient éclairés.

Oui, comme ça !

Vasile releva les yeux.

La pluie cognait à la fenêtre du bureau. Derrière la vitre, il apercevait les parapluies s'entasser devant la grille de l'école. Dans le couloir, on entendait les enfants s'agiter, se hisser sur la pointe des pieds pour les plus petits, attraper manteaux et écharpes. Dans quelques minutes, Malone lui filerait entre les doigts.

Il y était presque, pourtant.

Malone allait céder, Vasile le sentait. Il décida de tirer plus fort encore sur le fil invisible.

— Gouti te parle dans ta tête, c'est ça Malone ? Il ne te parle pas en vrai ! Gouti est un jouet, il n'est pas vivant, il ne peut pas te raconter des histoires chaque soir. Il ne peut pas te…

— Si !

Malone n'ajouta rien de plus. Bras croisés. Bouche fermée.

Même s'il mourait d'envie de prouver à la grande personne assise face à lui qu'elle se trompait.

Encore quelques minutes, Vasile n'avait plus besoin que de quelques minutes. Il se désintéressa à nouveau de l'enfant et s'attarda sur ses notes.

Colonne de gauche, une fusée. Vasile avait téléchargé une photo d'Ariane 5.

C'est celle-là !

Tu es sûr ? Tu as vu cette fusée, tu l'as vue s'envoler dans le ciel ?

Oui. Oui oui oui. J'en suis sûr. Je m'en rappelle. C'est celle-là !

Le psychologue scolaire se leva pour couper la cafetière et le lent goutte-à-goutte qui égrenait les secondes comme une vieille pendule bruyante.

— Ta maman va bientôt arriver, Malone. Celle que tu appelles Maman-da. Tu vas retourner chez toi. Si tu ne me dis pas tout de suite comment Gouti parle avec toi…

Etrangement, un bref instant, l'image macabre d'une tombe passa devant les yeux de Vasile, celle qu'un inconnu lui avait envoyée cette nuit-là sur son portable. Il avait hésité entre la balancer à la corbeille ou la transférer sur le portable de la commandante Augresse.

Sans trancher. Plus tard.

— Tu as soif, Malone ?

Il fit couler un verre d'eau et le posa devant l'enfant.

Midi moins cinq.

Il n'avait plus le choix, il n'avait plus le temps, tant pis si le fil cassait. Le psy prit une chaise, s'assit à côté de l'enfant, se baissa à la hauteur de ses yeux.

— Ils vont m'empêcher de te revoir, Malone. Si tu ne me parles pas maintenant de ton secret, du secret de Gouti, jamais tu ne reverras ta maman.

Malone le fixa.

Cette fois, sa décision était prise, Vasile comprit, sans que l'enfant prononce un mot, qu'il avait gagné.

Lentement, Malone saisit Gouti entre ses bras. Ses mains fouillèrent dans sa fourrure, comme pour lui faire des caresses, à l'endroit précis où ses poils changeaient de couleur, entre le gris de son petit ventre rond et l'écru du reste de son pelage.

Il tira. Doucement.

Vasile n'en croyait pas ses yeux.

Le ventre de Gouti s'ouvrait.

Un simple Velcro, dissimulé. La couture était parfaite, invisible, impossible à deviner, même en tenant Gouti dans sa main. D'ailleurs, aucun adulte ne touchait jamais cette peluche.

Les petits doigts de Malone fouillèrent dans les entrailles de mousse. Ils en tirèrent d'abord un casque. Deux petits écouteurs pour enfant et deux fils emmêlés, noirs, qu'il déroula avec minutie. Ils déroulèrent ensuite un autre fil, lui aussi fin et noir, sans doute un cordon d'alimentation. Après une nouvelle exploration à tâtons, il sortit du ventre de Gouti un minuscule lecteur MP3.

Epais de quelques millimètres, long de trois centimètres, équipé d'un petit écran rétroéclairé sur presque toute la longueur.

Fier, Malone exhiba le lecteur de musique sous le nez de Vasile.

Instinctivement, le psychologue scolaire pencha sa chaise pour atteindre la porte du bureau et la repousser du pied.

— C'est facile, expliqua Malone, il faut juste se rappeler des couleurs. Des couleurs et des dessins.

Avec une agilité étonnante, il s'amusa à appuyer sur les cinq boutons de l'appareil.

Le triangle vert. Pour écouter Gouti.

Le rond rouge. Pour faire taire Gouti.

Les deux traits. Pour que Gouti écoute et lui raconte plus tard.

Et les deux flèches, sur deux boutons qui se tournent le dos. Pour se promener dans la mémoire de Gouti.

— Pour choisir la bonne histoire chaque soir, c'est cela, Malone ?

— Oui.

Les mains de Vasile tremblaient légèrement. L'explication était tellement évidente. D'une simplicité… enfantine.

Sept fichiers. Un pour chaque soir. Sept histoires, à écouter toujours dans le même ordre. Impossible de se tromper, même pour un enfant de trois ans.

— C'est ta maman qui t'a appris à t'en servir ? Ta maman d'avant. C'est elle qui a fabriqué le cœur de Gouti et qui l'a caché ? C'est elle qui t'a demandé d'écouter une histoire de Gouti chaque soir ? C'est la voix de ta maman que tu entends ? C'est bien ça ?

Malone hochait la tête à chaque question. Il semblait avoir grandi de deux ans en deux minutes. Vasile n'avait pas le temps d'analyser les conséquences sidérantes de ce qu'il venait d'apprendre.

Pourquoi imposer un tel rituel à un gosse de trois ans ?

Comment Malone avait-il pu cacher son secret à Amanda Moulin ?

Que contenaient ces histoires ? Quelle était leur signification codée ? Quelles conséquences avaient-elles eues sur le cerveau en pleine construction de cet enfant ?

Et surtout…

Vasile passa une main dans les cheveux de Malone, une façon comme une autre de tenter de calmer son tremblement.

Quelle folie avait pu inspirer un tel stratagème ?

Ils entendirent les pas trop tard. La porte s'ouvrit. Malone avait été le plus rapide. L'habitude. L'instinct. Dans le même mouvement, il lança un sourire rassurant à Clotilde, cacha le casque et le MP3 entre ses genoux et laissa tomber Gouti, le ventre contre la table.

— Tout va bien, Malone ?

Un oui timide. Naturel.

L'homme est un animal doué pour le mensonge.

La directrice jeta un œil noir vers la cafetière éteinte mais ne fit aucun commentaire. Elle se tourna vers l'enfant.

— Ta maman est arrivée. Tu vas retourner dans le couloir mettre ton manteau ?

— Il arrive, répondit Vasile d'une voix conciliante. On a presque terminé.

Il classa ostensiblement ses notes sur la table, le temps que Clotilde hausse les épaules et sorte. L'averse dehors redoublait. Cette fois, Malone ne put dissimuler un mouvement de terreur.

Vasile s'avança et chuchota.

— Il faut me donner le cœur de Gouti, Malone. Il faut que moi aussi, j'écoute ce qu'il te dit.

Malone avait peur. A cause de la pluie. A cause de ce que lui demandait Vasile.

— Je sais, tu as promis. Tu as promis à ta maman. Mais je ne le répéterai à personne…

Les genoux de l'enfant s'ouvrirent doucement. Sa petite main tendit le lecteur MP3 et les deux fils qui pendaient entre ses doigts, comme des fils de réglisse.

La main du psy se referma sur celle du garçon. Ils restèrent là, ainsi, de longues secondes, prenant le temps de sceller le pacte secret qui les lierait désormais, sans échanger le moindre autre mot.

Vasile sentit soudain une immense responsabilité tomber sur ses épaules, comme si ce gosse venait de lui confier son propre cœur, chaud et battant.

La sonnerie explosa.

Cela sembla sortir Malone de sa terreur. Il attrapa nerveusement Gouti et le pressa sur son cœur.

— Je lui rendrai sa parole, murmura Vasile. Je te la rendrai, je te donne la mienne en échange. Je…

Il sentait que ce qu'il disait n'avait plus grand sens. Il referma son poing sur le lecteur MP3.

— Gouti va simplement dormir un peu. Se reposer. Ne t'inquiète pas, je te le redonne demain, à l'entrée de l'école. Promis. Je serai là et je te rends son cœur.

Malone était parti enfiler son manteau. Vasile le regarda disparaître au bout du couloir, sursauter à chaque fois qu'il passait sous l'un des velux de plastique battus par l'averse. Parmi les énigmes cachées au fond du cerveau de cet enfant, il y avait aussi cette peur panique de la pluie, tout comme ce froid permanent qui l'enveloppait, dès qu'il sortait, qui l'obligeait à se couvrir davantage que les autres enfants.

Toutes les réponses se trouvaient-elles dans les histoires qu'écoutait Malone ? Vasile pressentait que, tout au contraire, ces enregistrements allaient épaissir encore un peu le mystère.

Sortant de la salle de jeux, une Atsem[1] s'approchait pour ouvrir la grille de l'école. Le psychologue sortit son téléphone portable de sa poche avant d'y ranger les écouteurs noirs et le lecteur. Le doigt de Vasile glissa

1. Agent territorial spécialisé des écoles maternelles.

sur l'écran tactile, faisant défiler les messages reçus depuis la veille.

Angie. 9 h 18
Un smiley tenant un ballon de baudruche rouge en forme de cœur.
Je t'aime. Prends soin de toi.

Inconnu. 0 h 51
Une tombe au-dessus d'un ciel rouge.
Toi ou le gosse. Tu as encore le choix.

Il frissonna. Son doigt fébrile bascula au message précédent.

Inconnu. 23 h 57
Idiote sans doute, mais envie de vous faire confiance.
Conscience de l'urgence, ferai mon possible.
Contactez-moi, n'importe quand.
Marianne

Sans hésiter, il appuya sur l'icône « RAPPELER ».

* *
*

Amanda Moulin se tenait devant la grille de l'école, sous un parapluie noir, au milieu des mères de famille plus occupées à parler entre elles qu'à écouter leur enfant raconter sa journée.

Au moment de sortir dans la cour, Malone s'immobilisa, incapable de descendre la marche de la classe.

Devant lui un canyon s'ouvrait sur un torrent en furie.

Il eut l'impression de rester là une éternité, implorant Maman-da des yeux, là-bas, derrière la grille, avec les autres mamans.

Une main se posa dans son dos.

Vasile. Il s'était avancé en silence derrière lui. Le psychologue le poussa doucement tout en observant le mince filet d'eau qui courait dans le caniveau devant la classe, alimenté par les dernières gouttes de l'averse.

— File, mon grand.

Malone ne bougea pas davantage. Il observait le ciel gris, pétrifié.

Cette fois, Amanda avait réagi ! Franchissant la ligne interdisant aux parents de pénétrer dans la cour, elle s'avança jusqu'à la classe. Sans un regard pour Vasile Dragonman, elle leva le parapluie au-dessus de la tête de son fils.

— Viens, mon chéri, on rentre.

Elle sentait derrière elle la protestation sourde des mamans respectueuses du règlement de l'école.

On n'entre pas dans la cour de l'école pour aller chercher son enfant ! Son gosse pouvait bien marcher trente mètres sous la pluie…

Elle les emmerdait !

Le psychologue lui aussi avait l'air emmerdé, planté comme un poteau derrière Malone, les yeux fuyants, les mains enfoncées dans les poches de son jean comme s'il venait de piquer un bonbon dans une boulangerie. Amanda leva enfin le regard vers lui.

— Laissez mon gosse tranquille, monsieur. Ça va, je suis capable de le protéger toute seule !

La main de Vasile se crispa dans son pantalon.

— Je cherche simplement à aider Mal…

— Laissez-le, répéta-t-elle, plus fort cette fois. Je vous en supplie.

Les conversations s'étaient tues de l'autre côté de la grille ouverte.

Elle murmura la suite.

— Laissez-le, monsieur Dragonman. Ou vous allez provoquer un malheur.

30

La commandante Marianne Augresse attendait. Enervée. Ses yeux guettaient successivement l'arrêt du tramway juste en face, les voitures qui défilaient sur le boulevard George-V et même les Optimist et 420 qui naviguaient sur le bassin du Commerce.

Par où arriverait-il ?

Et quand !

Elle détestait attendre ainsi, se sentir vulnérable, dépendante, alors que son quotidien ordinaire consistait à donner des ordres en rafales et à décider seule de ce à quoi elle occupait chacune de ses minutes. Surtout ici, pile devant le commissariat.

Deux agents, Duhamel et Constantini, passèrent, dévalèrent les marches, sans même la regarder. Elle n'avait aucune idée d'où ils se rendaient. Ça l'agaça plus encore, ce manque de contrôle sur le va-et-vient de ses hommes, d'autant plus qu'elle manquait d'effectifs pour tout mener de front.

Cette nuit, elle avait dû renoncer à laisser un agent toute la nuit devant la maison d'Alexis Zerda. Le dernier avait décroché vers 23 heures et un autre prenait le relais à 6 heures. On ne pouvait pas coller un flic derrière ce type vingt-quatre heures sur vingt-quatre, pendant des semaines, alors qu'on n'avait rien de concret contre lui. Sans parler de Papy qui la tannait depuis ce matin avec…

La Guzzi California pila devant le commissariat. La commandante ne reconnut Vasile Dragonman que lorsqu'il ôta son casque. Ses cheveux bruns décoiffés lui donnaient une allure de corbeau déplumé par la tempête.

— Vous êtes en retard, monsieur Dragonman.

Vasile ne se donna même pas la peine de répondre. Il se contenta de descendre de sa moto, de se rapprocher de la commandante et de lui tendre le bras, jusqu'à ce qu'elle seule puisse voir l'objet qu'il tenait dans sa main.

Un lecteur MP3.

— Le gosse n'a rien inventé, murmura Vasile.

Il expliqua en quelques mots les révélations de Malone, le lecteur cousu dans la peluche, les histoires que l'enfant se passait en boucle, chaque soir, écouteurs sur les oreilles, dans le secret de son lit. Un lecteur qu'il avait promis de rendre au môme le lendemain, devant l'école.

La commandante Augresse posa une main sur le capot de la voiture la plus proche.

— Bordel ! Ça semble surréaliste.

— Pas tant que ça, en vérité.

La main de la commandante se crispa.

— Je vous vois venir, vous allez me refaire le coup des fantômes et du cerveau d'un gosse aussi facile à pétrir qu'une boule d'argile. Mais je vous parle d'autre chose, de ce lecteur MP3 et de ce doudou. Le gosse croyait vraiment que la peluche lui parlait ?

— Oui, je pense. Enfin, c'est plus compliqué, en vérité. Cela fait référence à des théories de la psychologie du développement de l'enfant encore débattues.

— Des théories que je suis trop stupide pour comprendre ?

Vasile plissa le front, étonné.

— Non, pourquoi ?

— Trop rationnelle alors ? Trop flic ? Pas assez mère ? Pas assez femme ?

Le psy hésita, fixa Marianne. Visiblement, il était plus à l'aise avec les névroses des gosses qu'avec celles des jeunes femmes.

— Je ne sais pas, commandante.

Un silence s'installa.

— Bon, alors allez-y ! Expliquez-moi !

Vasile prit une longue inspiration avant de se lancer.

— Eh bien, la question qu'il faut se poser, si on veut comprendre la relation de Malone à sa peluche, c'est à partir de quand les enfants font-ils semblant ou, plus exactement, ont-ils conscience qu'ils font semblant ?

Ça commence bien, pensa Marianne en fronçant les sourcils, sans oser demander au psy de répéter.

Vasile lui accorda un regard indulgent, puis reformula.

— Disons, pour partir d'un exemple concret, qu'à partir de cinq ans environ, une fille qui joue à la poupée sait qu'elle joue à la poupée, que c'est un jouet qu'elle tient entre ses bras, même si elle la berce et la câline comme un vrai bébé. Elle a pris conscience de la différence fondamentale entre la réalité et la perception de cette réalité, et elle peut jouer de cette différence à travers les codes sociaux. Jusque-là, vous me suivez, commandante ?

Marianne acquiesça, le psy continua.

— Je fais semblant de donner le biberon à ma poupée, mais j'ai conscience qu'elle ne boit pas vraiment et qu'elle ne va pas mourir si je ne la nourris pas. Je sais qu'elle n'est qu'un jouet, même si rien ne compte plus au monde que cette poupée, même si mes parents entrent dans mon jeu et parlent de cette poupée comme d'une personne réelle. Le jeu sert à cela, imiter, codifier, transgresser… A l'inverse, disons, avant trois ans, les enfants n'ont aucune conscience de la différence entre la réalité et leur perception de cette réalité. Par exemple, la vie et la mort n'existent pas réellement pour eux, un ours en peluche est aussi vivant que celui vu au zoo. De même, le vrai et le faux ne sont pas des notions qu'ils peuvent différencier, les choses existent ou n'existent pas, c'est tout ; impossible par exemple d'avoir une vraie et une fausse maman. Un enfant de moins de trois ans aura une maman, et éventuellement d'autres figures féminines qui s'occupent de lui, une nounou, une tata, une copine…

Marianne profita d'une autre respiration pour jouer les élèves attentives.

— Donc, si j'ai bien compris, pour le petit Malone, sa peluche lui parlait vraiment, même si c'est lui qui appuyait sur les boutons.

Vasile hocha la tête, donnant l'impression de chercher à peser chaque mot de sa réponse pour ne pas la vexer.

— Ce n'est pas si simple, commandante. Comme je vous l'ai dit, cette prise de conscience de leur propre perception chez les enfants, cette distanciation cognitive, pour vous le dire en termes savants, s'effectue généralement entre deux et cinq ans. Mais à quel moment se fait cette bascule fondamentale ? Entre deux et cinq ans, on offre aux gamins les mêmes jouets pour stimuler l'imagination, la manipulation, la cognition. Des jouets d'imitation le plus souvent, une voiture, des maisons, des déguisements, le docteur, le pompier, la princesse, le pirate ; des tas de marketeurs et de pédagogues travaillent là-dessus et les gosses croulent sous les jouets supposés éducatifs après chaque Noël. Les gamins n'ont jamais autant été stimulés mais, la plupart du temps, on ne sait toujours rien de la boîte noire du gosse face à tous ces trucs colorés inventés pour lui. Joue-t-il ou non ? Sait-il qu'il joue ? Joue-t-il parce que nous rentrons dans son jeu ? Parce qu'il veut rentrer dans le nôtre ? (Le psy marqua une pause avant de continuer, comme si la commandante face à lui était une étudiante qui tentait de prendre des notes au fil de ses démonstrations passionnées.) Donc pour en revenir à Malone, cela me semble limpide. A ses yeux, Gouti n'est ni un objet inanimé, ni un être vivant doté de sentiments, ces mots n'ont pas vraiment de sens pour lui, il n'est pas capable de faire une telle différence. Malone n'a évidemment aucune conscience que son attachement à Gouti n'est lié qu'à la projection de ses propres émotions sur cette peluche. Mais un enfant de trois ans a conscience de ce qui est interdit et de ce qui ne l'est pas. La grande différence entre Gouti et une peluche ordinaire n'est pas qu'il parle, écoute et raconte des histoires, n'importe quelle chose le fait aussi aux yeux de Malone, une télévision, une radio, un téléphone ; la différence fondamentale, c'est que la maman de Malone lui a interdit de révéler le secret de sa peluche, de dire que son doudou parle, écoute, et raconte des histoires. Et un enfant, même très jeune, sait très bien faire cela : obéir. Il n'a aucune conscience de ce qui est bien ou mal, cela vient bien plus tard, même s'il faut leur expliquer le plus tôt possible, mais il sait ce qu'il a le droit de faire ou de ne pas faire, comme n'importe quel animal que l'on dresse. C'est ensuite que tout se complique, quand il s'agit de faire coïncider le bien et le mal avec ce qui est permis ou interdit. Mais heureusement pour Malone, il n'en est pas encore à cette étape.

Un sourire satisfait et deux yeux frondeurs conclurent l'exposé. Le temps de la démonstration, la commandante en avait presque oublié les allées et venues de ses collègues devant le commissariat. Ce garçon la fascinait, à moins que ce ne soit tout simplement une passion pour tout discours se rapportant à la petite enfance. Un vieux psy chauve et bigleux l'aurait peut-être tout autant subjuguée s'il avait développé les mêmes théories.

— D'accord, fit Marianne en se forçant à revenir à des éléments plus pragmatiques. Je vous suis sur Gouti et je retire le mot « surréaliste ». Selon vous, depuis combien de temps dure-t-elle, cette, heu, relation secrète avec Malone ?

— Une dizaine de mois sans doute, ce qui signifie que Malone a écouté chacune de ces histoires plus d'une trentaine de fois, qu'elles sont devenues sa réalité, la seule qu'il connaît, au fond.

— Avec sa vie quotidienne, tempéra Marianne. Avec son école. Sa famille. (Elle observa le lecteur MP3 au creux de sa main.) Vous avez eu le temps d'écouter ?

— Oui. Ce n'est pas très long. Sept histoires de quelques minutes chacune.

— Et alors ?

Deux agents rentraient dans le commissariat en direction de l'accueil. Ils saluèrent la commandante tout en jetant un regard un peu étonné à la Guzzi garée à cheval sur le trottoir et au type en grande conversation avec la commissaire.

— Je n'ai toujours aucune certitude. Des pistes, seulement des pistes. Ce sont toujours les mêmes obsessions qui reviennent, la forêt, la mer, le bateau, les quatre tours du château. De façon codée mais plus précise aussi. J'ai pu avancer sur les lieux possibles. Dans quelques heures, je devrais avoir fait le tour des rares endroits qui correspondent à la maison que Malone habitait, avant.

Il se pencha vers le porte-bagages. La commandante crut qu'il allait déplier sa carte annotée devant le commissariat.

— A moins, ajouta-t-elle un peu sèchement, qu'il ne s'agisse de souvenirs entièrement fabriqués. Que le petit Malone n'ait jamais vécu au bord de la mer ou d'une forêt…

— Non ! il y a un sens, une cohérence. J'en ai l'intuition. C'est mon travail de la découvrir. Par contre, le vôtre, c'est…

Il ne termina pas sa phrase et ouvrit le porte-bagages à l'aide d'une clé miniature.

— J'ai un autre cadeau pour vous, commandante.

Il sortit, enroulé dans un mouchoir en papier, un petit verre d'enfant sur lequel on reconnaissait la fée Clochette et ses copines.

— Malone a bu dedans ce matin.

— Et alors ?

— C'est la seule façon de savoir si les Moulin sont ses parents, non ? Un test ADN. Ça devrait être simple pour vous ?

La commandante soupira tout en se tournant vers le bassin du Commerce. Des gamins vêtus de gilets de sauvetage orange tous semblables attendaient de monter dans les Optimist. Leurs cris se mêlaient à ceux des mouettes.

Vasile attendit, déçu de l'absence de réaction de Marianne. Paradoxalement, c'est au moment où il lui agitait des preuves sous le nez que la commandante semblait le moins sensible à son numéro de charme.

— Non, ce n'est pas simple, monsieur Dragonman. Il faut une plainte officielle pour procéder à une telle analyse, une commission rogatoire ordonnée par un juge.

Le psychologue scolaire haussa le ton. Puisque le charme n'opérait plus…

— Et vous allez reculer devant l'article 36 bis du code de bonne conduite du parfait flic de France ? Vous ne comprenez pas ? Qu'est-ce que vous croyez ? En vous fournissant toutes ces preuves, j'ai trahi les règles les plus élémentaires du secret professionnel. J'ai pris des risques, commandante ! De sacrés risques…

L'image de la tombe s'incrusta devant ses yeux. La commandante ne sembla pourtant guère impressionnée.

— N'en prenez plus alors, monsieur Dragonman ! Puisque, si on réfléchit, votre seul argument vient de tomber. (Elle observa le lecteur MP3 au creux de sa main.) Il n'y a plus d'urgence ! On sait désormais que le petit Malone Moulin n'oubliera pas ses souvenirs. Ils sont stockés sur son disque dur. Qu'il s'agisse ou non des siens, d'ailleurs.

A son tour, le regard de Vasile s'attarda sur les enfants devant le bassin. Certains riaient, d'autres pleuraient. Plusieurs se tenaient à l'écart, tétanisés devant les petits voiliers où ils devaient monter.

— Commandante, ce gosse fait des cauchemars chaque nuit. Il ne ferme pas les yeux car il préfère encore la nuit noire à l'écran rouge derrière ses paupières. Il pense que les gouttes de pluie sont en verre et coupent, qu'il sera déchiqueté si elles l'atteignent. Et vous me dites qu'il n'y a plus d'urgence ?

Il avait encore haussé la voix au moment où Benhami, Bourdaine et Letellier entraient, enjambant quatre à quatre les marches, main sur l'arme à leur ceinturon.

Des intuitions contradictoires se bousculaient dans la tête de Marianne. Elle sentait qu'elle ne devait pas laisser la situation s'enliser. Pas ainsi. Surtout pas ici. Pas devant le commissariat. Avec ce type. Seule. Sans même une cigarette à la main pour lui fournir un prétexte.

La main de la flic s'ouvrit à hauteur de la poitrine du psychologue.

— Confiez-moi ce verre. Et on va analyser ce MP3. Si besoin, on demandera au procureur de la République d'ouvrir une enquête préliminaire.

Elle marqua un silence.

— On sera rapides et efficaces, ne craignez rien.

Vasile Dragonman lâcha un sourire de vainqueur qui n'en rajoute pas. Lorsqu'il enfila à nouveau son casque, Marianne ne put s'empêcher de laisser traîner les yeux sur son jean slim, son cuir marron et ses yeux assortis qui disparurent derrière sa visière.

Têtu, malin, impertinent, sûr de lui et arrogant.

Exactement comme elle aimait les hommes.

Tout en serrant le MP3 dans sa paume, elle se força à ordonner ses pensées dispersées aux quatre coins de son cerveau depuis le matin. Malgré sa promesse au psychologue scolaire, elle devait conserver le sens des priorités.

Coincer Timo Soler.

Répondre à Papy aussi. Le lieutenant Pasdeloup s'était mis dans la tête de mener une contre-enquête sur

Ilona et Cyril Lukowik. Des zones d'ombres, avait-il laissé entendre mystérieusement. Il voulait retourner la terre d'un sillon que les flics de Deauville et de Caen avaient déjà creusé, sans aucun résultat, depuis des semaines. Papy en était un autre, de ces hommes, têtu, malin, impertinent, sûr de lui, et arrogant.

Sauf que celui-là, elle en avait besoin, ici et maintenant.

— Commandante.

Marianne leva les yeux.

C'était Dragonman. Il n'était pas encore parti. Visière relevée. Juste ses yeux, comme deux lasers.

— J'ai une dernière question à vous poser. Vous pourrez peut-être m'aider.

— Oui ?

— Elle va vous sembler bizarre. Elle me taraude depuis des semaines, sans que je trouve de réponse satisfaisante. J'ai pourtant l'impression qu'elle est capitale. Presque la clé de tout peut-être…

— Allez-y, fit la policière, agacée.

Il sortit de sa poche une photographie.

— C'est Gouti, le fameux doudou de Malone Moulin. A votre avis, cette peluche, c'est quoi, comme bestiole ?

Il laissa ainsi la commandante, interloquée.

L'instant d'après, il démarrait sa Guzzi California et remontait le boulevard George-V. Il disparut rapidement, le trafic était fluide. Pas assez cependant pour qu'il remarque le Ford Kuga déboîter des stationnements latéraux et s'engager dans la rue, quelques secondes après lui.

31

Graciette Maréchal mettait un temps infini à ranger ses pièces.

Chaque matin, au Vivéco, elle achetait son pain et une pâtisserie, jamais la même, et ses mains de nonagénaire tremblaicnt ensuite une éternité pour faire entrer chaque centime d'euro dans son porte-monnaie. Plus encore ce matin que les autres matins, pensait Amanda derrière sa caisse. Ou bien c'est elle qui se faisait des idées.

Rien n'avait changé à Manéglise depuis une semaine, rien ne changeait jamais dans ce village, d'ailleurs. Mêmes clients dans la supérette, mêmes bonjours, mêmes journaux achetés, mêmes jeux grattés, mêmes jurons, mêmes rituels, même ennui. Et pourtant, ce matin, c'est comme si tout avait basculé.

Ou bien c'est elle qui se faisait des idées.

Elle avait l'impression que ces clients ne venaient que pour l'espionner, que les journaux locaux n'étaient achetés que pour y découvrir une information sordide la concernant, que ces conversations n'étaient engagées que pour lui tendre un piège.

Une simple impression ?

Alors qu'Amanda tendait une baguette de pain à Oscar Minotier, un ouvrier de Saint-Jouin-Bruneval qui patientait depuis dix minutes derrière Graciette, un autre client entra et se dirigea vers les présentoirs à journaux, anorak bleu de marin remonté jusqu'aux oreilles. Elle ne l'avait jamais vu avant.

Amanda se méfiait de tout.

Tout allait vite dans un village de moins de mille habitants. Les maisons, les jardins, leurs haies, leurs vies, tout ça n'était que paille, herbe sèche et branches mortes. Il suffisait d'une étincelle, d'une allumette pour que tout s'enflamme, d'une employée de mairie qui surprend un bout de conversation à la sortie de l'école, d'une institutrice qui parle un peu trop fort, d'une voisine qui ouvre sa porte à un inconnu fouineur, et le feu prenait, impossible à arrêter.

Un feu intérieur, invisible. La rumeur.

Les mères de famille lui souriraient tout à l'heure, lorsqu'elle irait chercher Malone. Comme chaque jour. Comme si de rien n'était. Mais elle ne serait pas dupe.

Amanda avait fréquenté chaque recoin de Manéglise depuis son enfance, elle avait passé davantage d'heures sur le banc de l'abribus de la place de la mairie que sur les chaises de l'école. Elle connaissait cet ennui qui dans ces villages vous prend à l'adolescence, et qui ne vous quitte plus jamais, cette routine comme une gangrène des rêves, ces choses sans importance qui en prennent, parce que le moindre accroc à la normalité devient extraordinaire. Pour le meilleur, un mariage, un héritage, un voyage. Pour le pire, un veuvage, un cocufiage, un dérapage.

Un gosse qui raconte que sa mère, oui, sa maman, vous la connaissez, elle tient la caisse du Vivéco, eh bien son gosse, du haut de ses trois ans, il raconte à tout le monde que sa mère, elle n'est pas sa mère.

Une gangrène.

Une aubaine.

32

Le casque enfoncé sur ses oreilles, Marianne n'entendit pas entrer Papy.

Gouti venait de retrouver sa terre promise. Des noisettes, glands et pommes de pin oubliés sous le sable était née la plus belle et dense des forêts.

— Marianne ? MARIANNE ?

Le lieutenant revenait à la charge. Puisque rien ne bougeait au Havre, il insistait pour obtenir son bon de sortie. La commandante fit glisser le casque en mode collier.

— Qu'est-ce que tu vas aller foutre à Potigny ?

— C'est là qu'Ilona et Cyril Lukowik sont enterrés.

— Et alors ?

— C'est aussi là qu'ils sont nés. Tout comme Timo Soler et Alexis Zerda, là qu'ils ont tous grandi, là qu'habitent encore les parents de Cyril Lukowik.

— Tu fais chier, Papy ! Si les collègues de Deauville ou de Caen apprennent que tu passes le balai derrière eux…

Pasdeloup était un emmerdeur, mais un excellent enquêteur. Plus imaginatif que méthodique. Il la suppliait avec ses yeux de flic au bord de la retraite qui veut connaître son heure de gloire avant de raccrocher ; de vieux joueur de foot sur le banc qui veut rentrer dans les arrêts de jeu pour planter le but de la qualification.

La commandante fit glisser vers lui une photo. Le lieutenant Pasdeloup regarda avec étonnement le cliché de la peluche : une sorte de rat gris et ocre, au nez rose et pointu, aux yeux noirs et à la fourrure fatiguée.

— Tiens, ça va t'occuper ! Cherche ce que c'est comme animal. Si tu trouves, je t'offre un billet pour Potigny.

Il n'eut pas le temps de s'interroger, de négocier ou de protester, Jibé avait fait voler la porte du bureau. La mine tirée et les bras ballants du porteur de poisse. Une poisse qui pèserait une tonne.

— On a paumé Zerda ! C'est Bourdaine qui a appelé. Il le suivait devant l'espace Coty. Zerda faisait les boutiques. Apparemment, il y avait du monde. Le temps d'allumer une clope, il l'a pas vu sortir.

— Quel con ! hurla la commandante en arrachant le casque de son cou.

Jibé tenta de tempérer la colère de sa supérieure.

— Selon Bourdaine, impossible de savoir si Zerda l'a semé volontairement ou pas.

— Ben voyons ! Il croit peut-être que Zerda n'a pas repéré les flics collés à ses fesses ? Merde, c'était il y a combien de temps ?

— Peut-être une heure…

— Et il appelle seulement maintenant ?

— Il pensait qu'il allait le retrouver et…

La commandante se prit la tête entre les mains.

— Il s'est surpassé sur ce coup-là ! Il pensait que Zerda était parti lui réserver une place à la terrasse du Lucky Store ? Bordel, on triple les patrouilles dans le quartier des Neiges. Après tout, Bourdaine nous a peut-être rendu service. Si Zerda prend de tels risques, c'est qu'il veut rentrer en contact avec Soler. Il n'a peut-être plus le choix, si l'autre souffre trop. Vous me tenez en alerte tous les toubibs et toutes les pharmacies de la ville.

Jibé disparut l'instant d'après. Papy demeura un moment indécis, observant l'étrange photo qu'il tenait à la main, une peluche grise au regard doux qui donnait l'impression d'être un innocent traqué par une police devenue folle, avant d'emboîter le pas de son collègue.

* *
*

Dans le Vivéco, le type à la parka bleu marine était concentré sur son magazine.

Wakou. Pour les petits curieux de nature de 4 à 7 ans.

Pas de quoi justifier son attitude apeurée d'ado qui mate les filles à poil dans un magazine pour adultes. Amanda s'en serait presque amusée.

Un flic ! Les bonnes copines s'étaient fait une joie de le décrire. Une mèche blonde sur le côté, un long cou de girafe, des doigts fins de pianiste, ou d'étrangleur.

Un apprenti flic plutôt ! Apparemment à peine sorti de l'école. Il avait fouiné partout dans Manéglise avec la discrétion d'un vendeur de volets roulants payé à la commission.

Amanda planta un regard méchant dans le sien. Au pire, il prendrait ça pour celui d'une employée qui fait son job. On lit, on paye ! Plus vraisemblablement, ça lui ficherait un peu la trouille, ça le dissuaderait d'aller trop loin, de s'approcher un peu trop d'eux.

D'elle. De Dimitri. De Malone surtout.

Visiblement, ce morveux avait fait du bon boulot. Du bon boulot de merde… Les voisines, les bonnes copines ne s'étaient pas gênées pour lui parler, au vendeur de volets roulants. Pour le laisser entrer chez elles. Rien à vendre, tout à entendre.

Une femme devant Amanda posa le récépissé du colis qu'elle venait chercher. L'épicerie servait aussi de dépôt pour toutes les ventes par correspondance qui pouvaient exister. Amanda savait que pour survivre ces boutiques de campagne n'avaient pas d'autre choix que de se vendre au commerce en ligne qui finirait par avoir leur peau.

Elle fit passer le colis par-dessus la caisse, fit signer la femme, elle s'en foutait au fond, elle ne serait plus là quand le dernier commerce du village fermerait. Elle leva les yeux et poignarda encore une fois le jeune policier qui feuilletait un autre magazine avec son air de faux pervers.

Toboggan maintenant.

Ça donne envie d'être grand.

15 h 53.

Carole n'avait pas intérêt à être en retard pour prendre le relais à la boutique ! Surtout pas aujourd'hui. Amanda tenait à être à l'heure, avant les autres, devant la grille de l'école. Pour affronter la meute ! Elles pouvaient dire, penser, colporter tout ce qu'elles voulaient.

Personne ne toucherait à Malone.

Personne ne lui enlèverait son fils.

* *
*

— Commandante, c'est Lucas…

Marianne Augresse garait sa Mégane devant la pharmacie du Hoc.

— C'est urgent ?

— Ben, je suis à Manéglise, là. Sous l'abribus. C'est vous qui m'avez demandé un compte rendu oral deux fois par jour.

La commandante inspecta du regard les trottoirs déserts de la rue du Hoc. Par pur réflexe. Elle avait ordonné que deux autres voitures de police surveillent les alentours de la pharmacie et que cinq autres quadrillent les rues des Neiges.

Si Zerda se montrait…

— Vas-y. Direct à l'essentiel. T'as du neuf ?

— Plutôt, oui. Vous avez bien fait de me demander de gratter sur les Moulin, commandante. Derrière la peinture de façade, on trouve des traces inattendues.

— A l'essentiel, je te dis !

— Eh bien, disons qu'il existe quelques petites différences entre la version que la famille Moulin nous a servie et celle qu'on découvre quand on creuse un peu. Amanda Moulin par exemple, c'est vrai qu'elle tient l'épicerie du village depuis six ans. Sauf qu'elle s'est arrêtée pendant trois ans pour prendre un congé parental, et qu'elle n'a repris son poste que depuis juin dernier.

Marianne se mordit les lèvres. Elle chercha désespérément dans les grandes poches de sa veste un agenda et un stylo.

— Ça signifie qu'elle a gardé son môme chez elle, sous cloche, pendant tout ce temps ?

Elle se contorsionnait sur le siège conducteur, l'agenda était coincé dans sa doublure. Trois heures de fitness par semaine pour être incapable de lever son cul posé sur un pan de sa veste !

— Pas tout à fait, commandante. J'ai un paquet de témoins qui ont vu Malone depuis sa naissance. Bébé, puis moins bébé. Le médecin traitant, des amis, des habitants du village. Par contre, le gosse n'a pas connu de nounou. Ni de crèche. D'ailleurs, il n'y en a pas dans le bled.

— Malone n'a donc eu aucun contact avec d'autres enfants jusqu'à son entrée à l'école, c'est bien ça ?

— Exact, commandante.

— Arrête de dire « commandante » tous les trois mots, on gagnera du temps ! Tu disais « par exemple » pour le congé parental d'Amanda Moulin, t'as d'autres infos neuves ?

— Oui, des détails plutôt étranges. Vous vous souvenez, au départ, je vous ai dit que les voisins voyaient parfois Malone, sur un vélo, toujours avec son casque, se promener dans le lotissement. Y a une mare au bout du square Ravel, avec des canards qui viennent faire leur nid au printemps. C'est plutôt joli, heu, Marianne. Un coin sympa pour fonder une famille. Pas trop loin du Havre, pas trop cher et…

Les doigts de la commandante se refermèrent enfin sur un stylo au fond de sa poche. Elle l'aurait bien volontiers planté dans la main du stagiaire s'il s'était trouvé face à elle.

— Accouche !

— OK, Marianne, désolé. Pour résumer, les Moulin ont comme coupé les ponts depuis quelques mois. Disons, depuis cet hiver. Plus de repas ou visites en famille, ce qui peut se comprendre puisque tous les membres de leur famille proche habitent à plusieurs centaines de kilomètres de la Normandie, à l'exception des parents d'Amanda, qui habitent le cimetière de Manéglise. (La commandante soupira.) Les Moulin n'invitaient plus d'amis chez eux, et les rares fois où ils sortaient chez des potes, c'était toujours sans le gosse ! Plus de visites non plus chez Serge Lacorne, le médecin traitant. Un autre détail a paru bizarre aux voisins, quand ils y ont bien réfléchi. Cet hiver, ils voyaient parfois Malone dehors, dans le jardin, sur son vélo, devant la mare, avec son bonnet sur les oreilles et son écharpe sur le nez, mais plus il faisait beau, plus les jours rallongeaient et moins le gosse sortait. Bon d'accord, ce genre de lotissement, dès qu'il y a du soleil, c'est un peu Tchernobyl, tout le monde fout le camp à la plage. Mais tout de même…

La commandante, dans une ultime ondulation de bassin, renonça à saisir l'agenda. Son pouce et son index avaient pincé un autre objet coincé au fond de sa poche.

— Si je résume, Lucas, les Moulin, surtout la mère, ont protégé leur gosse jusqu'à ses trente mois, avec une vie sociale, disons, minimale. Et depuis ses trois ans, black-out !

— Sauf l'école depuis septembre, Marianne…

Elle préférait encore quand il l'appelait commandante.

— Sauf l'école, répéta Marianne. Sauf l'école maternelle, où tout enfant est censé aller l'année de ses quatre ans. Ne pas inscrire un gosse à l'école du village serait la meilleure façon d'attirer l'attention sur lui…

Son pouce et son index sortirent avec précaution l'objet au fond de sa poche.

— Heu, sinon, Marianne, il faut que je vous dise autre chose d'important.

— S'il te plaît, Lucas, évite de m'appeler Marianne. Même des agents qui ont trente ans de maison ne m'appellent pas ainsi.

— D'accord. Heu, mad… Je crois qu'elle m'a repéré…

— Qui ça ? Amanda Moulin ?

— Oui.

— Et alors ? On est flics, pas agents secrets !

— Vous croyez, heu, madame Augresse ?

Elle soupira encore et plaça l'objet devant elle.

— Amanda Moulin va t'en vouloir, ça c'est certain. Elle va t'en vouloir à mort d'avoir fouillé dans sa vie privée ! Mais de là à te tuer pour ça…

Elle raccrocha sans attendre la réponse, puis, impatiente, baissa les yeux pour mieux voir la fée Clochette et ses copines voler dans le ciel de la rue du Hoc.

Elle laissa longuement son regard se perdre à travers le verre posé sur le tableau de bord, celui dans lequel Malone Moulin avait bu ce matin.

Et si Vasile Dragonman avait raison ?

Et si la plus simple des solutions consistait à ouvrir une enquête officielle et à effectuer le plus banal des tests ADN ?

33

Petite aiguille sur le 8, grande aiguille sur le 10

Malone pleurait. Maman-da était assise sur le lit, à côté de lui, mais il ne pouvait pas dire pourquoi il était si triste.

Il ne pouvait pas lui dire que Gouti était endormi, peut-être pour toujours.

Que son cœur ne battait plus, que sa bouche ne parlait plus. Qu'il était comme tous les autres jouets maintenant.

Il fallait pourtant qu'il arrête de pleurer. Qu'il s'arrête de renifler, qu'il prenne le mouchoir, qu'il sèche ses larmes et tout ce qui coulait de son nez. Il le fallait bien parce que sinon, Maman-da ne partirait jamais. Elle resterait là à le câliner, à lui dire qu'elle l'aimait, qu'il était son chéri, son trésor, son grand garçon. Elle resterait là jusqu'à ce qu'il soit calmé.

Et ça, il ne voulait pas.

Il voulait rester seul avec Gouti.

Ce soir, puisque son doudou ne pouvait plus parler, c'était à son tour de lui raconter une histoire. Son histoire. A travers ses yeux mouillés, il voyait la petite fusée posée sur la planète caramel. La plus grande de toutes.

C'était le jour de Jupiter. Le jour de la force. Le jour du courage.

Maman-da ne partait pas. Elle se tenait là, au chaud contre lui. Il la sentait respirer, presque comme si elle s'était endormie. Mais non, de temps en temps, sa main bougeait et le caressait, sa bouche disait « chut » sans même bouger les lèvres. Parfois aussi elle l'embrassait dans le cou en disant qu'il était tard, qu'il fallait qu'il s'envole pour le pays des rêves.

Malone avait compris. Compris que ce soir, Maman-da resterait dans sa chambre tant qu'il ne dormirait pas.

Alors, à son tour, il se mit à parler sans bouger les lèvres, à parler dans sa tête. Peut-être que Gouti l'entendait, quand il parlait dans sa tête.

Il connaissait par cœur l'histoire de Jupiter.

C'était la plus importante, maman le lui avait répété encore et encore. C'était celle, quand ce serait le bon moment, dont il devrait se souvenir.

Au moment de s'envoler. Pas pour le pays des rêves, comme le voulait Maman-da.

Au moment de s'envoler pour la forêt des ogres.

A ce moment-là, Malone devrait faire preuve du plus grand courage de sa vie. Il n'y a qu'un moyen pour échapper aux monstres, pour ne pas être emporté chez eux. Après, il serait trop tard, on ne peut pas sauter d'un avion. Pour leur échapper, il n'y a qu'un moyen, avait dit maman, un seul endroit où ils ne pourront jamais te retrouver.

Et maman lui avait fait promettre d'y penser tous les soirs dans sa tête. De répéter les mots, de les réciter à Gouti, mais de ne jamais en parler à quelqu'un d'autre.

TOUS LES SOIRS

De repenser encore et toujours à cette cachette.

La plus secrète de toutes. La plus simple du monde pourtant.

34

Aujourd'hui, à la station-service, j'ai eu les boules de dire à ma famille que j'avais même plus de quoi payer un plein. Un jour de grand départ en vacances, ça la foutait mal.
Envie de tuer
Avec mes 20 euros, j'ai pu verser 11,78 litres… par terre, et j'ai craché ma cigarette.

Condamné : 176
Acquitté : 324

www.envie-de-tuer.com

La ronde inlassable de la lumière du phare du cap de la Hève éclairait très exactement toutes les douze secondes le pan de falaise.

Vasile avait compté chaque seconde dans sa tête. Il disposait d'une lampe torche puissante, suffisante pour enjamber le belvédère et s'aventurer sur la pelouse calcicole surplombant le vide, mais pas assez pour éclairer l'estran en contrebas et la mer d'encre.

Douze secondes.

Vasile braqua sa torche vers sa Guzzi garée entre deux bancs blancs, un peu à l'écart du parking désert. Un vent glacial lui coupait la respiration. Pas assez violent pour faire basculer la moto calée sur sa béquille, mais trop fort pour lui permettre de consulter une dernière fois sa carte. Il se contenta de visualiser dans sa tête les cercles de couleur, les traits et les flèches, tout ce lent et patient travail de recoupements des indices.

Il avait acheté une nouvelle carte en début d'après-midi, recopié le résultat de ses hypothèses précédentes, puis passé une bonne partie de la journée à écouter en boucle les histoires de Gouti, casque sur les oreilles, feutres en main, s'interrompant souvent, revenant en arrière, relevant les différences, les évidences, afin d'isoler le lieu rassemblant le plus grand nombre des souvenirs de Malone. Le plus petit dénominateur commun, raisonna Vasile en progressant dans les genévriers sombres.

Ici.

Dans cette jungle de ronces qui s'accrochaient aux manches de son blouson de cuir. Un Bering presque neuf. Déjà foutu, si ça se trouve…

Qu'est-ce qu'il fichait là ?

L'image furtive du message de menace passa à nouveau devant ses yeux, le cercueil sur la falaise, aussi fréquente et régulière dans son cerveau que le flash aveuglant du phare.

Il avança d'un pas prudent. Sa lampe n'éclairait pas à plus de trois mètres. L'herbe était glissante. Il n'avait aucune envie de se rattraper à tâtons aux branches couvertes d'épines.

Il tenta de chasser les diables raisonnables qui lui susurraient de faire demi-tour, de grimper sur sa moto et de filer pleins gaz retrouver les lumières de la ville. Penser à Malone l'aida.

Malone perdu sur la marche de sa classe, terrifié, grelottant, incapable de franchir un dérisoire filet de pluie, d'affronter les ultimes gouttes d'une averse.

Vasile s'était promis de seulement jeter un œil, de vérifier. Si ses intuitions se confirmaient, si tous les éléments étaient en place, il ne reviendrait pas, pas même en plein jour. Il se contenterait de téléphoner à Marianne Augresse. Devant tant de coïncidences, elle serait bien obligée de venir, d'intervenir.

La lueur de sa torche fouilla les buissons. Il ne percevait pas bien dans l'enchevêtrement de branches où s'arrêtait le plateau et où commençait le gouffre. Un instant, il imagina que s'il tombait, là, sottement, dans ce coin inaccessible du littoral, personne ne le retrouverait avant plusieurs jours. Il faudrait attendre que son cadavre dérive au gré des courants marins et s'échoue quelque part dans l'estuaire, sur une plage, contre l'un des quais du port, embaumé de pétrole salé et momifié de sacs plastique.

Cette fois, ce fut l'image d'Angie qui l'aida à repousser cette nouvelle image morbide. L'envie de lui envoyer un texto. Pour se rassurer. Pour la rassurer. Dès qu'il rentrerait, elle devait le rejoindre à l'appartement de la Résidence de France. Il n'en avait pas pour longtemps, lui avait-il assuré. Un simple aller-retour à moto à moins de cinq kilomètres du Havre.

Le « cling » du message qui partait vers son amante rompit le silence. Vasile regarda l'heure au passage.

22 h 20.

Les mouettes dormaient. La mer semblait chuchoter.

Douze secondes.

Le faisceau lumineux traversa les fourrés, éblouit Vasile, puis continua sa course plein nord, éclaira le temps d'une traîne d'éclair la plage à marée basse.

Quatre tours. Alignées.

Le château de Malone !

Le cœur de Vasile cognait à toute vitesse. Il avait vu juste.

La lumière courait encore et revenait déjà. Le psychologue plissa les yeux, se concentra, fixa la mer qui se parait de paillettes d'or le temps d'un coucher de soleil intermittent.

Le bateau pirate.

Noir.

Coupé en deux.

Vasile essaya de contrôler son excitation.

Le flash suivant éclaira les étranges maisons, puis, derrière, la paroi nue.

Des ombres, des ogres ?

Pouvait-on habiter là ?

Malone avait-il pu habiter là ?

Ne suivait-il pas des indices qu'on lui avait laissés à dessein, en se servant du cerveau d'un enfant comme d'une pierre de Rosette encore tendre ?

Il resta là un bon moment, cherchant à mesurer les distances exactes, calculant le nombre de kilomètres le séparant de l'aéroport, du Mont-Gaillard, de Manéglise. Il se rendait compte que localiser ce lieu ne l'avançait pas au fond à grand-chose, sans l'aide de la police. Sans une commission rogatoire pour fouiller une à une ces cabanes d'outre-tombe. Peut-être que le fantôme de la maman de Malone s'y trouvait encore, et avec lui le secret de sa naissance ?

Il attendit un bon quart d'heure avant de revenir à la moto. Il avait finalement trouvé un passage plus dégagé qui lui permettait d'éviter les ronces. Sa torche éclaira un cercle de cendres jonché de trois canettes de bière et d'une dizaine de mégots. Quelques autres traces de vie, clandestines et éphémères.

Le parking était tout près, à peine dissimulé par un dernier écran de genévriers, lorsque la messagerie de son téléphone retentit.

Angie.

Sept mots. Bourrés de fautes.

`Fai gaffe à toi. Je t'atten. Kiss`

Vasile sentit une chaleur intérieure l'envelopper, comme une énergie douce entraînant un moteur silencieux, une merveille de technologie faisant accélérer son cœur, ses pas, son envie de rentrer au plus vite boulevard Clemenceau, de se blottir dans les bras d'Angie.

Tomber amoureux d'une coiffeuse…

Ses yeux traînèrent un peu sur la photo d'Angie sur l'écran de son portable.

C'était pourtant ce qui était en train de lui arriver.

Il esquissa un sourire tout en continuant de marcher. Des cristes et des choux marins craquaient sous ses bottes.

Sourire figé.

Son pouce se crispa sur le téléphone pour faire disparaître Angie dans l'obscurité.

La Guzzi était couchée à terre !

Un animal mort abandonné sur le bitume, telle fut la première image qui vint à Vasile. Il se précipita. Le vent soufflait dans son dos, par rafales, gonflant son blouson, mais rien qui soit suffisamment puissant pour faire tomber une moto de trois cents kilos.

La faible lueur d'un réverbère, une centaine de mètres plus loin, éclairait vaguement le parking. Vasile se pencha sur la Guzzi, évaluant les dégâts. Son cerveau multipliait les hypothèses sans prendre le temps de les trier.

Un accident ? Une menace ? Un type qui avait délibérément renversé sa moto avec sa voiture ? Non, il l'aurait entendu. Et il y aurait des traces d'impact. Un homme alors ? Venu seul et silencieusement ? Dans quel but ?

Vasile détailla encore la carcasse chromée. Aucune odeur d'essence. Aucune bosse. La moto ne semblait pas plus égratignée par le goudron que son blouson par les ronces.

Il respira longuement, laissa son cœur reprendre un rythme normal. Sans doute avait-il mal positionné la béquille, n'avait-il pas fait attention à la pente du parking. La trouille. La précipitation. L'idiot ! Il n'était pas taillé pour ce genre d'aventure… Refiler au plus vite le bébé à la police, pensa-t-il. Puis rejoindre Angie.

L'aimer.

Lui faire un enfant.

Ce fut la dernière image qui lui vint, elle ne portait pas de visage.

Avant le noir.

L'odeur. La douleur.

Vasile était incapable d'estimer combien de temps il était resté inconscient.

Quelques minutes ? Plus d'une heure ?

La douleur derrière sa nuque était atroce, électrisant ses cervicales jusque dans le bas de son dos, mais elle n'était rien comparée au poids qui écrasait ses deux jambes. Trois cents kilos. Broyant ses genoux et ses tibias dans un étau de chrome et de tôle. Vasile avait essayé, en vain. Impossible de faire bouger la Guzzi !

Pris au piège. Son casque avait roulé sur le parking, quelques mètres plus loin.

Vasile posa ses mains bien à plat, l'une sur le guidon, l'autre sur le carénage, et poussa. Encore. Il suffisait de faire glisser de quelques centimètres la moto pour qu'il se dégage, pour que la souffrance soit moins intense, au moins, en attendant que quelqu'un le délivre.

Il prit une profonde inspiration.

L'odeur d'essence pénétra jusque dans ses poumons. Comme un invisible nuage acide brûlant tout sur son passage. Gorge. Trachée. Cage thoracique.

Il toussa. C'est aussi pour cela qu'il devait se dégager. Il baignait dans une mare de gas-oil. Sûrement une bonne partie des trente litres de son réservoir. Il avait fait le plein au 24h/24 du Mont-Gaillard avant de venir.

Il ferma les yeux, compta jusqu'à vingt, lentement, prenant le temps de détendre ses muscles, biceps, triceps et deltoïdes, avant de les ouvrir à nouveau et de pousser la Guzzi avec toute l'énergie qui lui restait.

Il répéterait le cérémonial jusqu'à l'épuisement total. Jusqu'à l'aube.

Il n'allait pas rester ainsi coincé comme un papillon épinglé.

Prendre une immense inspiration, malgré tout, malgré l'odeur d'essence, puis bloquer sa respiration.

Ouvrir les yeux.

Pouss…

Vasile crut d'abord qu'il s'agissait d'une étoile, ou de la balise rouge d'un avion dans le ciel noir, ou d'un étrange insecte luminescent.

Il mit du temps à comprendre, car il ne distinguait rien d'autre que cette lumière, un mètre au-dessus de ses yeux.

Ses narines furent les premières à trembler. A cause de la fumée. Et peut-être parce qu'elles perçurent immédiatement l'odeur de danger.

Ni étoile, ni insecte lumineux, ni balise d'avion ou de fusée.

Juste l'extrémité rougeoyante d'un mégot de cigarette. A la bouche d'une ombre presque invisible, debout à quelques mètres de lui.

35

Aujourd'hui, j'ai 39 ans, pas d'enfant.

Envie de ME tuer

De croquer une pomme empoisonnée, de m'allonger dans un cercueil de verre et d'attendre.

Condamné : 7

Acquitté : 539

www.envie-de-tuer.com

Fai gaffe à toi. Je t'atten. Kiss

Angie relut son message sur le téléphone posé sur ses genoux, puis coinça le portable entre ses cuisses. L'écran de verre, en glissant contre les bas nylon serrés sous sa jupe, la fit légèrement frissonner.

Face à elle, Marianne parlait toujours.

Sa calzone à peine entamée ressemblait à un volcan éteint et refroidi par les millénaires. Le serveur du Uno passait de temps à autre comme s'il allait finir par s'asseoir à côté d'elles et donner la becquée à la commandante.

Il était tard. Presque minuit.

Angie avait envie de s'en aller, de rentrer, de retrouver les bras de son homme.

Impossible de dire ça à Marianne…

Impossible ce soir de parler de mecs à Marianne. Surtout du sien.

C'était presque aussi risqué que de parler d'elle. Elle n'avait rien bu ce soir, elle en avait trop dit, hier. Depuis le début du repas, Marianne avait presque vidé seule la bouteille de rioja.

Angie écoutait, sur pilote automatique, laissant les mots se succéder sans faire sens ; comme si Marianne s'exprimait dans une langue étrangère dont on ne comprend que quelques mots, telles des bouées, au fil d'une conversation.

Vasile.

Celui-ci avait fait sens. Angie se concentra aussitôt.

— Tu vas me prendre pour une gourde, ma belle, mais j'ai revu ce Vasile Dragonman. Tiens-toi bien, on a fait la causette devant le commissariat, avec tous mes hommes qui défilaient, et lui sur sa moto, avec sa gueule d'ange et son baratin de pédago, genre Dennis Hopper qu'aurait tout lu Dolto.

Angie n'eut pas d'autre choix que de se servir un verre. Un seul. Elle roula des yeux mi-étonnés, mi-scandalisés. Elle était habituée à simuler l'exclamation face à la plus banale des révélations de ses clientes. Les coiffeuses sont les meilleures comédiennes du monde.

Une vie passée face au miroir…

— Ton psy ? Reviens sur terre, ma vieille ! D'après ce que tu m'as raconté, il a dix ans de moins que toi. Et puis un psy et une flic qui tombent amoureux en enquêtant sur la même affaire, ça fait un peu série pour France Télévisions, non ?

Marianne lui tira la langue et laissa traîner les yeux sur les fesses du serveur du Uno qui rangeait les chaises sur une des tables voisines. Angie lui rendit sa grimace, qu'elle étira un peu trop.

Elle se demanda quelle serait la réaction de Marianne si elle apprenait que sa meilleure amie était la maîtresse du mec sur lequel elle fantasmait… Un éclat de rire fair-play ? Un toast porté à la santé des beaux et jeunes amants ? Ou une bonne claque au moral, une de plus, que la commandante aurait encaissée en silence, à défaut de la lui coller sur la figure.

Angie s'était mise dans la merde toute seule en suggérant à Vasile de téléphoner à la commandante… Changer de conversation. Vite !

— Parle-moi plutôt de ton collègue…

— Jibé ? Tu veux savoir quoi ?

— Tout !

Elle se força à rire en jetant légèrement la tête en arrière. Le serveur se retourna et laissa glisser son regard le long du cou d'Angie, s'accrochant au pendentif brillant sur sa gorge pour éviter *in extremis* de basculer dans les ombres de son chemisier dégrafé.

Marianne fixait les étoiles.

— Eh bien ma belle, ce cher lieutenant Lechevalier est toujours aussi marié, toujours aussi papa gaga… et toujours aussi sexy dans son petit jean moulant.

— C'est tout bon alors. T'as juste à attendre ton heure ! L'amour n'est qu'une question de patience, ma vieille, faut être là au bon moment, c'est tout. (Elle trempa ses lèvres dans le vin rouge avant de continuer.) C'est ce que me disait toujours mon père. Il était chauve à dix-sept ans, mesurait un mètre soixante, avec des poils partout qui l'obligeaient à porter des chemises de communiant boutonnées jusqu'au cou. Et pourtant, il a décroché la timbale, la plus belle fille de sa classe, une Andalouse qui faisait fantasmer tout le bahut ! Il m'a toujours dit qu'il s'était contenté d'être là, fidèle, obstiné, attentionné, comme un type qui veut tellement être au premier rang du concert de son idole qu'il est capable de coucher devant l'entrée du stade deux jours avant l'ouverture. Pendant trois trimestres, pendant le défilé des prétendants, mon père a tenu la chandelle, ou le parapluie, ou la boîte de Kleenex, comme tu veux. Mais il était là. Un an à en baver pour être heureux le reste de sa vie… Comme pour le brevet, disait aussi mon père pour me motiver.

— L'Andalouse, c'est ta mère ?

— Ouais…

— Waouh. T'es un enfant de l'amour, alors !

Angie porta à nouveau le verre à ses lèvres, à deux mains, espérant ainsi masquer les larmes qui, malgré elle, perlaient au coin de ses yeux.

Face au miroir du salon de coiffure, d'ordinaire, elle s'en tirait mieux.

Heureux le reste de sa vie, répéta-t-elle dans sa tête. Oui, au fond, son père l'avait été. Il faisait les quarts à Mondeville, à la Société métallurgique de Normandie. Sa mère aussi. A la maison. Elle organisait le planning des visites de ses amants selon celui des chaînes de fabrication de la SMN. Un la nuit, un le jour, un le dimanche. Tous très polis avec la petite Angélique, le petit ange muet qui jouait dans sa chambre pendant que maman travaillait dans la sienne avec les messieurs.

— Un enfant de l'amour, chuchota Angie. C'est le mot juste, ma vieille.

Le tram qui redémarrait de la station Hôtel-de-Ville la fit penser au train Caen-Paris qu'elle avait pris le matin de ses seize ans, après une dernière nuit passée dans le lit de sa maison impasse Copernic, après un dernier baiser sur le front de son père, avant que le cancer de l'amiante ne l'emporte six mois plus tard.

Une enfant de l'amour…

L'expression en était presque comique.

Angie repensa à son adolescence. Les années noires avant de rencontrer l'homme de sa vie. Un enfant de l'amour qui avait eu envie de tuer la terre entière.

— Donc, en résumé, tu me conseilles d'attendre ?

Marianne était restée le verre en l'air et l'interrogeait du regard. Angie toussa pour s'éclaircir la voix.

— Patience et obstination, ma vieille. Ta seule chance !

— Salope ! répliqua la commandante. Je t'ai parlé cent fois de mon compte à rebours, dix-huit mois, vingt-quatre maxi avant qu'un mâle plante la graine dans mon ventre et accepte d'attendre qu'elle pousse avec moi…

Elles éclatèrent de rire simultanément. Celui d'Angie était à peine forcé, cette fois. Cette vieille flic autoritaire l'attendrissait. Marianne était comme elle, une chèvre coincée au milieu de la meute, attachée à son piquet, avec juste des cornes et des griffes pour survivre. Une panoplie de sorcière enfilée par-dessus celle de princesse. La preuve, la commandante n'avait presque pas parlé de ses enquêtes ce soir. Elle les avait à peine évoquées à l'apéritif avant que le serveur n'apporte le kir et le jus de pamplemousse : Timo Soler introuvable, Alexis Zerda en cavale, les délires de Malone Moulin, avant d'enchaîner sur son psy chéri… Le même serveur qui, à l'instant, effaçait le menu du jour sur la double ardoise et la rangeait au fond du restaurant. Marianne sembla comprendre le message, se tut enfin et attaqua sa pizza froide.

Son téléphone sonna à ce moment précis.

— Marianne, c'est Jibé !

Dans un réflexe d'ado excitée, la commandante Augresse appuya sur le bouton du haut-parleur tout en secouant la main en direction d'Angie. Elle pointa l'index sur la photo qui s'affichait.

Jibé en gros plan, cravaté, galonné, casquetté jusqu'au ras des sourcils, posant fièrement à la tribune du treizième congrès de la police territoriale. On n'avait rien vu de plus sexy dans le genre depuis Richard Gere dans *Officier et gentleman*.

— Quand on parle du loup, chuchota Angie en levant le pouce vers Marianne. A toi de jouer, ma vieille !

— Marianne, tu es là ? insistait Jibé.

Les deux filles firent silencieusement cogner leurs deux verres.

— Marianne ?

— Ouais, Jibé. T'es tombé du lit conjugal ?

— Non, je suis d'astreinte. On a un feu de joie, cap de la Hève.

La commandante Augresse retrouva un semblant de sérieux.

— Des ados qui font les cons ?

Une voiture passait à 80 kilomètres/heure. Elle n'avait pas entendu la réponse et la fit répéter.

— Non. Plutôt un accident de la route. Un type qui s'est planté.

— Merde. T'as des détails ?

— Pas beaucoup. On a été prévenus tard. La première habitation est à deux kilomètres du belvédère. Quand on est arrivés sur place, j'exagère à peine si je te dis qu'on n'a retrouvé qu'un tas de cendres…

— Putain. Un seul mort alors, t'en est sûr ?

— Oui. Mais on va s'amuser pour l'identification. Le seul indice qu'on possède, c'est la moto du type. Une Guzzi California.

Le sol se déroba sous les pieds de Marianne. Au même instant, comme secoué par le même tremblement de terre, le verre de rioja bascula au bout du bras de la commandante, alors que celui d'Angie se brisait net entre ses doigts.

Pendant d'interminables secondes, les taches pourpres sur la nappe de coton blanc s'élargirent, celles du vin qui débordait du verre de Marianne et celles, serties de dizaines de micro-diamants, des gouttes de sang qui perlaient du pouce et de l'index d'Angie.

Jusqu'à se rejoindre pour former l'illusion d'une figure monochromatique de Rorschach, celles qu'utilisent les psys pour donner un corps aux fantômes de l'inconscient.

VENDREDI
Le jour de l'amour

36

Petite aiguille sur le 8, grande aiguille sur le 6

La grille de l'école venait d'ouvrir. D'ordinaire, Clotilde se tenait sur le côté, quelques minutes, et saluait chaque enfant par son prénom, avec un sourire aux parents.

Le sens de l'accueil pour se mettre les familles dans la poche.

Pour trois générations ! Si Clotilde restait quelques décennies en poste à Manéglise, sans doute aurait-elle à s'occuper des futurs enfants de ses enfants d'aujourd'hui.

Ce matin pourtant, Clotilde se tenait quelques mètres en retrait, près du petit potager de la moyenne section, en grande conversation avec un homme. Pas un père de famille, ni même un remplaçant, encore moins un inspecteur envoyé par l'académie, l'homme n'en avait pas vraiment l'allure.

Son copain peut-être… Clotilde était plutôt mignonne et le gars, quoique plus âgé, avait un sacré charme avec sa barbe mal rasée comme s'il avait passé la nuit dehors, son cuir classe et son jean ajusté.

A vrai dire, et c'est ce que devaient penser les mamans qui se retournaient en douce en direction de l'inconnu, le type avait l'allure… d'un flic ! Du moins d'un flic tel qu'on se l'imagine, c'est-à-dire sous les traits d'un de ces acteurs de télé pas trop connus mais qui ont une gueule, une mâchoire large, des pectoraux.

Du coup, les mamans traînaient un peu.

Moins qu'Amanda Moulin, qui n'avait pas encore franchi la grille. Alors que les enfants lâchaient les mains de leurs parents pour courir vers les portes de leurs classes respectives, Malone s'était arrêté net. Il portait un duffle-coat bleu foncé, des moufles, un bonnet de laine assorti, et Gouti contre son cœur. Son regard scrutait la cour, les fenêtres des classes, les mamans qui repartaient déjà, les quelques voitures garées devant l'école. Aucune moto.

— Je veux voir Vasile !

Amanda tira sur la main de Malone tout en chuchotant.

— Tu l'as vu hier, mon chéri. Il est dans une autre école aujourd'hui.

— Je veux voir Vasile !

Malone avait parlé plus fort cette fois. Il sentait son cœur cogner contre sa main, celle qui serrait Gouti contre sa poitrine. Ecrasé. Plat. Vide.

Vasile avait promis. Vasile avait dit qu'il serait là. Qu'il lui rendrait le cœur de Gouti.

Il allait venir, il allait entendre le bruit de sa moto. Il devait rester là et l'attendre.

— Viens, Malone !

Maman-da lui faisait mal à lui tirer ainsi sur le bras. Une fois, il avait tiré sur le bras d'une peluche, pas Gouti, un vieil ours, et le bras lui était resté dans la main, avec juste des fils qui pendaient.

— Je veux voir Vasile. Il a promis.

Malone avait crié, au point que Clotilde, dans la cour de l'école, se retourne. L'homme qui parlait avec elle fit de même. D'instinct, Amanda se recula et coinça Malone derrière le panneau où le menu de la semaine était affiché. Les derniers parents qui passaient devant eux n'avaient pas l'air spécialement surpris par la crise d'un gosse qui refuse d'aller en classe.

Comme n'importe quelle mère l'aurait fait, Amanda haussa le ton.

— Tous les autres enfants sont déjà rentrés en classe, Malone ! Alors s'il te plaît, dépêche-toi.

Quelques mères traînaient, toujours les mêmes, Valérie Courtoise et Nathalie Delaplanque, et approuvaient d'un signe de tête sévère la fermeté d'Amanda. Comme encouragée, Amanda tira plus fort encore, emprisonnant fermement la moufle bleue de Malone.

Le traîner, s'il le fallait.

Malone connaissait la parade. La même que Gouti. Se laisser glisser comme si on lui avait volé son cœur.

Faire sa poupée molle.

Le garçon sembla soudain ne plus tenir sur ses jambes et s'effondra sur le bitume. Amanda ne tenait plus dans sa main qu'un être de caoutchouc flasque.

— Malone, relève-toi !

Géraldine Vallette, la mère de Lola, avait rejoint ses deux copines. Elles ne faisaient même plus semblant de discuter ou de mater le gars au look de flic près du potager, elles se taisaient et observaient.

Quel autre choix avaient-elles, d'ailleurs ?

Passer en jouant les indifférentes aurait été un manque de solidarité flagrant, entre mères, et intervenir aurait été plus vexant encore pour la pauvre Amanda. Après tout, en devenant maman, chaque femme sait qu'elle aura un jour droit à son quart d'heure de honte publique ! Une réflexion malpolie, un pipi à la culotte, une crise d'hystérie…

Amanda cria ce que n'importe quelle autre mère aurait crié.

— Malone, relève-toi, tu fais honte à maman !

De peur de le blesser, elle n'osa pas traîner son fils. Il restait allongé sur le goudron de la cour, comme désarticulé. Près de dix mères de famille compatissaient maintenant devant la grille.

— Malone, une dernière fois, sinon maman…

Le garçon tira d'un coup sec. La main d'Amanda se referma sur une moufle bleue alors que Malone se relevait et, tout en prenant son élan pour s'enfuir entre les voitures, hurlait comme s'il souhaitait que tout le village l'entende :

— Tu n'es pas ma maman !

37

Marianne Augresse grelottait.

Elle piétinait depuis près de deux heures au belvédère du cap de la Hève.

Face à elle, le vent avait cinq mille kilomètres d'élan sur un océan plat avant de s'engouffrer dans l'estuaire de la Seine.

Devant ses pieds, des cendres. Froides, déjà.

Et ce qui n'avait pas brûlé. La commandante en fit mentalement l'inventaire. Une Guzzi California sans pneus, sans caoutchouc sur le guidon, sans selle, rien qu'une carcasse de tôle informe dont on ne reconnaissait plus que le symbole, un aigle d'argent aux ailes déployées.

Un casque, noir, ovale, déformé sans doute sous la chaleur des flammes, tel le crâne creux d'un monstre extraterrestre au cerveau disproportionné.

Un corps, calciné, à l'exception des restes dc lunettes de vue, d'un trousseau de clés, d'une lampe torche et d'un téléphone portable fondus, d'une montre, d'une boucle de ceinturon. Comme si pour monter au paradis, à l'instar de n'importe quelle zone de transit vers le ciel, il fallait passer un portique de sécurité et y déposer tout ce qui était vaguement métallique.

Marianne Augresse n'avait déjà plus aucun doute sur l'identité du cadavre.

Vasile Dragonman.

Une bonne dizaine de flics s'affairaient, triaient, rangeaient, classaient. Les premières analyses ADN tomberaient dans quelques heures, et avec elles les preuves formelles, les certitudes, la fin définitive des illusions.

Dans l'attente, pour évacuer l'émotion qui la submergeait, la commandante se concentrait sur son travail, émettre des hypothèses froides, se poser des questions objectives.

Pourquoi assassiner ce psychologue scolaire ?

Car ce n'était pas un accident, la scène ne laissait aucun doute. Les policiers n'avaient relevé aucune trace de choc ou de freinage. Constantini, un agent qui possédait une Yamaha VMAX, un modèle à peu près similaire à la Guzzi, avait d'ailleurs tout de suite fait la remarque que le carburant contenu dans le réservoir de la moto n'aurait pas été suffisant pour alimenter un tel feu, en tout cas pas sans explosion. Quelqu'un avait versé du gas-oil supplémentaire, avec méthode.

Restait l'hypothèse du suicide par immolation… C'est celle qu'avait tout de suite évoquée le juge Dumas quand Marianne l'avait eu au téléphone, quelques minutes plus tôt. La gorge nouée, elle avait répondu qu'elle n'y croyait pas, sans rien ajouter d'autre, sans donner le moindre détail des images qui défilaient devant ses yeux, le regard frondeur de Vasile, son excitation de gosse dans la cabine de plage, agenouillé au-dessus de sa carte au trésor, ses hésitations calculées d'orateur irrésistible, sa détermination tranquille, son assurance timide…

La commandante s'avança vers les barrières du belvédère. On apercevait le phare éteint, l'océan à l'infini. Rien d'autre, les arbres empêchaient de distinguer la plage au pied de la falaise. Il aurait fallu pour cela franchir la jungle des genévriers, s'approcher du vide.

— Commandante, téléphone.

L'agent Bourdaine se tenait dix mètres derrière sa supérieure. Perdue dans ses pensées, elle ne semblait pas l'avoir entendu.

Qu'est-ce que Vasile Dragonman était venu faire cap de la Hève ? En pleine nuit ? Equipé d'une lampe torche ? Cette expédition mortelle avait-elle un rapport avec les révélations de Malone Moulin ?

Le poing de Marianne se referma dans sa poche sur le lecteur MP3 que lui avait confié le psychologue scolaire la veille. Il devait repasser ce matin, tôt, pour le redonner au gosse. Il lui avait promis.

Avait-il été assassiné pour cela ? Pour ces sept histoires, une pour chaque soir de la semaine ?

Evidemment, elle aussi avait pris le temps de les écouter. Elle n'avait rien entendu d'autre que sept contes, gentiment moraux, un peu amusants, un peu effrayants, comme on en raconte à des millions de gosses chaque soir aux quatre coins de la planète.

Quel secret pouvaient-ils cacher ? Un secret à ce point terrible qu'on le dissimule sous la couture d'une peluche ? Qu'on force un gosse à les apprendre par cœur, comme les curés avec leurs prières ? Qu'on aille jusqu'à tuer, pour le protéger ?

— Commandante, téléphone, insistait Bourdaine.

38

Petite aiguille sur le 8, grande aiguille sur le 8

Huit cent cinquante mètres séparaient l'école de Manéglise du square Maurice-Ravel, au cœur du lotissement des Hauts de Manéglise.

Huit cent cinquante mètres à porter Malone à bout de bras.

Il était resté immobile les deux cents premiers mètres, puis s'était agité, frappant des pieds et des poings la poitrine et le dos d'Amanda, jusqu'à ce qu'elle s'arrête, le pose, crie, fort, trop fort, et qu'il s'effondre, en larmes ; qu'elle le hisse à nouveau sur son épaule, calme et tremblant cette fois.

Huit cent cinquante mètres et c'est comme si le Tour de France traversait le village.

Amanda avait l'impression que tous les habitants avaient décidé le même jour et à la même heure d'investir les trottoirs : les buveurs du bar-tabac le Carreau Pique, qui fumaient leur cigarette dehors ; les clientes du Vivéco, nounous, mères au foyer, chômeuses et RTTistes, qui avaient toutes choisi d'aller faire leurs courses dès ce matin ; les gars des espaces verts, qui rempotaient dès l'aurore les pétunias du rond-point route d'Epouville ; les vieilles sur le banc route du Calvaire, qui semblaient avoir gelé sur place la nuit précédente.

Amanda s'en foutait. Elle les emmerdait. Elle les emmerdait tous, les habitants de ce village de morts-vivants, de cet hospice à ciel ouvert, elle les emmerdait depuis qu'elle avait seize ans. Tout comme elle emmerdait les mères de famille qui l'avaient encerclée devant l'école, trop contentes, trop ravies qu'une mère fasse pire qu'elles, que la malédiction tombe sur une autre, qu'elles puissent se rassurer à l'aune de l'hystérie de Malone.

Vous avez vu comment il lui a parlé ?

« Tu n'es pas ma mère. »

Moi, si mon enfant me disait ça…

Amanda se foutait de ces pies comme des vautours de la mairie ou des perroquets dans les rues. Elle avait attrapé Malone sous son bras et avait fait demi-tour parce qu'elle avait compris que ce type, celui qui parlait avec la directrice, était un flic. Et pas n'importe quel flic…

Les rumeurs avaient circulé devant l'école, avant que Malone ne fasse sa crise ; les rumeurs servent au moins à ça, comme le journal de 20 heures, à être au courant en même temps que les autres de la nouvelle catastrophe qui va vous tomber dessus.

Le flic était là parce qu'on avait retrouvé un cadavre au cap de la Hève ! Et tout laissait croire que ce cadavre était celui du psychologue scolaire qui venait chaque jeudi à Manéglise rencontrer certains gamins de l'école.

Amanda tourna rue Debussy.

Les culs-de-sac du lotissement formaient un labyrinthe aux trottoirs enfin déserts où elle serait tranquille. Tout le monde bossait, partait tôt, revenait tard, se tirait le week-end. Les gens qui vivaient ici n'étaient pas vraiment des habitants, au fond, juste les clients permanents d'un hôtel où ils ne faisaient que dormir, un hôtel qu'ils auraient acheté en s'endettant pendant trente ans, un hôtel où ils feraient eux-mêmes le ménage, le jardin, le petit déjeuner, changeraient leurs draps et déboucheraient les chiottes.

Malone s'apaisait, sanglotait, s'accrochait à son cou. Il n'était plus si lourd, ainsi. Amanda trouvait même plutôt agréables le froid des larmes sur sa nuque, la caresse des poils de sa peluche sur son cou, le rythme du cœur de Malone contre le sien.

Elle serait chez elle dans moins de cinq minutes.

A l'abri.

En apparence au moins. Dans sa tête, ses pensées s'affolaient.

Que faire ensuite ?

Rester seule à la maison ? Comme si de rien n'était.

Dimitri allait rentrer ce midi, comme tous les autres midis.

Lui parler ? Prendre la décision à deux. La bonne décision. S'il en existait une…

Des chiens aboyaient, invisibles derrière le labyrinthe de thuyas. Roquets jouant aux molosses sans doute. Comme si chaque habitant du dédale s'était acheté son Minotaure personnel. Chacun chez soi, barricadé, mais néanmoins branché sur Radio Village. Les Manéglisais parlent aux Manéglisais. La nouvelle de la mort de Vasile Dragonman avait dû se répandre à la vitesse d'une tournée de facteur ou de boulanger. Un journaliste avait déjà posté un article sur *grand-havre.com*, illustré d'une photo du cercle de cendres cap de la Hève et ponctué d'une dizaine de points d'interrogation en trois phrases. On savait *Qui*, on savait *Où*. Restait à découvrir *Pourquoi* et *Par qui*.

Malone respirait doucement contre sa poitrine, aussi mou que sa peluche. Endormi peut-être. Amanda tourna rue Chopin. Leur pavillon se situait au bout de l'impasse, soixante-dix mètres plus loin. Elle coupa directement par le parking vide, sans dévier ni ralentir sa marche, sans tourner la tête vers la fenêtre de Dévote Dumontel, juste en face. Les jappements aigus d'un autre chien, derrière elle, cognaient dans son cerveau comme une alarme qu'on laisse hurler sans réagir.

Vasile Dragonman. Brûlé vif. Une bonne nouvelle, bien entendu.

Vivant, il représentait un danger…

Maintenant qu'il était mort, la menace n'était-elle pas pire encore ?

39

L'agent Bourdaine, planté tel un pin maritime, le corps tordu comme s'il était resté un siècle dans cette position à lutter contre le vent, n'osait pas trop hausser la voix. Malgré l'urgence.

— Commandante, téléphone !

Marianne Augresse lui tournait toujours le dos, seule sa nuque bougeait, lentement. Debout face au cap de la Hève, la commandante observait chaque détail du panorama qui s'ouvrait avec la précision d'un phare dont la vigie pivote à trois cent soixante degrés.

Vasile Dragonman n'était pas venu ici par hasard.

Elle allait demander aux équipes scientifiques de ratisser le coin. Ils gueuleraient mais tant pis, le psy cherchait forcément quelque chose dans les environs.

Elle tentait de déplier, de mémoire, la carte de Vasile, mais elle était incapable de se rappeler les lieux qu'il avait cités, les traits qu'il avait tracés, les cercles et les couleurs. Elle se souvenait par contre précisément de chacun de ses derniers mots.

« J'ai pu avancer sur les lieux possibles. Dans quelques heures, je devrais avoir fait le tour des rares endroits qui correspondent à la maison que Malone habitait, avant. »

Ils devraient reprendre l'enquête à zéro ! A partir des notes de Vasile, des récits de Malone, des histoires de Gouti. Marianne avait d'ailleurs envoyé dès ce matin Jibé à l'école de Manéglise, pour qu'il discute avec la directrice de l'école. Il avait un peu tiqué, il était resté debout toute la nuit à se geler sur le belvédère, mais la commandante ne lui avait pas laissé le choix. Un crochet d'à peine dix kilomètres.

— Commandante ?

Marianne se retourna enfin. Bourdaine bafouilla.

— Un… un appel pour vous. Urgent.

C'était Papy. Il hurlait dans le combiné.

— Marianne ? Bordel, vous foutez quoi ? Larochelle a rappelé !

— Larochelle, le chirurgien ?

— Ouais ! Timo Soler vient de le contacter. Il dit qu'il est en train de perdre connaissance, que sa plaie s'est rouverte, qu'il est incapable de bouger. Il lui a donné rendez-vous.

— Putain. Où ça ?

— Tiens-toi bien. Chez lui. Enfin, dans sa planque. Rue de la Belle-Etoile, en plein cœur du quartier des Neiges.

Marianne ferma un instant les yeux, visage immobile face au grand large, s'offrant l'illusion que les embruns allaient perler sa peau de myriades de gouttes salées. Rien. Rien qu'un vent sec et froid, qui faisait voler les cendres du cadavre d'un homme qu'elle aurait pu aimer.

— On fonce, Papy. On remet ça. Rassemble cinq véhicules et dix agents.

40

Petite aiguille sur le 11, grande aiguille sur le 10

Sur le lit de Malone, tout le monde était mort. Une dizaine de fourmis, un scarabée noir avec des points rouges, trois coccinelles et un autre insecte, plus gros celui-là, mais il ne connaissait pas son nom. Il les avait ramassés dans le couloir, sous le meuble à chaussures, pendant que Maman-da allait accrocher son manteau, et les avait cachés dans sa poche. Maman-da n'avait pas assez balayé, hier. Maintenant, les bestioles étaient sur sa couette Buzz l'Eclair, bien alignées, tels des monstres de l'espace flottant entre les étoiles.

Morts.

Comme Gouti.

Son doudou était appuyé contre l'oreiller, les yeux ouverts, on aurait pu croire qu'il se reposait.

Il ne parlerait plus jamais. Vasile lui avait menti. Maman-da lui avait menti. Tout le monde lui avait menti. On ne pouvait pas faire confiance aux adultes. Sauf à maman.

Son regard se tourna vers le calendrier, compta les planètes.

Un, deux, trois, quatre, cinq…

La lune, Mars, Mercure, Jupiter, Vénus…
Aujourd'hui.

Le jour de l'amour.
Ce soir encore, puisque Gouti ne pouvait plus parler, c'est lui qui raconterait l'histoire. Tout bas, bien caché, sous la couette. Chacun son tour, puisqu'il la connaissait par cœur, il les connaissait toutes par cœur.
Malone s'aperçut qu'il s'était arrêté de pleurer sans même s'en rendre compte. De toute façon, ça ne sert à rien de pleurer quand les grandes personnes ne sont pas là pour vous voir.
Maman-da était en bas, dans la cuisine. Il était seul dans sa chambre. Il se tourna vers Gouti et une idée lui vint : après tout, aujourd'hui, il pouvait raconter l'histoire qu'il voulait ! C'est lui qui choisissait. Il n'avait pas non plus besoin d'attendre la nuit.

Son regard s'arrêta sur le calendrier. La fusée était posée sur la planète verte, mais ce n'était pas celle qu'il préférait. Il préférait celles où il y avait plus de bagarre, où il faut être courageux, combattre les ogres, les monstres, protéger Maman…
Vite, ses yeux glissèrent sur le lit, vers les fourmis minuscules, les coccinelles qui ressemblaient à des bonbons durcis, le scarabée auquel il manquait deux pattes.
Une armée des étoiles bonne à mettre à la poubelle !
Il s'approcha de Gouti, tout près de sa petite oreille rose, et commença à lui murmurer à l'oreille. Il voulait lui raconter son histoire préférée, celle qui lui faisait le plus peur. Celle du chef des ogres, celui avec sa boucle d'oreille qui brille et son tatouage avec une tête de mort dans le cou. Le chef des ogres était facile à reconnaître, mais il était beaucoup plus difficile de lui échapper.

— Ecoute, Gouti. Dans la forêt, il y avait un ogre qui…

Il s'arrêta. Sa bouche voulait continuer de parler, mais cette fois, c'est son nez qui ne voulait pas. Il était dérangé par une odeur qui le faisait penser à autre chose qu'à l'histoire, qu'aux ogres, qu'à Maman.

L'odeur venait de la cuisine, elle remplaçait tout le reste dans sa tête. Il n'arrivait plus qu'à penser à ça. Que ça sentait bon. Qu'il avait faim. Qu'il avait envie de descendre faire un câlin à Maman-da et de voler un morceau.

Il fixa Gouti comme pour se faire pardonner. La peluche ne répondait toujours rien. Elle était souvent un peu énervante pour ça, encore plus maintenant qu'elle était morte sans son cœur.

Ça voulait dire quoi, ne rien dire ?

Qu'il avait le droit de descendre manger une part de gâteau avec Maman-da, ou qu'il devait rester pour continuer de lui raconter les histoires de maman ?

41

Le garagiste allongé sous la voiture m'avait promis que ma Twingo serait réparée ce soir. Eh bien non… Il avait l'air sincèrement désolé, ce con.
Envie de tuer
J'ai retiré le cric.

Condamné : 1 263
Acquitté : 329

www.envie-de-tuer.com

L'agent Cabral conduisait. Comme un fou. Marianne avait attaché sa ceinture, cette fois. Cabral n'avait pas voulu démarrer avant, insistant du regard sur son nez toujours un peu tordu, où le fond de teint masquait mal les croûtes de sang coagulé. Sans ajouter un mot.

— OK, je la boucle. Mais magne-toi !

Le flux de voitures s'ouvrait devant eux sur toute la largeur de l'avenue Foch. Marianne aimait aussi Le Havre pour cela, son quadrillage de centre-ville à l'américaine, ses rues larges et perpendiculaires, même si la comparaison ne fonctionnait que le temps des rares poursuites dans le downtown havrais, le temps de jouer Starsky et Hutch entre la rue Racine et la rue Richelieu.

Sirène hurlante.

Volume du GPS poussé à fond.

Elle devait coller le téléphone à son oreille pour comprendre quelques mots parmi le vacarme. La commandante avait même hésité à décrocher.

Angie.

— Marianne ? Je suis tombée dessus par hasard, sur *grand-havre.com*. Un titre choc. « Un motard immolé cap de la Hève. »

Elle marqua un silence. Sa voix était essoufflée.

— Un psy scolaire, dit l'article. Mon Dieu, c'est ton psy, Marianne ? Celui du petit gosse ?

La Mégane coupa sans ralentir l'avenue gazonnée réservée au tram. Quelques lycéens qui attendaient à l'arrêt suivirent la berline des yeux, épatés, objectifs de portable braqués pour les plus rapides à dégainer.

Angie s'en faisait pour elle ! Ce n'était pas le moment pour une conversation entre copines, mais Marianne comprenait l'inquiétude de son amie : la commandante avait passé la moitié de la soirée à lui vanter les charmes de ce garçon… alors qu'il était en train de se consumer à moins de cinq kilomètres de là.

Le comble de l'horreur ! Même si l'adrénaline anesthésiait momentanément ses émotions contradictoires…

Courir pour garder l'équilibre.

Se concentrer sur la mission.

Coincer Timo Soler.

— Tu as du nouveau ? s'inquiétait Angie face au silence de la commandante. On est certains que… que c'est lui ?

— Pas encore. C'est gentil de t'inquiéter, Angie, mais là, impossible de te parler.

Cabral pila rue Brindeau. Pas question de traverser la ligne de tram cette fois, un A descendant du Mont-Gaillard croisait un B revenant de la plage. Face à eux, dans la perspective du bas de la rue de Paris, un porte-conteneurs gris, aussi haut que les immeubles de cinq étages, passait, offrant l'illusion qu'une des barres de béton du quartier avait décidé de quitter la ville.

Angie insistait.

Marianne posa sa paume sur son oreille droite pour entendre les mots que son amie prononçait dans le combiné.

— Dès que tu as du nouveau, tu m'appelles ?

Sa voix tremblait. Un instant, Marianne eut l'impression bizarre que c'était Angélique, et pas elle, qui était tombée amoureuse du psychologue roumain.

Ou de son fantôme.

L'agent Cabral s'engouffrait rue Siegfried pour rejoindre la zone portuaire.

« Dans cinq cents mètres, ordonnait la voix féminine du GPS avec la puissance d'une chanteuse de gospel, franchissez le pont V, puis tournez à gauche. Vous êtes arrivé. »

Marianne devait raccrocher ! Elle devait guider elle-même Cabral dès qu'ils s'approcheraient du quartier des Neiges, pas question de sonner le clairon pour prévenir Timo Soler.

Ils y seraient dès qu'ils auraient franchi le pont.

Elle devait oublier Angie. Oublier ce psy. Se concentrer sur cette arrestation à haut risque.

— Je t'appelle ce soir, ma belle. Je dois raccrocher.

42

Petite aiguille sur le 12, grande aiguille sur le 2

Amanda venait de poser la dernière assiette sur la table lorsqu'elle entendit la porte de l'entrée s'ouvrir.

Juste à temps.

Table mise. Télé allumée. Bouteille de faugères posée sur la table. Elle se contenta d'ouvrir la porte du four pour que l'odeur du gâteau au Carambar recouvre celle de l'onglet qui grillait dans la poêle. Malone adorait sentir la lente cuisson de son gâteau préféré.

Malone était sensible, doux, intelligent, intuitif. Amanda avait depuis longtemps compris que l'odorat était le signe de la sensibilité chez un garçon. Le sens le plus important avec le toucher, alors que la plupart des hommes se contentent de la vue et du goût.

Si son petit Malone était incapable de mâcher un Carambar en entier, il en adorait la saveur, aimait le sucer jusqu'à ce qu'il colle à ses doigts, le croquer un peu, et plus encore vider un paquet pour le faire fondre dans une casserole avec du beurre et du sucre. Quand il ne boudait pas, comme aujourd'hui…

Avant que Dimitri n'entre dans la cuisine, Amanda eut le réflexe de retourner l'onglet, un peu trop tard, déjà un peu trop cuit. Les conseils culinaires de Dimitri allaient alimenter tout le repas, entre quelques commentaires éclairés sur l'actualité du monde vu de son pavillon.

Le visage souriant de son mari la surprit. Il n'alla pas jusqu'à l'embrasser mais passa une main sur son tablier noué à la taille.

— Tu as entendu ? On ne parle que de cela dans le village. Ce putain de psy est parti en fumée !

Amanda se dégagea et lui fit signe de parler moins fort.

Il se servit un verre de vin tout en jetant un regard vers la poêle, comme si l'odeur de Carambar en provenait. A côté, une jardinière de légumes mijotait. Il ne fit aucune remarque. On s'habitue à la qualité, avait-il lâché un soir après l'avoir engueulée au dîner à propos d'un soufflé raté.

Sa façon de lui faire des compliments…

Dimitri baissa d'un ton, tira une chaise.

— On est peinards. Il ne nous fera plus chier…

Amanda haussa les épaules et éteignit le gaz sous la poêle.

— Les flics vont enquêter. Il passait beaucoup de temps avec Malone.

— Une demi-journée par semaine. Il devait suivre dans le coin au moins vingt autres gamins. Tous détraqués…

Elle ne releva pas, enfila un gant ignifugé et sortit le gâteau du four. Elle imaginait l'odeur s'échapper, invisible, grimper l'escalier et se glisser sous la porte de la chambre de Malone. Comme une invitation délicate que lui seul pouvait comprendre. Rien d'autre ne comptait.

Qu'il n'oublie jamais cette odeur…

Qu'il n'oublie jamais le goût des belles choses. Seules les mères peuvent apporter cela aux petits hommes : la sensibilité. S'ils suivaient les pas de leurs pères, les idéalisaient, le foot, les bagnoles et la perceuse, ils étaient foutus, ils deviendraient aussi cons qu'eux. Des générations de cons ! Seules les mères pouvaient tenter de freiner la malédiction.

— T'as raison, concéda Amanda. De toutes les façons, on n'a rien à se reprocher…

Un silence. Amanda saupoudra une couche de pépites de chocolat colorées sur le gâteau. Un détail aussi inutile qu'indispensable. Celui qui fait la différence entre les futurs vigiles qui gardent les palaces et les hommes raffinés qui vivent à l'intérieur.

— On sait ce qui s'est passé ? demanda-elle. Un accident cap de la Hève, d'après ce qu'on raconte. Il s'est planté en moto, c'est ça ?

Dimitri vida son verre et sourit encore.

— Ouais. On va dire ça. Il a glissé sur une plaque de verglas, et pas de chance, son réservoir était plein, il s'est retrouvé coincé dessous. Encore moins de chance, le tout a pris feu. Ce con de Roumain a peut-être eu envie de s'en griller une en attendant les secours.

Il éclata de rire.

Amanda réfléchissait. Hier, Dimitri était resté avec elle toute la soirée, même s'il était monté tard dans la chambre. Après 23 heures, elle avait entendu la fin de *Confessions intimes* avant qu'il n'éteigne la télévision. Comment son mari aurait-il pu se trouver au même moment au cap de la Hève ?

Elle visualisa dans sa tête la distance de leur lotissement au littoral. Le belvédère n'était qu'à une dizaine de kilomètres de chez eux, moins d'une demi-heure aller-retour, alors que Dimitri était resté plus d'une heure seul en bas, sur le canapé, devant la télévision allumée.

Dans la tête d'Amanda, un avocat de la famille continuait de plaider la cause de son mari. Il était impossible qu'il soit ressorti, elle aurait entendu la voiture démarrer devant chez eux, elle l'aurait entendu rentrer ensuite dans la maison… Sauf s'il avait été particulièrement silencieux, s'il avait monté volontairement le son de la télévision, s'il avait garé la voiture un peu plus loin… L'avocat de la défense, à court d'arguments, se raccrocha à une ultime certitude.

Dimitri n'était pas un tueur.

— Tu veux dire quoi exactement ? demanda Amanda d'une voix mal assurée. Que ce n'est pas un acc…

On cogna à la porte.

Les flics, déjà ?

L'école, encore ?

Dimitri se leva pour aller ouvrir, sans sembler davantage s'inquiéter. Amanda le vit disparaître de l'encadrement de la porte de la cuisine, puis sentit au léger courant d'air froid celle de l'entrée s'ouvrir.

Dimitri ne paraissait pas surpris.

— Ah, c'est toi ? Tu tombes bien. Entre !

Son mari éclata de rire. C'est ce rire qui l'avait rassurée au début de leur union, à défaut de l'attirer. Faute d'avoir de l'humour, Dimitri en voyait un peu partout, chez tout le monde, à chaque occasion. Il l'appréciait plutôt lourd, et généralement les copains comme la vie ne le décevaient pas.

Amanda avança dans le couloir à la rencontre des deux hommes. Immédiatement, elle remarqua qu'en haut de l'escalier, la porte de la chambre de Malone était entrouverte.

L'effet Carambar.

Amanda aima tout dans cet instant. Cette odeur, sa cuisine, son petit bout de chou qui après une colère viendrait se réconcilier dans sa jupe. Un ami qui passe à l'improviste pour discuter avec son homme et elle qui les laisse pour ajouter une assiette sur la table avant de servir l'apéritif.

Le bonheur comme elle se l'imaginait. Comme si tout pouvait s'arrêter là.

* *
*

Malone se tenait à l'étage.

Il avait faim. Il aurait préféré commencer par le dessert. Il entendait des voix dans l'entrée et il aimait bien quand Dimitri invitait des gens, ils restaient toujours longtemps dans le salon et lui, après avoir volé des poignées de gâteaux apéritifs dans les bols, mangeait tout seul dans la cuisine devant la télé allumée sur la chaîne des dessins animés. Les autres soirs, quand Dimitri mangeait avec eux, il obligeait Maman-da à regarder les informations et lui ne comprenait rien.

Il avança encore, jusqu'à la rambarde de l'escalier.

Il serrait Gouti dans ses bras. Pas même besoin de lui dire « chut ».

Dans l'entrée, Maman-da l'avait vu et lui souriait.

Soudain, Malone se mordit les lèvres. Dimitri avait pris le manteau et l'écharpe de l'homme qui était entré.

C'est à ce moment-là que Malone l'avait reconnu.

Pas lui, pas son visage. Autre chose.

La boucle d'oreille brillante. La tête de mort tatouée dans le cou.

Aucun doute.

C'était l'ogre. L'ogre de la forêt.

43

Dix heures qu'il ronfle.

Envie de tuer

Il ne ronfle plus. Il dort sur le côté. Il a un peu les pieds froids. Il y a juste des traces de bave et de sang sur l'oreiller.

Condamné : 336

Acquitté : 341

www.envie-de-tuer.com

Un bain de sang.

Ce n'était pas une expression, c'est littéralement ce que les yeux de la commandante Marianne Augresse découvraient dans cette salle de bains aux murs cloqués d'écailles, plongés dans une baignoire sabot comme on en installait dans les années 1960, aux robinets mités de rouille, aux jointures piquetées de moisissure et au fond de laquelle stagnait une mare de sang, profonde de près de deux centimètres, incapable de s'évacuer par l'orifice obstrué de poils et de cheveux.

Le diagnostic de la commandante n'était pas bien difficile à dresser : un homme blessé avait été traîné là, avait été hissé dans la baignoire, lavé, séché, avec tout l'inconfort qu'une telle antiquité de faïence, haute de près d'un mètre, supposait.

Timo Soler, sans aucun doute.

Ils possédaient désormais la quasi-certitude que quelqu'un l'avait aidé. A se doucher. A s'habiller.

A se tirer, avant qu'ils arrivent.

Marianne en aurait bientôt la confirmation, une dizaine d'hommes s'affairaient dans le F2 du cinquième étage de la rue de la Belle-Etoile. Timo et son complice avaient filé en urgence. L'appartement était resté en l'état, comme s'ils étaient sortis faire une course et qu'ils allaient revenir avec une baguette et le journal sous le bras. Habits froissés au pied du lit, vaisselle dans l'évier, bols sur la table, radio en sourdine, chaussures éparpillées dans le couloir.

Comme s'ils allaient revenir.

Tu parles ! pesta intérieurement la commandante. Soler était encore passé entre les mailles de leur toile tendue, leur intervention s'était à nouveau soldée par un foirage total, même si, cette fois, elle ne voyait pas ce qu'elle pouvait se reprocher.

Ses hommes avaient avancé avec précaution vers l'appartement de Soler. Quadrillé progressivement le quartier, puis le bloc, puis l'immeuble, puis la cage d'escalier. Et pourtant, le braqueur blessé avait filé avant même que la première voiture de police n'entre aux Neiges.

Pour quelle foutue raison ? Timo Soler avait appelé Larochelle il y avait moins d'une heure. D'après le chirurgien, la souffrance était devenue insupportable pour Soler, mais il refusait de se rendre à l'hôpital, ou même simplement de sortir de chez lui. Cloué au lit ! avait précisé Larochelle avec fierté, comme s'il avait lui-même tenu le marteau. Soler avait donné son adresse au chirurgien, il était prêt à payer cher, très cher, pour une intervention discrète à son domicile. Pourquoi alors décamper quinze minutes plus tard, alors qu'aucun flic ne se trouvait encore dans les parages ?

Des hommes gantés étalaient des habits sur le lit, toute une garde-robe écarlate. Pas un pantalon, pas un slip, pas un tee-shirt qui ne soit imbibé de sang.

Est-ce que ce toubib n'avait pas su jouer la comédie au téléphone ? Timo Soler, après avoir raccroché, s'était-il méfié ?

Etrange...

Marianne Augresse observa avec davantage de concentration l'appartement. Ses yeux se posaient au hasard, sur les torchons accrochés à la patère, sur les chaussettes posées sur le tancarville, sur les journaux rangés sous la table du salon... Quelque chose dans ce décor la gênait, un je-ne-sais-quoi qui ne collait pas, une somme de détails insignifiants mais qui, rassemblés, lui donnaient l'impression qu'on pouvait voir sous un autre jour la cavale de Soler, la façon dont il vivait, la solution qu'il avait trouvée pour survivre, caché et blessé pendant tous ces mois.

C'était là, tout près, devant ses yeux, la commandante en était persuadée, mais elle ne parvenait pas à attraper un élément saillant qui aurait tout éclairci.

Elle pesta encore, bouscula Constantini qui passait avec nonchalance le Polilight sous le canapé. Parmi la dizaine d'hommes occupés à retourner l'appartement, était-elle la seule à ressentir ce trouble ?

Etrange, ça aussi.

D'autant plus qu'elle était convaincue que la solution se trouvait là, évidente, à portée de main, comme un mot familier qui vous nargue au bout de votre langue… Elle regardait encore la cuisine, ouvrit machinalement le réfrigérateur, les placards, quand son téléphone sonna.

Le lieutenant Lechevalier.

Elle ne le laissa pas entamer la conversation.

— Ramène-toi, Jibé, on a besoin de toi ici.

— Papy n'est pas là ?

— Non, cette tête de mule est partie il y a une heure en direction de Potigny, le fief des époux Lukowik et de leur bande de copains d'enfance, Alexis, Timo et les autres. Il croit que le magot est planqué là-bas et moi, comme une conne, j'ai signé le bon de sortie. Je vais me faire engueuler pas le juge Dumas, même si je ne pouvais pas prévoir les rebondissements de ce matin. Trop tard pour que Papy fasse demi-tour… De toute façon, maintenant, c'est à la police scientifique de jouer. Ils n'ont plus qu'à chercher dans les rues du Havre si Soler a joué les Petit Poucet avec son sang.

— Avant que les mouettes n'effacent les traces. Tu sais qu'elles deviennent carnivores, à force de bouffer les cadavres de clandestins qui flottent dans le port.

Marianne Augresse ne releva pas.

— T'es où ?

— Boulevard Clemenceau, Résidence de France, on arrive chez Dragonman. Il logeait au quatrième.

Il logeait…

L'usage de l'imparfait fit exploser une bombe quelque part sous son crâne. Une douleur brève et intense. Un nouveau sillon cérébral venait sans doute de céder, Marianne avait de plus en plus de mal à tout cloisonner dans son cerveau, à se concentrer simultanément sur les deux affaires, le meurtre de Vasile, la cavale de Timo Soler. Elle devait pourtant gérer les deux enquêtes en zappant en permanence de l'une à l'autre. Pouvait-on enquêter sérieusement ainsi ?

Certainement pas, mais peu importait. Hors de question de déléguer !

— Et l'école, Jibé ?

— Celle de Manéglise, ce matin ? Comment te dire, j'ai ressenti une impression bizarre.

Marianne haussa le ton.

— Comment ça ?

— Eh bien, une sorte de malaise. Tu vois, se pointer dans une école à l'heure de l'entrée des classes, vers 8 h 30, se planter dans la cour de récréation et y être dévisagé comme une sorte d'intrus pervers par tous les bouts de chou, alors qu'à cause de ce boulot de merde, je ne peux même pas emmener mes propres gamins dans leur école.

La commandante soupira.

— Abrège ton couplet de père modèle, Jibé ! T'as appris quelque chose à Manéglise ?

— Rien de précis. Vasile Dragonman était le seul psy scolaire sur tout le secteur nord du Havre, il tournait sur trois cantons, cinquante-huit communes, vingt-sept écoles, plus de mille gosses à qui il faisait passer des tests pour ne suivre en entretien particulier qu'une trentaine de gamins chez lesquels il avait décelé des troubles…

Marianne repensa malgré elle à l'affaire Weber, ce psy assassiné en 2009 à Honfleur, un matin devant son cabinet. Il suivait plus de cinquante patients, plusieurs centaines si on remontait sur quatre ou cinq années, de l'ado schizophrène au vieil alcoolique délirant. Autant de coupables potentiels dans une crise de démence, pour un médicament oublié, pour une confidence regrettée, pour un rendez-vous refusé. Chacun de ces cinquante malades dont le nom figurait dans l'agenda de Weber possédait un mobile précis pour tuer le psy.

Etait-ce aussi le cas de Vasile ? S'occupait-il d'autres enfants à problèmes trop bavards dont les parents buvaient, frappaient, attouchaient ? Avait-il appris des secrets de famille à ce point sordides que chaque adulte dénoncé puisse souhaiter sa mort ?

Une trentaine de gamins, répéta la commandante dans sa tête. Mais Vasile n'était venu la trouver que pour un seul d'entre eux.

Elle insista.

— Je ne te parle pas des autres écoles, je te parle de Manéglise. Détaille…

— La directrice est plutôt sympa. Elle s'était engueulée avec Dragonman, hier, mais elle semblait sincèrement touchée par sa disparition. C'est elle qui m'a donné son adresse. Visiblement, il gardait tous ses dossiers chez lui, il avait un vieux portable, mais il imprimait tout, entretiens, comptes rendus, prescriptions pour les médecins, sans parler des dessins des gosses, des cahiers entiers noircis à longueur de séances. Je suis devant l'immeuble. On va s'amuser, pour faire le tri.

— Pas le choix, Jibé. Concentre-toi d'abord sur le dossier du petit Malone Moulin.

Soudain, sans que la commandante ait le temps de fermer les paupières ou de détourner la tête, les yeux noisette de Vasile Dragonman apparurent en surimpression dans le ciel gris du Havre qu'elle apercevait à travers le carreau sale de la cuisine. Des yeux pétillants de malice, ceux d'un esprit libre encore connecté à l'enfance. Une petite voix martelait à Marianne qu'il était mort à cause de cela, de cette carte au trésor sur laquelle il inscrivait les délires d'un gosse…

La commandante resta un moment à suivre le lent étirement des nuages en filaments, jusqu'à ce que le souvenir de Vasile s'estompe, avant de détailler à nouveau les placards de la cuisine. Des dizaines de boîtes de conserve, des paquets de pâtes, des sauces colorées dans des bocaux de verre.

Et toujours la même impression obsédante, cette certitude que ce décor, ces objets masquaient une évidence qu'elle ne parvenait pas à définir.

Elle n'était pas assez concentrée !

Elle s'en voulait de ne pas parvenir à faire abstraction de ces histoires de plans secrets, de pirates et de fantômes. Elle avait appris depuis longtemps à les oublier, ces contes et légendes du passé, à en faire le deuil à chaque marche gravie dans la hiérarchie de la police, à renoncer au rôle de la fille futée dans les équipes d'enquêteurs de son enfance, autant d'idoles à qui elle devait sa vocation, Claude la cheftaine du Club des Cinq, Vera le cerveau de Scooby-Doo, Sabrina, la moins féminine des drôles de dames.

Canon, quand même. Bien plus qu'elle.

— Marianne ? s'inquiéta Jibé.

Le regard de la commandante, toujours perdu dans la cuisine, s'était soudain arrêté sur un torchon pendu à la patère.

Son cœur, à l'inverse, s'affola. En une fraction de seconde, tout était devenu limpide. Elle avait compris ce qui la dérangeait depuis le début dans l'appartement de Timo Soler.

Afin de reprendre sa respiration, elle observa successivement chaque agent occupé à fouiller le moindre centimètre carré de l'appartement.

Dix hommes, aucune femme.

Forcément…

— Marianne ?

La commandante s'obligea à ordonner calmement les indices dans sa tête. Sans aucun doute, tous convergeaient : derrière le désordre apparent, l'appartement vétuste, l'odeur de pourriture, tout était rangé. Agencé. Ordonné. Presque avec goût. Jamais un type entre la vie et la mort n'aurait éprouvé ce besoin. Un complice de cavale non plus. Surtout pas Alexis Zerda.

L'évidence s'imposait, comment n'y avaient-ils pas pensé plus tôt ?

Elle fixa encore les chaussettes étendues sur le tancarville.

Cet appartement était habité par un couple !

Une femme vivait ici avec Timo Soler. Sa copine, sa maîtresse, sa femme, peu importe, mais c'est grâce à elle qu'il avait survécu. C'est grâce à elle qu'ils s'étaient tirés.

Pour aller crever quelque part tous les deux ensemble ?

Elle hurla presque, sans se préoccuper du téléphone portable au bout de son bras.

— Fouillez tout ! Trouvez-moi la preuve formelle qu'une fille habitait ici.

* *
*

Un bon quart d'heure s'était écoulé. Marianne avait finalement demandé à Jibé de monter chez Vasile Dragonman, de commencer à trier ses archives et de la tenir au courant régulièrement. Pendant ce temps, elle suivait la localisation des patrouilles dans le quartier des Neiges sur son iPad. L'application GéoPol ressemblait à un jeu vidéo, une sorte de Packman sophistiqué où les véhicules de police devaient quadriller le maximum de routes sans jamais se croiser.

Dans laquelle de ces rues se cachait Timo Soler ? Au fond d'une voiture, recouvert d'une couverture, avec sa copine au volant ? L'existence de cette fille n'était plus une simple hypothèse, les enquêteurs n'avaient pas eu de mal à isoler les traces matérielles d'une présence féminine dans l'appartement. Des cheveux longs, châtain clair, retrouvés dans la douche ; de légères traces de rouge à lèvres sur un verre à dents ; une culotte en dentelle glissée derrière le meuble de rangement de la salle de bains.

Très sexy. Du 36.

Le regard noir de la commandante avait dissuadé ses hommes de tenter la moindre allusion grivoise à propos de cette inconnue qu'ils devinaient fine, sans doute jeune, jolie, et maquillée…

L'agent Constantini, à force de promener son Polilight, avait trouvé du sang sur le palier, puis sur les trois premières marches de l'escalier, mais pas sur les suivantes. Marianne avait envoyé trois hommes, chacun équipé d'une lampe à lumière noire, traquer d'éventuelles autres taches, devant l'immeuble, sur le parking, sur la route, histoire de se donner un point de départ, un premier indice sur la direction suivie par les fugitifs…

Sans que la commandante y croie vraiment !

Les tourtereaux s'étaient envolés, miraculeusement. Dans l'esprit de Marianne, une affaire chassait l'autre. Entre deux ordres lancés mécaniquement, ses pensées revenaient sans cesse à Malone Moulin, à Vasile Dragonman. Dès qu'elle se tournait vers les fenêtres de l'appartement, le visage juvénile du psychologue scolaire continuait de s'imprimer dans le ciel, un peu flou, la barbe, les cils et les cheveux blanchis par les nuages, comme passé par le filtre d'un logiciel de vieillissement. La preuve que le charme de Vasile serait demeuré intact avec le temps, pensait Marianne, troublée par la superposition sur l'horizon des images qui hantaient son esprit.

Si elle avait été seule, elle se serait effondrée en larmes. Non, un tel visage ne pouvait disparaître sans que les ans le sculptent avec patience. Non, de tels yeux étoilés ne pouvaient pas s'être éteints en une nuit.

Elle repensa soudain aux questions étranges d'Angie, quelques minutes plus tôt, au téléphone.

On est certains que... que c'est lui ?

Après tout, il restait un espoir, il n'y avait aucune preuve formelle que le cadavre retrouvé carbonisé sous sa moto soit celui de Vasile Dragonman. Il n'était sans doute pas le seul Havrais à rouler en Guzzi California.

— Téléphone, commandante.

L'agent Bourdaine se tenait immobile dans un coin de la salle, tel un ficus décoratif dont on ignore s'il est vivant ou imité. Marianne tournait le dos au policier, observant au loin les immenses squelettes des grues du port.

Elle tendit le bras et répondit par réflexe :

— Commandante Augresse.

— C'est Ortega, je suis à la morgue. Ç'a été moins long que prévu, Marianne.

— Moins long que quoi ?

— On a eu de la chance. On a retrouvé tout de suite son dossier médical. Il était suivi par Kyheng Soyaran, un dentiste rue Sery. On se connaît bien, on a fait médecine ensemble. Il m'a envoyé les radios de ses dents par mail. Ça a pris moins de cinq minutes. Les comparer un peu plus…

— Les comparer à quoi ?

— A la mâchoire du type retrouvé sous sa moto ! Tu pensais à quoi d'autre, Marianne ? Tu te doutes bien que ses dents n'ont pas eu le temps de fondre !

Marianne Augresse déglutit.

— Et alors ? Va droit au but, bordel !

— Zéro doute. Même mâchoire, même dentition, certifié 32 sur 32. Tu n'as même pas besoin d'attendre l'analyse ADN. Le type mort sous sa moto cap de la Hève, ma belle, c'est ton psy scolaire, Vasile Dragonman.

44

Petite aiguille sur le 12, grande aiguille sur le 6

> *J'ai cherché dans les poèmes*
> *Comment dire je t'aime*
> *J'ai trouvé des mots savants*
> *Bien trop longs pour mes trois ans.*

Recroquevillé entre le mur et la cuvette des toilettes, Malone n'avait pas beaucoup de place.

Il s'en fichait, il avait bien retenu l'histoire de vendredi, celle de la planète verte, de Vénus, de l'amour. Celle où il s'envolait avec maman, à la fin.

Mais avant de réussir, il fallait échapper à l'ogre, celui avec sa boucle d'oreille et sa tête de mort. Malone, heureusement, connaissait l'endroit magique où les méchants ne peuvent pas entrer, Gouti lui avait raconté ce secret, plein de fois. Tous les jours de la planète verte.

Il fallait s'enfermer dans les toilettes !

Chaque fois qu'il allait faire pipi, il y pensait. Il était trop petit pour atteindre le verrou, mais en montant sur la poubelle et en se mettant sur la pointe des pieds, c'était facile. Cette idée-là, monter sur la poubelle, ça n'était pas dans l'histoire de Gouti, c'est lui qui l'avait trouvée.

S'enfermer dans les toilettes.

Attendre que maman vienne le chercher.

Partir pour toujours avec elle.

Pour se donner du courage, ses petits doigts déplièrent une nouvelle fois le dessin de Noël glissé dans sa poche. Tout en passant son index sur chaque détail, l'étoile, le sapin aux épines mal coloriées, les cadeaux tracés au feutre, Malone pensa qu'il ne fallait pas qu'il oublie de le ranger dans sa cachette tout à l'heure, dans son album, pour que personne ne le trouve, ni Maman-da, ni Pa-di… et surtout pas l'ogre !

Il prit tout de même le temps de regarder les trois personnages qui se tenaient la main sous les guirlandes.

Lui. Papa.

Son doigt s'arrêta sur la troisième silhouette, caressa du bout de l'index les longs cheveux de sa maman, avant de détailler chaque lettre, en haut et en bas de la feuille.

Noël Joyeux

N'oublie Jamais

C'étaient les quatre seuls mots qu'il savait lire, avec son prénom. Et puis aussi, bien entendu, le mot MAMAN.

Alors, j'ai cherché ailleurs
Et j'ai trouvé dans mon cœur
Les mots que tu m'as appris
Quand j'étais encore petit
Maman, je t'aime, grand comme ça !
Je le dis avec mes bras.

— Malone, sors de là.

La voix d'Amanda se faisait la plus douce possible.

— Malone, s'il te plaît.

L'odeur de Carambar brûlé s'accrochait aux murs, aux sols, aux marches. Entêtante, presque écœurante. Amanda avait un instant espéré que ce parfum suffise à convaincre Malone de sortir des toilettes, mais elle avait rapidement compris qu'il ne tomberait pas dans un piège aussi grossier.

Malone avait reconnu Alexis ! Il devait affronter une sorte de traumatisme, des messages contradictoires devaient s'entrechoquer dans sa tête ; peut-être même que croiser le visage d'Alexis Zerda avait déclenché chez Malone d'autres souvenirs, comme une montre cassée qui en tombant par terre se remet à fonctionner.

Ou peut-être simplement qu'elle se faisait des idées, que ce salaud avec son allure de vampire avait juste fait peur à son gosse.

Amanda s'était assise sur la moquette usée, devant les toilettes de l'étage. Elle tremblait, grattait la porte à la manière d'un petit chat qui veut entrer, parlait doucement, sans s'arrêter, comme une mère qui veille son enfant malade. Qui cajole, forte, proche.

Sauf qu'une porte les séparait.

Elle écoutait la respiration saccadée de son enfant, devinait ses sanglots retenus.

Elle enrageait.

Des milliers d'étoiles dans le ciel,
Des milliers de fleurs au jardin,
Des milliers d'abeilles sur les fleurs,
Des milliers de coquillages sur les plages,
Et seulement, seulement une maman.

— Laisse tomber ! cria Dimitri du salon. Il finira bien par sortir.

Son mari n'était qu'un abruti. Elle entendait le bruit des glaçons dans son whisky. Alexis n'avait rien pris, pas même une bière. Il avait une voix un peu sifflotante. On pouvait même d'abord la trouver chantante, presque agréable, avant que les zézaiements et les intonations trop aiguës ne deviennent insupportables. La première fois qu'elle l'avait rencontré, Amanda s'était même fait la réflexion que si les serpents parlaient, ils auraient la voix d'Alexis. Pas le fourchelang des basilics d'Harry Potter, plutôt la langue qu'inventerait un serpent à sonnette devenu fou à force de ramper seul dans le désert.

— Laisse tomber, Amanda.

Les ordres d'Alexis Zerda ne souffraient aucune discussion.

Après avoir lentement descendu l'escalier, Amanda s'installa dans le fauteuil club en imitation cuir, entre son mari et Alexis. Dimitri entourait son verre de pur malt avec ses deux mains, comme pour faire fondre les glaçons plus vite.

— Vous avez merdé, fit Zerda.

Il se tournait vers Dimitri, mais Amanda savait que ses mots lui étaient destinés. Alexis était trop intelligent pour ne pas avoir compris que Dimitri était depuis longtemps dépassé par les événements.

— Les flics vont se pointer, continua Alexis.

Dimitri fit mine de réagir, mais Zerda lui intima le silence d'un seul geste de la main.

— Les flics seraient venus chez vous, de toutes les façons. Ils seraient venus avec le psy, s'il était encore en vie, et là, vous connaissez comme moi la suite. En écartant le psy, on gagne un peu de temps. Pas beaucoup.

Amanda se pencha en avant. A chacun de ses mouvements, elle sentait les ressorts du fauteuil s'enfoncer dans sa chair.

— Tu l'as tué ?

Sans même se donner la peine de répondre, Zerda se tourna vers le cadre accroché au mur. Dans des cœurs tracés au feutre, de courts poèmes étaient calligraphiés ; des comptines de fête des mères que les enfants apprennent par cœur, décorées de fleurs séchées et de papillons épinglés.

— Faudra aussi me virer ça, avant que les flics arrivent.

Il pivota cette fois directement vers Amanda, planta ses yeux verts dans les siens. Il haussa encore d'une octave le timbre de sa voix.

— Le gamin devrait avoir tout oublié depuis longtemps. Bordel, un gosse de cet âge perd ses souvenirs en quelques mois. C'est ce que racontent tous les experts ! On s'est suffisamment renseignés. Comment peut-il encore se rappeler de…

— De toi ?

Amanda esquissa un sourire.

— De tout, Amanda, continua Zerda. De tout. Il vaudrait mieux que ce morpion se taise si les flics débarquent. Il nous emmerde avec ses contes et légendes !

— Parle pas de lui comme ça, répliqua Amanda en haussant le ton.

Alexis se leva, alla observer de plus près les papillons épinglés, les fleurs séchées, puis prit le temps d'écouter d'éventuels bruits de porte à l'étage.

Rien. Malone n'avait pas bougé de sa cage. Zerda répondit enfin.

— Tu prends les choses trop à cœur, Amanda. Si le gosse tient sa langue, les flics n'auront rien contre nous, ils ne pourront pas faire le rapprochement. Rien de concret, tu comprends, pas de preuves, seulement de vagues souvenirs d'un marmot qui devraient être effacés depuis longtemps de sa mémoire. C'était ton boulot, ça, Amanda. Passer l'éponge sur tout son passé.

Pendant la conversation, Dimitri Moulin s'était servi un autre whisky. Aucun des deux ne faisait plus attention à lui.

— Et s'ils nous le prennent ? insista Amanda. Et s'ils nous le prennent même sans faire le lien avec le reste ?

— Ils ne te prendront pas ton fils, Amanda. Il est intelligent. Il est en bonne santé. Il t'aime. Pourquoi voudraient-ils vous séparer ?

Il jeta un regard méprisant sur Dimitri, qui, comme pour sauver les apparences, n'avait osé se resservir qu'une dose mesquine de Glen Moray. Amanda avait depuis longtemps compris que Dimitri ne comptait pas davantage pour Alexis qu'un pion à sacrifier dans une partie de dames.

Son grand copain d'enfance…

Dimitri avait seulement manqué de chance, il s'était retrouvé dans la même cellule qu'Alexis à Bois-d'Arcy. Son mari cherchait déjà un type fort à admirer, pour le protéger aussi, pour briller un peu dans son ombre, il aurait pu tomber sur un ours, un requin, un loup… Pas de bol, il était tombé sur un serpent ! Un serpent qui l'éliminerait dès qu'il représenterait un danger pour lui, comme il avait éliminé ce Vasile Dragonman, comme il les éliminerait tous. Elle. Malone.

— Va me chercher le gosse, fit doucement Alexis. S'il n'ouvre pas cette putain de porte des chiottes, je la défonce moi-même.

Pendant qu'Amanda montait l'escalier, Zerda précisa :

— Je ne peux pas rester très longtemps. Les flics peuvent débarquer d'un moment à l'autre, et mieux vaudrait qu'ils ne tombent pas sur moi. Ils étaient à l'école de Manéglise ce matin. Dès qu'ils auront la confirmation de l'identité du mort cap de la Hève, ils rendront visite à toutes les familles dont s'occupait ce fouineur de psy, et la vôtre sera la première sur la liste.

Deux marches de plus.

— Il faudra juste que le gosse coopère un peu. Qu'il continue de raconter ses délires de pirates et de fusées s'il veut, on s'en fout, les flics pataugeront un moment avec ça. Mais l'important, c'est qu'il joue le jeu. Un minimum, tu comprends, Amanda ? Qu'il ne reste pas muet, enfermé, genre huître terrifiée. Que les flics n'aient pas plus envie que ça de gratter sous la coquille.

Encore trois marches.

— Si tu veux le garder avec toi.

Amanda ne répondit pas. On entendit seulement le frottement de sa robe contre la rambarde et le bruit feutré de ses chaussons sur la moquette de l'étage.

Maman, maman, ma maman à moi
Maman, maman, prends-moi dans tes bras
Maman, maman, un petit baiser
(Smack)
Maman, maman, un petit secret
(Chuchoté)
Je t'aime

* *
*

Elle redescendit cinq minutes plus tard.

Dimitri, assis, avait vidé son verre sans se resservir un autre whisky. Alexis, debout, examinait dans le cadre la collection de papillons, sans quitter du regard la fenêtre qui donnait sur le parking du lotissement.

Amanda accrocha sa main à la rampe de bois.

— Il veut parler à sa mère.

— Tu dis quoi ? fit Zerda, surpris.

— Malone dit qu'il veut parler à sa mère.

— Impossible.

— Il dit qu'il ne sortira que s'il parle à sa mère, continua Amanda. Que si elle ne peut pas venir, il veut lui téléphoner. Mais je suis d'accord avec toi, Alexis, accepter serait la dernière des conneries.

Ils demeurèrent un moment silencieux, sans même remarquer que Dimitri s'était levé ct avait doucement décroché le téléphone sans fil de son combiné. Il avança dans le salon, prit lui aussi le temps de jeter un œil dehors pour contrôler le parking vide, avant de s'exprimer.

— Je vis avec ce gosse depuis un bout de temps maintenant. Pas facile de savoir ce qui se cache sous son crâne, il est têtu comme une mule. (Il marqua un silence calculé.) Mais aussi borné soit-il, il y a un moyen imparable de le faire obéir.

Alexis se figea, soudain intéressé.

— Sa mère…

Amanda fusilla son mari du regard. Zerda quitta un instant la fenêtre des yeux.

— Continue, Dimitri.

— Laissez ce gosse lui téléphoner. Une minute ou deux, pas plus. Le gosse ne se trompera pas, il saura que c'est elle. Et alors, une fois qu'il aura raccroché, on fera ce qu'on veut de lui. On n'a jamais rien inventé de mieux que des mensonges d'adultes pour avoir la paix avec les gosses. Tu vois l'idée, Alexis, lui dire un truc comme : « Il faudra être sage, mon petit, si tu veux parler à nouveau à ta maman », exactement comme on dirait « si tu veux que le père Noël t'apporte des cadeaux » ou « que la petite souris passe sous ton oreiller »…

Amanda s'était éloignée de l'escalier et se tenait devant Dimitri. Il la dominait de quarante centimètres. Des larmes coulaient sous ses yeux.

— Nom de Dieu, Dimitri. On n'a tout de même pas fait tout cela pour rien ? Tu ne peux pas…

La main chaude d'Alexis se posa sur son épaule.

Chaude et visqueuse.

— Ce que suggère Dimitri n'est pas idiot, au fond. De toute façon, ton gosse est persuadé que tu n'es pas sa mère. Un simple coup de fil nous fera gagner du temps, beaucoup de temps. C'est justement ce qui nous manque.

— Et ensuite ?

Sans attendre la réponse de Zerda, Dimitri confia son téléphone à son ami, un léger sourire au coin des lèvres, comme pour signifier à Amanda qu'elle était hors jeu. Que les hommes prenaient l'affaire en main.

Pauvre fou.

— Vous m'aviez promis, bafouilla-t-elle.

Le sol se dérobait sous ses pieds. Des tremblements agitaient ses mains, ses doigts, alors qu'un long frisson glaçait son cou. Elle devinait la suite. Alexis les liquiderait, les uns après les autres. Dès qu'il aurait trouvé ce qu'il cherchait.

Zerda leva les yeux vers l'étage.

— Dimitri, va me chercher le gosse. Dis-lui que c'est d'accord, qu'on va appeler sa mère, qu'il pourra lui parler une minute.

45

Marianne Augresse avait ouvert les deux battants de la porte du salon et se tenait sur le balcon. Vue sur le port de béton, les cargos anthracite et le ciel vide. A jamais vide.

Les rideaux de tulle volaient, une porte claqua à l'intérieur de l'appartement, elle s'en fichait. Tout comme elle se fichait des remarques du juge Dumas qui s'étonnait sur son répondeur que Timo Soler ait pu filer une seconde fois.

Qu'est-ce qu'elle y pouvait ? Ses hommes avaient bouclé le quartier des Neiges moins de quinze minutes après l'appel du chirurgien. Si Soler s'était méfié du toubib, ou avait foutu le camp pour n'importe quelle autre raison, ce n'était pas sa faute.

— Parle plus fort, Papy. Je ne comprends qu'un mot sur deux.

Elle était sortie sur le balcon pour mieux capter, mais c'était visiblement le lieutenant Pasdeloup qui avait des problèmes de réseau. Elle appuya ses fesses contre la rambarde de fer et tout en maintenant d'une main son téléphone collé à son oreille, fit défiler les messages sur son iPad.

Gérer deux affaires à la fois l'empêchait de ralentir,

de s'attendrir, de s'appesantir, un peu comme on lit un roman policier dont les histoires parallèles s'intercalent de plus en plus vite, au fil des chapitres, qui vous oblige à passer d'une pensée à l'autre sans les mélanger, sans avoir même le temps de s'interroger. C'est sans doute aussi ce que devait ressentir une femme qui avait un mari et un amant. Penser à l'un, parler à l'autre, sans trébucher.

Marianne ne possédait ni l'un ni l'autre.

Le dernier garçon qui lui avait souri s'était envolé dans un nuage de cendres cap de la Hève. Un jour plus tard, de ce sourire, ne restait plus que sa mâchoire, envoyée par les bons soins du docteur Ortega. Elle l'observait sur la tablette, flottant en apesanteur par le miracle d'un logiciel de modélisation 3D. La preuve macabre que la bouche de Vasile Dragonman n'embrasserait plus jamais aucune fille.

— Marianne, je viens de dépasser Caen. Je suis dans la vallée de la Laize. Tu veux que je fasse demi-tour ?

Marianne ouvrit une autre fenêtre sur l'iPad. Sur GéoPol, des patrouilles de flics symbolisées par des points rouges tournaient à la recherche de Timo Soler.

— Laisse tomber, Papy. De toute façon, ici, on patauge. Contente-toi de trouver un coin où tu captes du réseau.

— OK. Je quitte la vallée et je te rappelle.

De son index droit, Marianne fit glisser une autre fenêtre. Les messages de Jibé s'accumulaient sous une pluie de fichiers joints, au moins une dizaine par envoi. Uniquement des dessins d'enfants, extraits du dossier de Malone Moulin trouvé chez Vasile Dragonman.

Marianne les ouvrait d'une simple pression des doigts sur l'écran tactile et les agrandissait.

Des traits bizarres, des couleurs vives, des formes compliquées.

Chaque dessin avait été annoté à la main par Vasile, de son écriture ronde et soignée d'instituteur.

Bateau pirate, le 17/9/2015

Fusée survolant la forêt des ogres, le 24/9/2015

Quatre tours du château, le 8/10/2015

Un Ogre, le 15/10/2015

Marianne laissa son regard traîner sur le patatoïde représentant le visage supposé de l'ogre ; sur les traits pour les yeux, le nez, la bouche, à moins qu'ils ne représentent une balafre ; sur le point noir sur le côté qui ressemblait à un grain de beauté, un œil raté, une boucle d'oreille.

Que faire de cela ? De ces dizaines de gribouillages ?

Dans son premier message, Jibé lui avait affirmé que les dessins lui rappelaient ceux de son gosse de cinq ans. Léo. Il en avait profité pour lui demander s'il pourrait avoir une perme en milieu d'après-midi, à l'heure de la fin de l'école, pour faire la surprise à sa femme et ses gamins.

Marianne avait refusé ! Trop de travail aujourd'hui. Impossible de prendre le risque. Jibé avait fait la gueule de façon explicite en lui répondant par un texto vicieux : un smiley avec un doigt d'honneur (d'ordinaire, il se contentait de celui qui tire la langue) et quelques mots d'accompagnement.

T'aurais des gosses, tu comprendrais...

Touchée. Plein cœur. Salaud !

Elle n'avait pas d'enfant, c'est peut-être même pour ça qu'on lui avait laissé le commandement du commissariat. Aujourd'hui elle aurait sans doute échangé toutes les promotions du monde contre un gosse qui la réveillerait au matin après les nuits de planque, contre un marmot qui sauterait dans ses bras et lui ferait oublier les affaires sordides où elle trempait, dès la porte de la crèche franchie. Mais en attendant, Jibé comme les autres mâles sous ses ordres, pères indignes ou modèles, peu importe : réquisition jusqu'à demain !

La tête ronde de Papy apparut sur son écran de téléphone.

— C'est bon, je suis monté en haut du clocher de l'église de Bretteville, je capte.

— N'en rajoute pas ! Pendant que tu fais du tourisme, on a un cadavre sur les bras, un type en cavale qui se vide de son sang, un Alexis Zerda qui n'a plus donné signe de vie depuis ce matin et une mystérieuse copine de Timo dont on n'a retrouvé que la culotte en dentelle…

— Rien que ça ? Allez, tu vas être contente, j'ai la réponse à ta question existentielle.

Marianne fronça les sourcils pour demander à deux agents qui déplaçaient la commode du salon de faire moins de bruit.

— Laquelle ?

— La question-clé. Celle qui ouvre toutes les portes.

— Accouche, bordel.

— Tu ne te souviens plus ? Hier, dans ton bureau. La photo de la peluche. « Gouti ». Tu m'as demandé quelle était la race de ce doudou.

La commandante soupira et, instinctivement, avança sur le balcon tout en tirant la fenêtre du salon vers elle.

— Et alors ? Tu as trouvé ?

La voix enjouée de Papy contrastait avec l'agitation pesante au sein de l'appartement.

— J'en ai bavé, j'ai passé une bonne partie de la nuit sur le Net. Alors qu'en réalité, c'était d'une évidence absolue. Ta peluche, c'est un agouti.

— Un quoi ?

— Un agouti ! Il suffisait de savoir que cet animal existe. C'est une sorte de cochon d'Inde, mais plutôt originaire d'Amazonie. Tu vois, un rongeur, un peu plus gros qu'un rat. Comme un lapin si tu veux, mais sans queue ni oreilles.

Marianne fit apparaître un nouveau dessin.

Gouti, avait inscrit Vasile.

Le dessin de Malone était impossible à décrypter autrement que par association d'idées. Deux ronds, qui représentaient peut-être son corps, étaient posés sur un tapis de points jaunes et rouges. Des traits bleus s'envolaient vers le haut de la page.

— Nouvelle impasse, alors ! Malone Moulin parlait à son cochon d'Inde. Super ! On va où avec ça ?

— Avant de raccrocher, si tu as le temps, je peux tout de même ajouter un petit détail étonnant sur l'agouti…

— Vas-y, Papy, je n'ai rien d'autre à faire aujourd'hui que de prendre des cours de zoologie.

— L'agouti est amnésique !

— Pardon ?

— Il passe sa vie à cacher des graines, des fruits, qu'il décortique le plus souvent avant de les enterrer. Il se constitue ainsi des réserves pour les périodes de disette, ou pour après l'hibernation. Sauf que quand il se réveille, généralement, il a oublié où il a caché son trésor.

Un flic, Duhamel, passait le Polilight derrière les meubles déménagés du salon.

Surréaliste.

Marianne toussa. Le vent du large se faufilait entre son col et son manteau pour la glacer jusqu'aux seins.

— Génial, Papy. L'agouti est le rongeur le plus con de la création !

— Le plus utile surtout, répondit le lieutenant Pasdeloup. Sans même le savoir, il disperse et plante les graines pour que la forêt se régénère, année après année. L'agouti est le jardinier de la forêt équatoriale. Si je te résume son destin, il possède un trésor, il le cache, il l'oublie. Mais pendant qu'il crève de faim, la forêt repousse plus belle !

— Putain…

Le regard de la commandante se perdit dans le tapis de points colorés du dessin d'enfant affiché sur sa tablette. Des graines ? Des fruits ? Des pièces d'or ?

Elle tenta de se rappeler quelques bribes des histoires de Gouti qu'elle avait déjà écoutées plusieurs fois sur le lecteur MP3. Ils devraient tout rembobiner, décomposer, décrypter. Trouver un lien, pourquoi pas, entre ces contes et la mort de Vasile Dragonman.

Elle posa sa main bien à plat sur la vitre froide et poussa la porte-fenêtre du balcon.

Avant ça, elle devait coincer Timo Soler et sa copine.

Son téléphone carillonna quelques secondes plus tard. Un mail. Des collègues encore, du Service régional d'identité judiciaire, qui lui envoyaient un message sécurisé standard, identifié par un numéro de dossier qui ne lui disait rien. Elle cliqua machinalement sur la pièce jointe.

Sa main s'agrippa soudain à la rambarde, comme saisie d'un vertige alors qu'elle lisait, stupéfaite, les trois lignes des résultats de l'analyse ADN.

46

Petite aiguille sur le 12, grande aiguille sur le 8

Malone était assis dans le canapé, à côté de Gouti.

Alexis Zerda s'était reculé de quelques pas, près de l'entrée, pour ne pas l'effrayer davantage pendant que Dimitri lui tendait le téléphone en lui expliquant pour la troisième fois qu'il allait parler à sa maman. Juste un tout petit peu, quelques phrases, seulement bonjour, comment ça va, moi tout va bien, puisqu'ils raccroche-raient très vite et qu'il devrait alors être sage, très sage, rester avec son autre maman, celle qui s'occupait de lui maintenant. Maman-da. Car sinon, plus jamais il ne pourrait reparler à sa maman d'avant.

Amanda leur tournait le dos. Muette. Le nez collé au carreau de la fenêtre. Un parking rond pour unique horizon. Un fin brouillard tombait sur le lotissement, comme si tout n'était qu'un mauvais rêve dans un mauvais décor. Pas même la force d'imaginer un ailleurs. Sa planète se limitait à ce rond de bitume. Dans le reflet de la vitre, elle apercevait l'ombre d'Alexis Zerda.

Avant que Dimitri ne descende avec Malone, il avait ouvert son blouson, l'air de rien, pour attraper un mouchoir, assez pour lui montrer le revolver accroché à son ceinturon.

Dimitri n'avait rien vu, ce fou.

Le piège se refermerait sur eux. Ils avaient pactisé avec le diable, l'avaient laissé entrer dans leur maison, dans leur vie. Pour un peu, elle aurait espéré voir surgir de la brume une voiture de police.

Elle appuya son front contre le verre, à s'en écraser les rides.

Sauf qu'alors, les flics lui prendraient Malone.

Dimitri composait le numéro.

Le regard d'Amanda s'éleva et s'arrêta sur le cadre au-dessus du buffet, les cœurs, les poèmes et les papillons. Dimitri était responsable de tout ce qui leur était arrivé. De cette succession de malheurs, chacun pire que le précédent, à chaque fois qu'il tentait de réparer l'irréparable.

S'ils devaient mourir tous les deux, son seul souhait était que Zerda tue son mari avant elle, rien que pour le plaisir de voir sa gueule s'écraser contre le carrelage froid et, l'instant d'après, de voir une dernière fois ces yeux stupides rester vides à jamais. Comme s'ils n'avaient toujours pas compris ce qui leur arrivait.

Comme si rien n'était sa faute.

* *
*

Le téléphone sonna une troisième fois. Il était posé sur le meuble de l'entrée, à côté du porte-manteau et d'un tableau représentant les falaises d'Etretat. Un téléphone fixe. Aucun policier n'avait osé décrocher.

Chacun attendait un ordre de la patronne. Elle était restée sur le balcon, concentrée sur l'écran de son portable.

Elle rentra soudain dans l'appartement d'un pas rapide, décrocha d'une main ferme, sans prendre la précaution de mettre des gants.

Elle se contenta d'écouter.

— Allô ? Allô, maman ?

Une voix de gosse. Très jeune.

Un silence. Une seconde peut-être ? Une éternité.

Marianne hésita à répondre, de peur qu'il raccroche.

— Allô, maman ? Tu m'entends ? C'est Malone !

Marianne se figea, comme électrocutée. L'agent Bourdaine, qui se tenait à deux mètres d'elle, cria par réflexe :

— Un problème, commandante ?

Puis, brusquement conscient de sa gaffe, posa sa main sur sa bouche.

On avait déjà raccroché.

Marianne avait juste eu le temps d'entendre un écho sourd, peut-être le son d'une détonation.

Un objet qui tombe ? Un corps ?

Pas le temps d'y réfléchir ou de se repasser les bandes, Marianne hurla assez fort pour que même les hommes arpentant le parking cinq étages plus bas entendent.

— La copine de Timo Soler avait un enfant ! Et je sais qui est cet enfant !

II
Amanda

47

Aéroport du Havre-Octeville,
vendredi 6 novembre 2015, 16 h 25

Malone avançait dans le long couloir du petit aéroport. Il trottinait, faisant trois pas pendant que maman en faisait un.

```
Porte 1
Porte 2
Porte 3
```

Il serrait la main de maman tout en essayant de compter dans sa tête les avions derrière la vitre. Face à eux, des gens déguisés comme pour la guerre marchaient. Seulement des garçons, presque sans cheveux, dont un avait une boucle d'oreille, et un autre des tatouages, sur les bras et dans le cou. Maman baissait la tête quand elle les croisait, comme si elle avait un peu peur elle aussi. Peur qu'on la reconnaisse.

Dès qu'ils étaient loin, maman disait toujours la même chose, presque en chuchotant, en se penchant vers lui :

« *Dépêche-toi, dépêche-toi, dépêche-toi...* »

C'est pourtant lui qui l'avait attendue, maman, tout à l'heure, quand il avait fallu passer la porte en retirant les montres, les ceintures et les lunettes, que ça avait sonné et que maman avait dû repasser une deuxième fois, en retirant son collier.

`Porte 4`
`Porte 5`

Il avait essayé de se sauver aussi, un peu après avoir franchi la porte. Pas loin, juste au bout du couloir, mais en voyant la grande affiche, pile au moment où maman l'avait appelé, il avait compris que c'était idiot.

Il devait rester à côté de maman, être sage, être grand, être courageux.

Il devait tout faire exactement comme il fallait.

`Porte 6`
`Porte 7`

Même s'il était triste pour Gouti. Son doudou lui manquait. C'était tellement plus difficile d'être courageux sans Gouti. La main de maman coinçait toujours ses doigts.

— *Dépêche-toi, dépêche-toi, dépêche-toi*...

Pouce, index, majeur de son autre main. Il y avait trois avions de l'autre côté de la vitre, un blanc et bleu, un blanc et orange et un tout blanc. Malone ne savait pas lequel partait pour la forêt des ogres.

`Porte 8`

C'était le blanc et orange, maman le lui montra du doigt. Des gens faisaient la queue devant eux.

Maman ne lâchait toujours pas sa main, mais ce n'était pas pour le faire avancer vite maintenant, c'était pour qu'il reste dans la file sans bouger.

Alors Malone ne bougeait pas. Il se contentait de rassembler son courage. Il devait tout faire comme on le lui avait dit, comme Gouti lui avait appris, comme sa maman d'avant lui avait demandé.

Sa maman d'avant, pas celle qui lui serrait la main.

Des gens commençaient à monter dans l'avion. C'était le moment !

Malone répéta dans sa tête les mots qu'il ne comprenait pas trop, même après les avoir prononcés des centaines de fois, en secret, dans son lit, avant de s'endormir, pour s'en souvenir chaque jour quand il se réveillait.

C'est une prière, c'est ta prière. Tu ne devras jamais l'oublier.

C'est tout simple, tu en es capable.

Juste avant de monter dans l'avion, tu devras dire une phrase, une phrase que tu as déjà dite mille fois, mais que tu devras dire juste à ce moment-là.

Même si ce n'est pas vrai. Il faudra que l'on te croie.

Il tira maman par la manche.

Même si ce n'est pas vrai. Il faudra que l'on te croie.

— Oui, qu'est-ce qu'il y a, mon chéri ?

Quatre heures avant

48

Petite aiguille sur le 12, grande aiguille sur le 10

Malone était assis à l'arrière de la voiture. Il n'y avait pas de rehausseur, comme dans celle de Maman-da, et du coup il ne pouvait rien voir dehors, seulement un bout de toit avec de la mousse et la parabole grise qui ressemblait à une soucoupe volante qui se serait pris une cheminée en volant trop bas. La ceinture de sécurité lui barrait le visage, de son œil gauche jusqu'au côté droit de son menton, comme un bandeau de pirate trop grand.

Il pressait Gouti contre lui. Des fois, dans la voiture de Maman-da, il lui mettait une ceinture aussi, celle du milieu, même que cela énervait Maman-da parce qu'on perdait du temps. Mais aujourd'hui, il tenait Gouti contre lui avec une seule ceinture pour deux. Parce qu'il avait un peu peur.

Maman-da aussi avait l'air d'avoir peur. Elle était montée à l'avant et se retournait souvent vers lui en lui faisant des clins d'œil et en lui disant : « Il va falloir être courageux, mon pirate. Il va falloir être très courageux. »

Zerda n'avait pas élevé la voix. Il les avait installés dans le Ford Kuga garé sur le parking, devant le pavillon, comme l'aurait fait n'importe quel père de famille un peu pressé d'aller reprendre le boulot.

Blouson boutonné jusqu'au cou, il s'était penché vers Amanda.

« Occupe-toi du gosse, arrange-toi pour qu'il ne se fasse pas remarquer. J'arrive… »

Puis il s'était redressé, avait esquissé un pas, avant de se pencher à nouveau vers le Ford Kuga.

« Attends-moi dans la voiture ! Joue pas à la plus maligne, si tu tiens au môme. »

Cette fois, il s'était dirigé vers la maison, traversant en trois enjambées l'allée de gravier, sans se retourner sur le 4 × 4 noir.

Dès que la porte du pavillon se referma derrière lui, Amanda se précipita sur le siège conducteur. Elle ne parvint à retenir son envie de hurler qu'en se mordant les lèvres. Au sang. Bouche cousue pour ne pas effrayer encore davantage Malone.

Pas de clé sur le contact !

Un instant, elle hésita à détacher Malone, à lui prendre la main et à s'enfuir en courant, à se perdre dans ce labyrinthe de thuyas, à ouvrir la première des barrières et à lâcher les chiens ; ou simplement à filer chez Dévote, là-bas, en face, et à se barricader chez elle.

Un instant…

Son regard se perdit dans celui de Malone.

Sa vie ne comptait pas, seule comptait celle de son enfant.

* *
*

Dimitri leva les yeux et s'essuya dans le même mouvement le coin des lèvres. Sa main droite se figea, arrêtant le verre de whisky à mi-distance entre la table et sa bouche. Le verre, rempli aux trois quarts, bien davantage que les doses antérieures que Dimitri s'était autorisées, tremblait dangereusement ; une attitude ridicule de gamin qui, dès que ses parents ont le dos tourné, aurait volé une poignée de bonbons au lieu de n'en prendre qu'un seul.

Alexis Zerda se taisait, comme s'il hésitait.

Dimitri bafouilla.

— Qu'est-ce que les flics foutaient chez Timo ? Putain, tu crois qu'ils l'ont coffré ? Ou qu'ils ont trouvé son cadavre ?

Zerda fit sauter trois boutons de son blouson.

— T'as eu une idée à la con, Dimitri, avec ce coup de téléphone. Une de plus…

Dimitri ricana et but, comme par défi, une longue gorgée de Glen Moray.

— T'étais d'accord, non ? T'es peut-être plus calé que moi en psychologie de l'enfant ? Le Roumain t'a donné des cours avant de partir en fumée ?

Il vida son verre pendant que les derniers boutons du blouson de Zerda s'ouvraient.

— T'es dans la merde, Alex. Pas moi. Je n'ai aucun lien avec Timo Soler, ni avec aucune de vos histoires. Je t'ai juste rendu service. Point barre…

Zerda s'avança dans la pièce, se planta devant l'unique fenêtre du salon, celle qui donnait sur le lotissement. Amanda et Malone attendaient toujours dans le Ford. Personne d'autre en vue sur le parking ou dans les jardins l'entourant. Il devait faire vite maintenant.

— T'es con, Dimitri. Déjà, à Bois-d'Arcy, t'étais le plus con de toute la prison. C'en était même attendrissant. C'est sans doute grâce à ça que t'as réussi à te trouver une femme. Un gosse.

Sa main se posa sur la fenêtre.

— Tu ne les mérites pas, Dimitri…

Zerda tira d'un geste brusque les rideaux. La pièce devint soudain sombre. Comme si le soleil s'était cassé la gueule.

Dimitri claqua le verre de whisky sur la table du salon.

— Tu fais quoi ?

— Tu te rends compte que tu es responsable de la mort d'un gosse ?

— Le gosse est pas mort…

— Pour Amanda, si…

Dimitri lécha ses doigts imbibés de whisky, puis écarquilla les yeux pour détailler les gestes lents de Zerda. Une main dans sa poche, l'autre vers sa ceinture.

Il passa son index sur ses incisives tout en ricanant. L'alcool à 40° anesthésiait son envie de crier. Alexis avait raison. Il était con. Même là, alors que Zerda allait pointer un flingue sur lui, il était incapable de réagir comme il l'aurait fallu. Il n'avait aucune idée de ce qu'Alexis voulait entendre, de ce qu'il cherchait. Sa terreur se transforma en un nouveau ricanement.

— Un gosse de perdu, et après ? Je lui en ai trouvé un autre ! Mieux que le premier, même. Tu as vu Amanda, tu vas pas dire le contraire, elle préfère celui-là.

Alexis Zerda sortit le pistolet avec le même détachement que s'il cherchait un mouchoir au fond de sa poche. Dans la pénombre, Dimitri distinguait seulement un bras qui se terminait par une forme étroite et allongée. Il crut reconnaître le Zastava, ce calibre serbe qu'Alexis avait racheté à un militaire à moitié fou qui revenait du Kosovo, il y avait près de quinze ans.

Zerda murmura en s'approchant d'un pas.

— Tu vois, Dimitri, j'aurai des regrets à me débarrasser d'Amanda. Beaucoup de regrets. Mais de toi, aucun…

Ne plus ricaner. Se foutre de la gueule de la mort n'est pas la solution pour lui échapper. Pas plus que lui tourner le dos.

Dimitri se leva, titubant un peu.

— Déconne pas, Alex. Quel intérêt t'as à me buter ? Je sais rien pour le butin, rien pour le gamin, rien sur rien.

— Les flics vont se pointer ici. Dans une minute ou deux. Tu les retarderas un peu. Comme le psy. Je suis comme le Petit Poucet, je sème des cadavres derrière moi. Des gros cadavres sur la route que les flics mettent du temps à déplacer, et ça me laisse le temps de disparaître.

Dimitri ne quittait pas des yeux le canon du Zastava. Il le voyait distinctement désormais. Un unique trait de lumière par le rideau l'éclairait, comme la poursuite lumineuse d'une pièce de théâtre. Selon le militaire givré qui l'avait vendu, ce flingue avait abattu des dizaines de Bosniaques, hommes, femmes, enfants…

Il bafouilla encore.

— Je les retarderai plus vivant, Alex. Tu te tires avec le gosse, je les baratinerai. Des heures s'il le faut. Je sais faire. T'auras le temps de partir où tu veux…

— Je sais. T'as raison, en plus. Tu sais faire ça, baratiner. On va juste dire alors que ça me fait plaisir.

Bang.

La balle de 10 millimètres se planta entre les deux yeux de Dimitri. Il s'effondra sur le tapis, renversant la table, le verre et la bouteille de Glen Moray.

Alexis resta moins de deux secondes à l'observer, comme pour s'assurer qu'il ne se relèverait pas, puis se dirigea à nouveau vers la fenêtre.

Ouvrit le rideau.

Un frisson le parcourut.

Amanda se tenait face à lui.

Le premier réflexe de Zerda fut de détourner les yeux et de jeter un regard sur le côté, trente mètres derrière elle. Il souffla, le gosse était toujours attaché dans la voiture ! Ses yeux revinrent, comme aimantés, vers Amanda.

Ils restèrent là, tous les deux, à se fixer, seulement séparés par la vitre sale.

Alexis lisait la peur sur le visage d'Amanda. Aucune douleur, aucune tristesse, aucune compassion pour le corps étendu sur le tapis qui baignait dans l'alcool.

Juste de la peur.

Et plus étrange encore, il devinait presque un sourire sur les lèvres d'Amanda. Comme un soulagement. Une attirance peut-être. C'est la réflexion que se fit Zerda quand il y repensa ensuite en conduisant le Ford Kuga, que cette petite bonne femme volontaire, presque encore jolie si elle s'en était donné la peine, si on prenait le temps de la regarder au fond des yeux, de lui demander de se maquiller et d'enfiler des habits de fille, bref que cette femme, tout en ayant une frousse effroyable du type debout en face d'elle, un flingue au bout du bras, ne pouvait s'empêcher de l'admirer.

Lorsque les lèvres d'Amanda bougèrent derrière la fenêtre, presque imperceptiblement, laissant seulement un peu de buée, il crut y lire un mot, un seul.

Merci.

49

La Mégane déboucha avenue du Bois-au-Coq.

« Manéglise, 17 kilomètres, 18 minutes », indiquait le GPS accroché sous le rétroviseur. L'agent Cabral espérait en diviser le temps par deux. Il accéléra encore, sirène hurlante, dépassant le tramway sur sa gauche. Au loin, le village de tôles ondulées se découpait dans le ciel couleur d'alu.

Marianne hurlait dans le téléphone :

— Tu ne prends pas le temps de trier, Jibé ! Tu attrapes un Curver, ou un carton, un sac-poubelle, n'importe quoi, et tu y entasses tous les dossiers de Vasile Dragonman. Je veux savoir tout ce qu'il a pu entendre, écrire, deviner sur Malone Moulin. Les dessins du gosse, les notes du psy, tu m'amènes tout ! En te dépêchant, tu peux nous rejoindre à Manéglise dans moins de quinze minutes. On fera une exposition sur place !

Le lieutenant Lechevalier bafouilla.

— Tu ne préfères pas que…

— On s'est fait balader depuis le début, Jibé ! Juste avant que le petit Malone appelle sa maman dans l'appartement de Timo Soler, j'ai reçu les résultats du test ADN que j'avais demandé au Service régional d'identité judiciaire, à partir d'un verre où avait bu le gosse. Les gars du SRIJ ont pu comparer la salive du môme avec l'empreinte génétique de Dimitri Moulin, il est fiché au FNAEG[1] : ils sont formels, impossible que Dimitri Moulin soit le père biologique de Malone ! Je te le répète, Jibé, on s'est fait promener. On nous a forcés à jouer au ping-pong alors qu'il n'y a qu'une seule et même affaire. Alors accélère…

L'agent Cabral s'engagea sans presque ralentir dans le rond-point face à lui. Le trafic était maintenant plus dense. Les voitures s'écartaient et la Mégane se faufilait entre les deux files de berlines, de bus et de camions, comme un gamin malpoli qui se glisse dans une longue file d'attente.

Marianne avait déjà changé de correspondant. Elle était désormais en contact avec le commissariat. Lucas Marouette, le stagiaire, était de garde. Il aurait un œil neuf sur tout ce cirque. Il saurait où chercher, il le lui avait prouvé.

— Lucas ? Tu me reprends tout le dossier du braquage de Deauville et tu te concentres sur Timo Soler. Tu me ressors toute sa biographie depuis sa petite enfance… Papy est à Potigny, le bled où Soler a grandi. Il aura peut-être d'autres infos sur place, mais en attendant, tu me passes en revue tout ce qu'on a sur sa vie privée et tu me déniches le moindre indice qui permette de penser qu'il avait un enfant, un enfant qu'il élevait avec sa copine, et, mieux encore, de l'identifier.

Cabral pila devant une 207, la conductrice semblait paniquée par la sirène, un *A* collé sur la lunette arrière. Marianne s'accrocha d'une main ferme à la portière,

1. Fichier national automatisé des empreintes génétiques.

sans lâcher le téléphone, avec juste une pensée fugitive pour son nez à peine cicatrisé.

— Je veux le nom de cette fille ! cria-t-elle à Marouette sans lui laisser le temps de lui répondre un « OK, patronne » ou de faire la moindre allusion à cette mission digne d'un journaliste de *Closer*, après avoir joué les paparazzis à Manéglise.

La Mégane dépassait la 207 qui avait calé et bloquait à elle seule l'accès au centre commercial devant eux. Ils roulaient le long d'un parking qui semblait s'étendre à perte de vue, un champ de bitume où un fermier fou aurait planté des graines de voitures. Multicolores, bien alignées dans leurs sillons impeccablement tracés. Prêtes pour la moisson. Directement de la production à la consommation.

Le regard de Marianne s'arrêta sur l'oiscau rouge et vert qui surplombait l'immense façade de l'hypermarché Auchan. Même un vendredi midi, le centre commercial du Mont-Gaillard connaissait déjà l'affluence d'un week-end de soldes.

L'agent Cabral dépassa un nouveau rond-point, alors que les voitures se rangeaient sur le côté pour le laisser passer. Il se retourna vers la commandante.

— C'est plutôt pratique, le gyrophare et la sirène, pour venir faire ses courses ici…

Marianne n'écoutait pas. Elle avait coupé son portable et ses yeux restaient accrochés aux enseignes qui défilaient. Selon Vasile, c'est ici, dans ce centre commercial du Mont-Gaillard, que le jeune Malone prétendait avoir vu sa mère pour la dernière fois. Sa véritable mère, celle d'avant Amanda Moulin.

Une mère qui vivait cloîtrée dans un appartement des Neiges avec Timo Soler ? Qui avait confié son gamin, il y a dix mois, à une inconnue ?

Pourquoi ?

Pourquoi lui confier son enfant, et dans le même temps fabriquer le plus délirant des stratagèmes, un lecteur MP3 cousu dans le ventre d'une peluche, pour que le gamin se souvienne d'elle ? Comment même était-ce possible, puisque ce gosse, Malone, était né chez les Moulin, avait vécu chez les Moulin, avait grandi chez eux les trois premières années de sa vie ?

Pouvait-il avoir deux familles ? Une garde alternée, mais partagée entre deux mères ? Chacune essayant d'effacer la mémoire de l'autre afin de garder ce gosse pour elle seule ?

Ils sortaient déjà du centre commercial. Ils atteindraient les limites de l'agglomération dans quelques minutes.

« Manéglise, 12 kilomètres, 9 minutes », corrigeait le GPS affolé.

Cabral avait gagné sept minutes sur la durée du trajet annoncée par l'entêtée voix féminine. Comme s'il en faisait une affaire personnelle entre elle et lui.

— Accélère, Cabral, siffla pourtant Marianne.

Solidarité féminine.

Devant eux, un château d'eau entièrement peint de décors marins, planté au milieu des champs, ressemblait à un phare. Pour diriger les tracteurs perdus dans la campagne ?

Une seule affaire, repensa Marianne. Timo Soler, Alexis Zerda, Vasile Dragonman, Malone Moulin. Depuis le début, une seule et même affaire.

Deux familles.

Un gosse.

Ça ne tenait pas debout…

50

Petite aiguille sur le 1, grande aiguille sur le 2

Le Ford Kuga roulait au pas. La route étroite était encaissée dans un talus planté, il y avait à peine la place pour que le 4 × 4 passe entre les branches de charmes et de châtaigniers. Zerda conduisait calmement, sans se soucier des feuilles qui caressaient sa carrosserie et les vitres des portières. Les larges roues du Kuga écrasaient sans soubresauts les nids-de-poule de la route et les touffes d'herbe qui crevaient le goudron.

Zerda se tourna vers Malone.

— Ouvre les yeux mon grand. Ma voiture, c'est une machine à remonter le temps, comme dans *Retour vers le futur*. T'es prêt pour le grand voyage ?

L'enfant l'observait sans comprendre. Devant eux, on devinait l'horizon s'agrandir entre les silhouettes épaisses de deux chênes presque enlacés.

Amanda, assise sur le fauteuil passager, se tordait les mains.

Une machine à remonter le temps.

Elle hésita à dire à Zerda de se taire, mais au fond, qu'est-ce que ça aurait changé ?

Alexis n'avait aucune idée de comment entrer en

communication avec un gosse de moins de quatre ans. Elle si, mais que pouvait-elle faire à part prier pour que Malone ait définitivement tout effacé de son cerveau et que le serpent derrière le volant le croie ? Prier pour qu'il soit suffisamment convaincu que Malone ne présentait plus aucun danger pour lui.

Elle voyait le cerveau d'un gosse comme un ordinateur. Même quand on mettait des choses à la poubelle, qu'on croyait les supprimer, des mails, des fichiers, des photos, ils étaient toujours là, quelque part, cachés. Il suffisait de demander à quelqu'un qui s'y connaissait un peu de les retrouver, des mois, des années plus tard… La seule méthode efficace était de jeter l'ordinateur par la fenêtre, du quinzième étage, de rouler dessus ou de le balancer dans la cheminée.

Elle espérait seulement que Zerda ne raisonnait pas comme elle. Il conduisait en silence maintenant, lunettes de soleil sur les yeux, même si les rayons étaient rares et filtrés par les arbres.

Amanda se retourna vers Malone. Il était calme, collé à la vitre de la portière, comme habitué aux longues routes silencieuses. Le soleil timide, derrière la végétation et les rares maisons, jouait à cache-cache avec ses cheveux clairs. A côté de lui, sur la banquette arrière, Amanda avait jeté la pochette dans laquelle elle rangeait tous les documents utiles : livret de famille, passeports, dossier médical. Zerda lui avait demandé de tout prendre, sans faire le tri, sans lui donner le moindre indice sur leur destination.

En pivotant, Amanda s'était approchée de lui, déplaçant ses jambes à une trentaine de centimètres de ses cuisses. Alexis passa une main sur son genou gauche, juste avant de rétrograder en seconde.

Amanda se colla à nouveau au fond du siège passager.

Ce n'était même pas un geste de drague, pensa-t-elle. Elle n'avait plus rien de sexy, elle ne croyait plus à tout cela depuis longtemps, l'attirance pour l'autre sexe, la séduction.

Plaire, pour Amanda, cela se limitait à sourire aux clients du Vivéco et à avoir l'air propre, reposée, pas même élégante et maquillée. Pour le reste, elle avait abandonné le jeu du baratin amoureux... Trop de tricheurs dans la partie. Elle considérait l'amour comme une arnaque pour les gogos, exactement comme les tickets de la Française des Jeux qu'elle vendait aux clients. On ne gagnait jamais, ou alors des petites sommes, juste assez pour vous inciter à rejouer, à y croire, mais jamais la cagnotte qui vous mettrait à l'abri jusqu'à la tombe.

Elle n'était peut-être pas bien maligne, mais elle avait au moins compris ça. La désillusion ! Dimitri avait été un excellent prof sur ce point. La main d'Alexis sur son genou, c'était un simple réflexe de domination masculine.

Zerda jouait avec l'autoradio. En tournant les doigts, il augmenta le volume des enceintes à l'arrière tout en baissant celles de devant.

RTL2.

Freddie Mercury entamait les premiers accords de *Bohemian Rhapsody*.

Piano-voix.

Mama...

Amanda venait seulement de comprendre qu'Alexis souhaitait lui parler sans que Malone puisse entendre. Elle devait néanmoins tendre l'oreille pour distinguer chaque mot de sa voix sifflante. Hors de question qu'elle se rapproche d'un centimètre.

— Ne t'en fais pas, Amanda, je sais ce que tu penses, mais je ne lui ferai pas de mal. Si j'avais dû m'en prendre à lui, je l'aurais fait depuis longtemps et tout aurait été plus simple. Je suis un type dangereux, une ordure, un salaud, tout ce que tu veux, mais je ne touche pas aux gosses.

Il avait relevé ses lunettes et la regardait ; ses yeux de serpent cherchaient à sortir de leur fente.

Impossible de lui faire confiance !

Sa main glissa du levier de vitesse et remonta sur la cuisse d'Amanda.

Caressa son jean. Pourri. Acheté dix euros au marché.

Un simple réflexe de mâle dominant, répétait Amanda dans sa tête. Une habitude. Presque une forme de politesse.

Elle repoussa doucement sa main, sans un mot.

Un mince sourire s'afficha sur ses lèvres, sans même qu'il quitte la route des yeux.

— Je ne suis pas comme Dimitri, ajouta-t-il. Je ne fais pas de mal aux gosses.

De sa main droite, il fouilla le vide-poche puis il fit glisser vers Amanda une photo coincée sous une carte routière.

— J'ai pris cela avant de partir. C'est Dimitri qui me l'avait apportée. Tu la reconnais ?

Malone.

— Faudra que tu parles au gosse, Amanda. Autant que ce soit toi qui lui expliques plutôt que les flics. Moi, je serai déjà loin.

Amanda fixa le paysage qui se dégageait derrière un pavillon neuf entouré de haies naines, un instant, avant que le chemin ne bifurque à nouveau sous les talus plantés.

— Penses-y, Amanda. Pour qu'il comprenne ce qui lui arrive. Je ne crois pas qu'ils te laisseront Malone après tout ça.

Il augmenta du bout de l'index le volume de l'autoradio. Le piano de Freddie s'effaçait pour laisser s'envoler la guitare de Brian May.

Le cerveau d'Amanda était lui aussi un ordinateur. Il avait résisté à la chute de dix mètres, au trois tonnes cinq qui lui était passé dessus et aux flammes de l'enfer.

Sa mémoire était toujours intacte. Une simple photo glissée entre ses doigts suffisait à faire resurgir les images du passé, aussi bien stockées sous son crâne que sur un DVD rangé au fond d'un tiroir.

Malone.

C'était il y a dix mois. Le 23 décembre exactement.

De brèves scènes défilaient. La naissance de Malone. Malone rampant devant sa chambre sur la moquette de l'étage. Malone debout dans le parc. Ses premiers pas. Ses premiers mots. Ses premières dents. Les pleurs de Malone. Les rires de Malone. Les sueurs de sa mère, en alerte permanente. Malone, un garçon tellement casse-cou, escaladeur, explorateur, équilibriste. Les précautions infinies de sa mère, les barreaux vissés au lit-cage, les sangles accrochées à la chaise bébé, les barrières boulonnées en haut et en bas de l'escalier, à refermer derrière soi, toujours.

Malone.

Entre ses mains nerveuses, la photographie confiée par Zerda se gondolait, déformant le visage de l'enfant.

Elle repensait à ses hurlements en découvrant le corps de Malone en bas de l'escalier, la bannette de linge qui lui tombe des bras. Dimitri, un verre à la main, qui s'y accroche. A dix mètres de Malone, qui devait le surveiller, qui n'a rien vu, n'a rien dit, n'a rien fait.

Les urgences. L'espoir. L'attente.

Le diagnostic.

A peine quelques heures de coma. Un traumatisme crânien. Malone vivra.

Sans doute.

Pour le reste, on ne peut rien dire, il faut attendre.

La sortie de la clinique privée Joliot-Curie, onze jours plus tard, loin des regards des voisins, des cousins, des amis, de la suspicion et de la honte. Pour tous, ils étaient partis en Bretagne pour les fêtes voir le Mont-Saint-Michel, les remparts de Saint-Malo et l'aquarium. Il serait bien temps d'expliquer, plus tard.

Le retour à Manéglise, avec Malone.

Les séquelles…

Malone le casse-cou qui ne quitte plus sa chaise, Malone l'équilibriste incapable de s'habiller seul, de manger seul, de pisser seul, Malone l'explorateur dont seuls les yeux bougent désormais, et qui ne semble plus voir que ce qui est minuscule, plus petit que lui du moins, les insectes, les mouches, les fourmis, les papillons. Ce qui bouge à côté de lui quand on le pose quelque part.

Le reste, le plus gros, la vraie vie qui palpite, il ne le remarque plus, ni les fleurs, ni les arbres, ni les voitures.

Ni sa mère.

Amanda passa son doigt sur le visage triste du garçon sur la photographie. Malone sortait de chez le coiffeur, il avait une frange droite qui lui barrait le front et portait sa chemise à carreaux Du Pareil Au Même, celle qui le serrait trop. De façon étrange, elle ne le trouvait plus vraiment beau. Ses yeux étaient inexpressifs, trop rapprochés, avec un nez trop fort, celui de Dimitri. Elle posa sa main gauche en écran et se tourna légèrement vers Zerda, pour que Malone, qui fixait le paysage à travers la vitre, ne voie pas le cliché.

Freddie chantait toujours. Sa chanson était interminable. La plus longue de tout le répertoire de Queen.

Mama ô ô ô ô...

Amanda n'avait parlé avec personne de l'accident, à l'exception du professeur Lacroix, le chef de service qui avait coordonné le suivi médical de Malone à la clinique Joliot-Curie. Elle avait décidé d'attendre que Malone aille mieux, pour en parler autour d'elle comme d'une bonne blague, d'une grosse frayeur, d'une sacrée épreuve qu'ils avaient traversée. Selon le professeur Lacroix, il y avait 15 % d'espoir que Malone guérisse totalement. Et si la vie les faisait basculer de l'autre côté, celui des 33 % de risque que tout empire, très vite, alors elle fermerait les volets du pavillon, se barricaderait chez elle et n'adresserait plus jamais la parole à personne.

C'était une question d'amour, avait certifié le professeur Lacroix. D'amour et d'argent, avait vite compris Amanda. Elle avait trouvé sur le Net un laboratoire américain qui opérait les lésions cérébrales, en remplaçant les neurones endommagés par la stimulation de nouveaux axones, d'après ce qu'elle avait compris. La seule équipe au monde à pratiquer une telle neurochirurgie. Cela se chiffrait en centaines de milliers de dollars pour une simple intervention, mais le professeur Lacroix avait eu l'air sceptique lorsque Amanda lui avait tendu la feuille imprimée en anglais.

C'est une question d'amour, madame Moulin, pas d'argent.

Pas besoin de lui faire un dessin. La désillusion, elle connaissait.

Les jours étaient passés. L'état de Malone s'était stabilisé. En apparence.

Sauf que les autres gosses de son âge progressaient, parlaient, comptaient, dessinaient. Lui non.

Ou alors seulement avec les mouches, les papillons et les fourmis. Elle l'aidait comme elle pouvait, s'intéressait, improvisait, jouait avec ces fichus insectes, comme d'autres mamans collectionnent les perles ou les billes.

Les examens se succédaient, tous les trois jours. Pour établir un diagnostic longitudinal, comme ils disaient.

Amanda retourna la photo. Elle lut.

Malone, le 29 septembre 2014

Le cliché avait été pris devant l'aiguille d'Etretat trois mois avant l'accident. Ce jour-là, Malone avait passé l'après-midi à courir après les mouettes sur la digue.

Le dernier courrier de la clinique Joliot-Curie était arrivé le 17 janvier 2015, entre deux factures. Amanda avait appris à lire les comptes rendus médicaux. Elle n'était pas si idiote, quand elle voulait. La feuille de l'hôpital lui était tombée des mains, tout doucement.

Malone était condamné. Il n'avait plus que quelques semaines à vivre. Ils avaient trouvé une fissure à l'intérieur de son cerveau, une fissure minuscule, mais qui s'agrandissait, petit à petit, de plus en plus rapidement, jusqu'à se rapprocher des fonctions vitales, entre le tronc cérébral et la moelle épinière, très exactement dans un coin du cerveau appelé le pont de Varole, celui qui commande la motricité et la sensibilité.

Le pont se lézardait.

C'était inéluctable.

L'espérance de vie de Malone était comparable à celle d'une libellule, d'un papillon, d'une fourmi.

D'un éphémère.

Comme s'il l'avait toujours su.

Amanda ouvrit la vitre et, lentement, déchira la photo en rubans, qu'elle déchiqueta en confettis et dispersa au vent. Alexis Zerda, les mains posées sur le volant, affichait toujours son sourire figé. Presque un tic. Ou alors, c'était sa façon de vouloir paraître rassurant.

Amanda referma la vitre.

Freddie terminait de chanter, tout bas, en contraste avec tout son cirque lyrique habituel.

Piano-voix, histoire de boucler la boucle.

Anyway the wind blows…

Dimitri n'avait rien dit ce matin-là, il avait juste lu la feuille de la clinique, puis il avait posé son verre sur la table et avait enfilé son manteau.

Elle entendait encore la porte claquer, la voiture démarrer.

Il n'avait pas osé lui en parler, il avait son idée derrière la tête depuis quelques jours.

Peut-être espérait-il se faire pardonner. Comme si Amanda pouvait un jour le regarder autrement qu'avec ce mépris, ce dégoût absolu.

Il était sorti sans un mot.

Pour aller chercher un second gosse.

Comme on remplace un chien qui va mourir par un autre.

51

Aujourd'hui, réveillon du 24 décembre, ce connard barbu s'est pointé sans iPhone 6, sans iPad, sans Nintendo 3DS, mais avec un séjour linguistique à Francfort et un abonnement à Acadomia.
Envie de tuer
Ma petite sœur n'a même pas eu le temps de croire au père Noël. Il crame dans la cheminée avec sa hotte.

Condamné : 853
Acquitté : 18

www.envie-de-tuer.com

— Peut-être qu'il n'a pas voulu goûter à son gâteau au Carambar…

Marianne Augresse jeta un regard désolé sur l'agent Bourdaine. Elle se tenait dans l'entrée, contre le portemanteau en merisier, observant une pièce après l'autre. La cuisine et le salon. Au fond, l'allusion déplacée de Bourdaine n'était pas stupide, si on se fiait aux apparences.

Côté cuisine, on aurait juré qu'Amanda Moulin allait surgir d'une seconde à l'autre, un torchon à la main, une éponge dans l'autre, et crier d'une voix enjouée à toute sa petite famille : « C'est prêt, on mange ! »

Table dressée. Tomates-mozzarella dans le frigo. Pain frais. Gâteau au four. Trop cuit. La seule fausse note.

Côté salon, tout avait dérapé. Dimitri Moulin gisait sur le tapis de bambou aux motifs japonais rappelant vaguement des nénuphars. Les nymphéas flottaient désormais dans une mare de sang à moitié asséchée par les lattes de bois tressées.

Une balle entre les deux yeux.

Pas d'arme apparente.

Pas de témoins, Amanda et Malone Moulin avaient disparu.

La voiture des Moulin était encore dans le garage, ils avaient vérifié. Tout portait donc à croire qu'Amanda Moulin avait abattu son mari, puis s'était enfuie avec son fils. Son fils supposé, du moins. A pied…

Marianne Augresse avança d'un pas, jusqu'à la porte du petit placard sous l'escalier. Elle continuait de trouver invraisemblable le contraste entre les deux pièces, la scène de ménage et la scène de crime, comme séparées par une frontière infranchissable, deux univers qui ne pouvaient pas être connectés. Pas ainsi. Pas aussi brutalement.

Il y avait autre chose.

Marianne se força à ne pas s'enfermer dans des hypothèses qui ne menaient à rien pour l'instant. Après tout, il n'y avait qu'à laisser la police scientifique faire son travail, ils ne mettraient pas longtemps à trouver si quelqu'un d'autre était présent dans la pièce, même s'il n'y avait qu'un verre de whisky posé sur la table du salon, même si d'après son patron Dimitri Moulin avait quitté son travail vers 11 h 30, et avait donc été tué moins de trente minutes après être rentré chez lui pour déjeuner.

Constantini et Duhamel quadrillaient le quartier à la recherche d'autres témoins. Deux autres voitures tournaient dans Manéglise et sur les départementales alentour… si Amanda Moulin avait vraiment paniqué, avait filé seule avec son gamin sur les routes, elle ne pourrait pas aller bien loin.

Sauf que Marianne ne croyait pas une seconde à cette version.

Elle s'approcha de la fenêtre et vit la voiture du lieutenant Lechevalier se garer en trombe devant le pavillon, attendit que Jibé se penche à l'arrière pour en sortir une imposante caisse de plastique et ramasser plusieurs feuilles éparpillées dans le coffre. Sûrement l'ensemble des documents trouvés chez Vasile Dragonman.

Jibé avait été rapide. Jibé était efficace. Même furieux de n'avoir pas vu sa femme et ses enfants depuis hier, furieux contre sa commandante en particulier, Jibé lui serait utile, le plus utile de tous pour passer au crible chaque mois de la courte vie d'un gosse de trois ans.

La commandante se retourna vers le salon et fixa le cadavre de Dimitri Moulin, histoire de penser à autre chose, à l'orphelin qu'il laissait derrière lui par exemple.

Une balle entre les deux yeux.

Le tir était net, précis. Un tir de professionnel, pas celui d'une femme qui aurait tenu un revolver pour la première fois et qui l'aurait braqué sur son mari à la suite d'une dispute, pour se défendre, pour se faire justice, qui aurait paniqué, qui aurait craqué, qui aurait pressé la détente. Elle ne croyait pas non plus à la préméditation. Même la plus consciencieuse, la plus soumise des mères de famille ne place pas une assiette, un verre, une fourchette et un couteau devant la chaise de l'homme qu'elle a projeté d'abattre dès qu'il posera ses fesses dans la maison.

Le portable de la commandante vibra. Un bref texto.

Angie.

La belle s'inquiétait toujours à propos du cadavre retrouvé cap de la Hève… mais Marianne n'avait pas le temps de la rappeler, de lui confirmer que oui, c'est bien Vasile Dragonman qui avait été assassiné. Elles se saouleraient toutes les deux à sa mémoire un de ces prochains soirs, mais pour l'instant, sa jolie coiffeuse n'avait rien à lui apprendre sur les méandres secrets du cerveau de ce psy. Rien ne pressait, elle lui téléphonerait plus tard…

Marianne Augresse mit un pied sur la première marche de l'escalier, puis s'adressa à l'agent Benhami.

— Dis à Jibé de me rejoindre dans la chambre du gosse. Si elle est trop lourde, tu l'aides à monter la caisse. On va s'installer là-haut pendant que vous jouez avec vos cotons-tiges et vos éprouvettes.

* *
*

Jibé avait étalé sur le lit quelques dessins de Malone, une quinzaine de feuilles A4 que Vasile Dragonman avait archivées dans son dossier.

La chambre ne devait pas excéder quinze mètres carrés et était légèrement mansardée sur le mur qui faisait face à l'escalier. Marianne fut obligée de se pencher pour allumer le petit lecteur de CD posé sur la bibliothèque, avant d'y brancher le lecteur MP3.

La voix enregistrée rompit le silence dans la chambre d'enfant. Une voix douce, calme, dont il était presque difficile de distinguer si elle était féminine ou masculine. A travers une écoute distraite, elle pouvait même passer pour celle d'un jeune enfant, comparable à celle des personnages de dessins animés, cohérente sans doute avec la voix qu'aurait une peluche, si elle avait pu parler ; dans l'esprit de Malone au moins.

Car après une écoute plus approfondie, il n'y avait presque plus aucun doute, il s'agissait d'une voix féminine, dont les aigus étaient parfois un peu trop accentués et certaines intonations un peu trop métalliques. Marianne était persuadée que la voix avait été maquillée, certainement trafiquée sur un ordinateur avec un logiciel basique de traitement de son. Ça aussi, ce serait facile à vérifier.

Gouti avait tout juste trois ans, ce qui était déjà grand dans sa famille, car sa mère n'en avait que huit et son grand-père, qui était très vieux, en avait quinze.

Quel était l'intérêt de déformer la voix de Gouti ?

Ils habitaient dans le plus gros arbre de la plage, ses racines avaient la forme d'une immense araignée, au troisième étage, la première branche de gauche, entre une sterne presque tout le temps partie en voyage et un vieux hibou boiteux en retraite qui avait servi sur les bateaux de pirates.

La réponse apparaissait évidente. La voix était modifiée pour qu'on ne la reconnaisse pas ! Pour que si Gouti et son cœur tombaient entre les mains d'un inconnu, ou si Malone parlait trop, ou n'était pas assez prudent avec ses écouteurs sous sa couette, on ne puisse pas remonter jusqu'à la conteuse.

Sa vraie maman ? La copine de Timo Soler ?

La réponse n'était qu'à moitié satisfaisante. Comment identifier quelqu'un en ne possédant que sa voix comme indice ? Parce que la police la connaissait ? C'était l'explication la plus cohérente, même si elle ne semblait pas non plus pleinement convaincante. Si la fille possédait un casier judiciaire, avait connu Soler parce qu'elle appartenait au même milieu du petit banditisme, il ne serait pas bien difficile de repérer son identité, que sa voix soit camouflée ou non.

Marianne écoutait à peine l'histoire qu'elle avait déjà passée en boucle la veille, mais Jibé, au contraire, avait l'air concentré sur le récit de cette voix de robot sorti d'un manga. Faute de place sur le lit, il avait étalé la carte au 1/25 000 sur le petit bureau. Il connaissait les règles, Marianne lui avait annoncé la nature du jeu : une chasse au trésor ! Reprendre la partie là où l'avait laissée Vasile Dragonman. Même carte, mêmes indices, avec un gros avantage sur le psychologue scolaire : ils devaient privilégier les zones à proximité du cap de la Hève, puisque c'est là que Dragonman avait été assassiné. Parce qu'il touchait au but ?

La commandante s'attarda quelques secondes sur la chambre de Malone. Les jouets s'y entassaient, presque trop nombreux pour une famille aussi modeste que les Moulin, mais Marianne savait qu'il aurait été stupide d'y voir un signe anormal. Malone était un enfant unique, tout ce qui transpirait de cette pièce, c'était l'amour de ses parents, de sa mère au moins, pour ce gosse.

La commandante observa plus en détail, au-dessus de la table de chevet, le calendrier fluorescent et la fusée posée sur l'une des sept planètes, celle d'aujourd'hui, vendredi. C'est donc ainsi que le petit Malone se rappelait les jours, se repérait sans se tromper dans la semaine, alors que les gosses de son âge étaient parfois encore incapables de distinguer les soirs des matins.

Tout avait été calculé ! Minutieusement planifié. Malone avait été manipulé depuis près d'un an, par ses parents adoptifs, Amanda et Dimitri, ou à l'inverse par cette femme, à l'insu des Moulin, pour qu'il conserve une trace de sa vie antérieure, malgré les efforts de sa famille d'accueil.

La commandante se posa enfin sur le petit lit, écarta les dessins et s'appuya contre l'oreiller Buzz l'Eclair, jumeau d'un autre à l'effigie de Woody. Elle entendait en bas les pas lourds des collègues de la police scientifique et n'avait aucune envie de descendre. Marianne se sentait bien, apaisée, dans cette pièce pastel qui ressemblait à un asile inviolable. Jibé la frôla pour attraper de gros aimants multicolores et accrocher quelques autres dessins sur le radiateur jaune paille.

Depuis quelques minutes qu'elle partageait avec lui l'intimité de cette chambre, elle avait remarqué à quel point son adjoint semblait à l'aise. Dans cet environnement inconnu, il disposait de repères presque instinctifs. On devinait qu'il savait d'un geste naturel remonter les draps d'un lit et repérer le jouet caché dessous qui le bosselait ; ranger une peluche comme d'autres hommes ramassent un morceau de papier sur le tapis de sol de leur voiture ; retrouver une histoire rien qu'au dos dans une bibliothèque de cent albums ; marcher sur la moquette sans écraser aucun des Playmobil ou des petites voitures dispersés, le geste sûr, rassurant. Elégant.

Un Chippendale dans un magasin Toys Я Us.

Totale séduction, le top du top, les mecs bodybuildés de son club de fitness pouvaient suer une vie sans lui arriver à la cheville.

Elle imaginait son ombre de géant quand il passait devant la veilleuse du chevet pour embrasser sa petite fille. Elle ressentait, comme un fantasme, ce que devaient ressentir des parents qui vont cacher le cadeau de la petite souris sous l'oreiller de leur gamin, raconter une histoire à deux voix, faire un câlin à trois, à dix en comptant les peluches et les doudous, cette complicité quotidienne qui donne une raison de rester ensemble même à des couples qui se détestent, qui font encore supporter l'autre, celui pour qui l'on n'a pourtant plus que du mépris, ce genre de secondes d'éternité qu'aucun orgasme dans un couple ne remplace.

Un instant, Marianne pensa à la chambre de son appartement, celle à côté de la sienne, vide, en bordel, peuplée de cartons jamais déballés, de sa guitare poussiéreuse, de sa collection de poupées péruviennes décolorées et d'un tancarville où elle étendait des sous-vêtements qui n'excitaient personne. Un instant, elle l'imagina peuplée d'un mobile arc-en-ciel, d'un papier peint de chats roses, de rideaux girafe, d'une moquette clowns…

Putain, se concentrer.

Face à elle, sur le mur, était peint un carré d'ardoise sur lequel on pouvait dessiner, effacer, recommencer. La boîte de craies était posée à côté.

Marianne, pour penser à autre chose qu'au vide qui lui tiraillait le ventre, attrapa un morceau de craie blanche.

Puis écrivit :

Qui est la copine de Timo Soler ?

Est-elle la mère de Malone ?

Pourquoi dissimule-t-elle sa voix ?

Pourquoi a-t-elle confié son enfant à Amanda et Dimitri Moulin ?

Pourquoi a-t-elle confié à une peluche la mémoire que son fils allait perdre ?

De quoi devait-il se souvenir ? Etait-il programmé pour un but précis ? A un moment précis ?

La réponse est-elle codée dans les histoires de Gouti ?

La craie blanche se cassa au neuvième point d'interrogation. Elle en prit une autre.

Qui est Gouti ? Pourquoi la peluche de Malone est-elle un agouti, un rongeur amnésique ?

Elle changea de craie, en saisit une rose. Alterna lettres attachées et caractères bâtons :

QUI a tué VASILE DRAGONMAN ?
QUI a tué DIMITRI MOULIN ?
QUI sera la prochaine victime ?
QUI est le tueur ? Qui sont les tueurs ?
OÙ est AMANDA MOULIN ?
OÙ est MALONE MOULIN ?
OÙ est TIMO SOLER ?
OÙ est ALEXIS ZERDA ?
OÙ est le butin du braquage de Deauville ?

D'un geste nerveux, elle utilisa ce qui lui restait du bout de craie pour tracer un arc de cercle entourant l'ensemble des mots, puis écrivit, en diagonale :

QUEL EST LE LIEN ENTRE TOUTES CES QUESTIONS ?

Jibé la regarda.

— Rien que ça ? Rien que vingt questions ?

Marianne rangea la craie, calmement, puis observa sa montre.

— Et une petite dernière en prime. Pourquoi Papy ne rappelle-t-il pas ?

52

Federico Soler. 1948-2009.

Dans le cimetière de Potigny, les morts n'étaient pas très vieux. C'est du moins la réflexion que se faisait le lieutenant Pasdeloup en s'exerçant à un numéro de calcul mental macabre tout en progressant lentement entre les tombes.

Soixante et un ans. Cinquante-huit ans. Soixante-trois ans.

Soixante-dix-sept ans, presque un record.

La fermeture de la plus grande mine de l'ouest de la France, en 1989, n'avait guère eu d'effet sur l'espérance de vie des mineurs devenus chômeurs. Pour eux, c'était trop tard. Ou trop tôt. Ceux qui le pouvaient s'étaient tirés, les autres étaient restés coincés ici. Derrière le cimetière, Papy apercevait le clocher de Notre-Dame-de-Czestochowa, la chapelle des Polonais, mais les drapeaux sur les tombes devant lui et les langues des épitaphes trahissaient la présence d'une vingtaine d'autres nationalités échouées ici pour y reposer à jamais.

Italiens, Russes, Belges, Espagnols, Chinois.

Quelques minutes plus tard, le lieutenant s'arrêta devant une autre tombe, plus large, un cercueil pour deux.

Tomasz et Karolina Adamiack, les parents d'Ilona Adamiack, devenue Lukowik en se mariant avec Cyril, décédés la même année, en 2007. Lui à cinquante-huit ans et elle à soixante-deux. Papy avait désormais tous les éléments du dossier en tête, la biographie précise de chacun de ceux qu'il appelait pour lui-même la bande des Gryzońs. Quatre gamins nés ici, à quelques maisons d'écart. Les parents de Cyril Lukowik étaient les seuls à toujours habiter le village, toujours la même maison, le 9 rue des Gryzońs. Ceux d'Alexis Zerda avaient déménagé dans le Sud, à Gruissan, sur la côte languedocienne, une dizaine d'années plus tôt.

Papy traîna encore un peu dans le petit cimetière désert. Avant d'y entrer, il avait fait un tour rapide dans le village. Dans le centre, tout était presque reconstruit à neuf, les traces du passé étaient réservées aux initiés. Des wagonnets de fer qui servaient de bacs à fleurs à chaque entrée de la ville, une rue de la Mine, un stade des Gueules Rouges avec son terrain de la Pétanque Minière, un château d'eau en forme de derrick.

Comme si le temps s'était perdu.

Comme si les enfants qui avaient grandi ici s'étaient perdus.

Plus de mine, plus de parents, plus de travail.

Ce n'était pas une excuse. Juste une explication.

Ici, à Potigny, la misère. Là-bas, à Deauville, à peine cinquante kilomètres plein nord, la mer.

Deux villages de la même taille, dans le même coin, mais comme s'ils n'appartenaient pas au même monde.

Ce n'était pas une excuse, juste une tentation.

Papy s'approcha de la grille du cimetière pour rejoindre sa voiture. Oui, il n'était pas si difficile de comprendre pourquoi la bande des Gryzońs avait eu envie de faire ses courses à Deauville, sans carnet de chèques ni carte bancaire, avec un Beretta 92 et deux Maverick 88. Ce n'était même pas une question de nécessité. D'identité, plutôt.

Etre né dans un village de mineurs normands ? Sacrée rigolade ! Avoir grandi dans un coron au cœur du pays d'Auge, sans vaches ni pommiers, qui pourrait y croire ? Même pas un Pierre Bachelet local pour se donner un semblant de fierté. Rien qu'une expérience de forage, foireuse, pendant quelques décennies, que tout le monde avait déjà enterrée. Une génération sacrifiée, venue des quatre coins de la planète pour finir oubliée ici, dans ce cimetière de poche, à part les Polonais peut-être.

Tout l'inverse de sa vie, au fond, songea Papy en poussant la grille. Sa famille à lui, enfants, petits-enfants et ex, s'était dispersée partout en France, jusqu'aux Etats-Unis. Il pensa quelques secondes à sa grande, Anaïs, il devait être 7 heures du matin à Cleveland, elle devait encore dormir.

Le téléphone vibra dès qu'il se retrouva sur le trottoir. Marianne ! Un message qui datait d'un bon quart d'heure. Papy avait coupé son portable dans le cimetière, non pas par peur de déranger les voisins, il était le seul à se promener entre les tombes. Plutôt par respect, plus par superstition que par religion ; si on n'avait pas prouvé que les ondes des smartphones étaient nocives pour les êtres vivants, peut-être qu'elles perturbaient les communications entre spectres dans l'au-delà.

— Papy ? T'es arrivé à Potigny ?

La voix de la commandante résonnait dans son oreille, excitée.

— Ouais…

— Génial ! C'était peut-être une bonne idée, au bout du compte, d'aller te perdre là-bas. Tu me rassembles tout ce que tu peux trouver sur Timo Soler. Tu as compris, on cherche une fille. Et peut-être même un gosse qu'il aurait eu avec elle. Timo Soler a bien dû garder de la famille dans le village, des amis, des voisins…

Le lieutenant Pasdeloup visualisa successivement la tombe de Federico Soler et le dossier de son fils. Timo avait été élevé seul par son père, jusqu'à sa mort en 2009, à soixante et un ans. Cancer des poumons. Sa mère, Ofelia, s'était tirée pour retourner en Galice alors que Timo n'avait que six ans.

— Il y a huit ans que Timo Soler est parti de Potigny… Depuis, la silicose a dû liquider toute la génération qui a connu Timo ado plus sûrement qu'une épidémie de choléra.

La réponse de Marianne claqua.

— Tu te démerdes, Papy. C'est toi qui as voulu aller faire du tourisme à Potigny. Alors maintenant, tu assumes. Tu me retrouves une vieille instit, ses potes du club de foot, un curé, une boulangère qui l'a connu marmot, n'importe qui.

N'importe qui…

Les rues de Potigny étaient désertes. Les commerces étaient neufs. Le village semblait avoir depuis longtemps exorcisé les fantômes de la mine.

— Je ne pouvais pas prévoir, Marianne.

— Prévoir quoi ?

— Les rebondissements depuis ce matin. Ça faisait dix mois qu'il n'y avait aucun élément nouveau sur le braquage de Deauville.

Marianne soupira. Papy arrivait dans la longue rue commerçante qui traversait le village en ligne droite.

— Tu prévoyais quoi, alors ? C'était quoi, le but de ton pèlerinage ?

— Une intuition. C'est encore trop tôt pour t'en parler. Une sorte de matrice qui ordonne l'ensemble des pièces du dossier, un truc qui expliquerait tout. La rue des Gryzońs, leur adolescence ici, les cases vides dans leurs CV et les cases pleines dans leur casier, mais aussi depuis ce matin les confidences de Malone Moulin, cette histoire de fusée, le fait que ce gosse traîne un agouti…

— Tu fais chier, Papy ! T'es au courant qu'ici, on s'amuse comme des fous ? On écoute en boucle le récit d'une peluche et on tente de dessiner des contes de fées sur une carte au trésor… Pour tout te dire, tu me serais plus utile ici, t'es celui qui connaît le mieux le coin parmi tous mes hommes. A cause de toi, Jibé va être bloqué dans une chambre d'enfant, à se farcir des dizaines de dessins d'enfant, sans même pouvoir aller chercher ses propres gosses à l'école et faire la bise à sa femme.

Le lieutenant Pasdeloup apercevait justement l'école, au bout de la rue. Pile en face, une jolie fille sortait d'un salon de coiffure. Court vêtue, haut perchée et blonde, peut-être depuis moins d'un quart d'heure.

Papy ne put s'empêcher de rire en faisant le rapprochement avec les dernières paroles de la commandante.

— J'ai raté une étape, Papy ?

— Désolé, Marianne. C'est juste une image qui s'est télescopée avec ce que tu viens de me raconter. Jibé en père modèle, ça, je te confirme. Mais de là à dire que quand il quitte le commissariat à 16 heures, c'est pour faire la sortie des classes…

— Pardon ?

Marianne se leva d'un bond, manquant de se cogner au mur mansardé.

— Il n'a pas vraiment rendez-vous avec ses enfants, précisa Papy. Plutôt avec les mamans, si tu vois ce que je veux dire. Il est plus branché sac à main que cartable.

— Hein ?

— S'il faut te mettre les points sur les i, de 5 à 7, Jibé aime bien rester en étude, suivre des cours particuliers, avec des maîtresses belles et consentantes, mais pas celles qui font la classe aux enfants. Moi aussi, Marianne, j'ai été sur le cul quand j'ai appris ça hier. Un clin d'œil de Jibé m'avait un peu intrigué, mais visiblement, tout le commissariat était déjà au courant !

Marianne se laissa tomber contre le mur de la chambre de Malone, celui de l'ardoise peinte. Sans même qu'elle s'en rende compte, sa veste effaçait les mots à la craie qu'elle avait tracés. Il n'en restait plus que quelques points d'interrogation suspendus en l'air, quelques mots à moitié illisibles.

Mère, enfant, souvenirs, tueurs...

La commandante fixait le lieutenant Lechevalier, à moitié allongé sur le lit recouvert de croquis d'enfants. Concentré sur l'enquête.

Un pro.

Sauf qu'il ne travaillait pas sur les notes de Vasile Dragonman ou les dessins de Malone... Jibé était plongé dans un autre dossier, celui du braquage de Deauville, de la fusillade, rue de la Mer, devant les Planches.

Plus intéressé par les histoires de gangsters que par les gribouillages d'un gosse ! pensa Marianne. Un menteur... Un salaud de plus.

Jibé lui tournait le dos, elle prit le temps de le regarder, lui et chaque détail de cette chambre d'enfant.

Le top du top ? Le fantasme ultime ?

Après tout, les infidélités de Jibé ne changeaient rien à sa vision de la famille. La renforçaient, même. Oui, partager des instants magiques avec un gosse représente pour un couple des secondes de complicité aussi intimes qu'un orgasme. Ou pour être plus précise, des secondes qui progressivement prennent la place de l'orgasme dans un couple. Le remplacent.

Et les mamans rassurées vont le chercher auprès d'un autre homme.

Et les papas parfaits trompent maman.

Jibé, au moins.

Mais réclament tout de même la garde alternée s'ils se font choper.

Marianne souffla dans le téléphone d'une voix calme.

— OK, Papy, tu me rappelles dès que tu as du neuf…

Elle coupa le portable puis se tourna vers Jibé, cassante.

— Merde, referme-moi ce dossier. On l'a déjà épluché mille fois. Tu t'y connais en dessins d'enfants, en psychologie de maternelle et en apprentissages de la petite enfance, t'as des gosses, non ? Alors au boulot ! Vasile Dragonman a trouvé, on n'est tout de même pas plus cons que lui !

Jibé afficha une figure étonnée face à la brusque agressivité de sa supérieure. Un gosse surpris par la furie sans explication de sa mère. Il allait répliquer quand un cri résonna dans l'escalier.

— Commandante Augresse. C'est Bourdaine. On a un témoin. Dévote Dumontel, elle habite en face du pavillon des Moulin.

Marianne s'avança sur le palier. Bourdaine était essoufflé d'avoir traversé le parking en courant. Il agitait un papier au bout de son bras comme un arbre en décembre qui ploierait sous le poids de sa dernière feuille.

— Je lui ai montré la photo, commandante. Elle est formelle. Elle a vu Amanda et Malone Moulin monter dans la voiture, un 4 × 4 noir qu'elle n'avait jamais remarqué avant. Elle n'a pas reconnu la marque, mais on trouvera. Il les a rejoints quelques secondes plus tard. La mère et le môme avaient l'air terrifiés, d'après Dévote. Elle m'a aussi proposé de prendre un café, mais je…

— Qui ça, bordel ? Qui les a rejoints ?

Bourdaine agitait le cliché, une photo, comme si, trois mètres plus haut, sa supérieure pouvait reconnaître le portrait.

— Zerda, cria-t-il enfin. Alexis Zerda !

La commandante Augresse s'appuya contre la rambarde de l'escalier.

Elle revit l'impact de la balle entre les deux yeux de Dimitri Moulin, pile au centre. Un cadavre qui devait déjà être en route vers la morgue dans un sac plastique. Elle fit ensuite défiler devant ses yeux l'interminable liste des délits planifiés par Alexis Zerda, des meurtres dont il était soupçonné, deux morts lors du casse de la BNP de La Ferté-Bernard, deux autres lors de l'attaque du fourgon du Carrefour d'Hérouville.

Deux nouveaux à ajouter à son palmarès, depuis hier.

Vasile Dragonman. Dimitri Moulin.

Deux prochains sûrement, dans quelques heures.

Une femme et son enfant de trois ans.

Il n'y avait aucune raison pour que Zerda s'arrête en si bon chemin.

Marianne délaissa Bourdaine qui comme à son habitude avait pris racine en attendant de nouveaux ordres. Elle devait faire le point, à la vitesse d'un ordinateur qui claque une bonne réponse dans les secondes qui suivent la touche *Return.* Ils n'avaient aucune piste sur la direction dans laquelle Zerda avait filé, mais s'il avait emmené Malone et sa mère, il existait forcément un rapport avec les souvenirs de l'enfant. Une idée insensée lui traversa la tête : la seule personne à connaître leur destination était Gouti, cette peluche que Malone devait traîner avec lui à l'arrière du 4 × 4.

Leur seul indic…

Et, l'idée lui sembla encore plus insensée que la première : ils pouvaient communiquer avec lui !

Marianne se retourna vers Jibé, toujours assis sur le lit de la chambre d'enfant. Toujours le nez dans les photos du braquage.

Par-dessus les dessins de Malone, il avait éparpillé les clichés des deux cadavres devant les thermes de Deauville, ainsi que ceux des vitrines mitraillées, rue de la Mer, des voitures criblées de balles. Visiblement, le papa faux cul préférait jouer aux gendarmes et aux voleurs plutôt qu'aux activités manuelles.

Ça énerva Marianne, elle lui avait pourtant donné des consignes claires il y a une minute. Mais avant qu'elle ait pu ouvrir la bouche pour déverser sur lui sa hargne de flic impuissante doublée de sa déception de fille innocente, il leva la main, puis parla, d'une voix confiante.

Un mec tricheur, mais sûr de lui.

— J'ai trouvé quelque chose dans le dossier, Marianne. Le lien entre le braquage et le gosse ! Ça explique son traumatisme, sa peur de la pluie, sa double identité et tout le reste.

53

Petite aiguille sur le 1, grande aiguille sur le 5

Ce n'est pas de la pluie, avait dit Maman-da.

La pluie, elle tombe du ciel vers la terre, c'est pour cela qu'elle fait mal, parce qu'elle tombe de haut, de très haut, des nuages au-dessus de nos têtes, des nuages qu'on croit tout petits mais qui en vrai sont plus grands que tout ce qu'on connaît. Le plus minuscule des nuages est plus grand que la terre entière. Les gouttes traversent l'univers, les étoiles et les planètes, avant de s'écraser sur nous.

Mais pas celles qui mouillent ton visage, avait assuré Maman-da, même si Malone avait du mal à la croire. Ces gouttes-là, avait continué d'expliquer Maman-da, elles sont portées par le vent. Elles ne s'écrasent pas, elles s'envolent. Elles viennent aussi des nuages, mais des petits nuages fabriqués par les vagues, une mousse blanche qui vient se cogner contre les galets, rebondir, et que le vent transporte ensuite vers la plage, et même jusqu'au-dessus de la falaise s'il est en forme.

Pour le convaincre, elle avait ensuite utilisé d'autres mots qu'il ne connaissait pas. Ecume. Houle. Embruns.

Il se méfiait quand même ! Il protégeait son visage avec la capuche de son manteau. Quand il regardait droit devant, tout au bout, le ciel et la mer, c'était la même chose ! Les deux se mélangeaient dans la même couleur. Le gris. Comme si celui qui les avait dessinés et coloriés avait bâclé son travail. Même pas un trait pour les séparer.

Ça lui faisait peur, de ne pas pouvoir reconnaître la pluie qui coupe de celle qui ne fait que mouiller. Alors, Malone baissait la tête, sous sa capuche, et regardait en bas.

Les tours du château. Le bateau des pirates. Les maisons, il ne les voyait pas encore, mais il les devinait. Il fallait encore descendre un petit escalier, après le grand. Sa maison était la troisième.

Il ne savait pas pourquoi, mais il en était sûr. Tout était exactement comme dans les histoires de Gouti, mais maintenant il se rappelait aussi les images.

* *
*

— Donne-lui la main, fit la voix de Zerda.

Alexis observa les alentours. Personne à l'horizon. Une aubaine, ce vent glacial. Aucun promeneur indiscret pour les déranger, pas davantage ici que sur la plage. Même les deltaplanes, d'habitude nombreux dans le coin, ne se risquaient pas à sortir aujourd'hui. Par précaution supplémentaire, le 4 × 4 était garé derrière un bosquet de châtaigniers, il était impossible de l'apercevoir, même en roulant au ralenti sur le chemin de Saint-Andrieux.

De ce parking improvisé, par contre, on dominait toute la côte jusqu'au cap de la Hève. Un paysage d'automne normand, en noir et blanc. Zerda avait imaginé un instant que les dernières cendres de Vasile Dragonman participaient à la grisaille du décor. Les flics avaient déjà foutu le camp du belvédère où sa moto avait brûlé, il n'avait aperçu aucune animation en passant à côté, quelques minutes plus tôt, sur la départementale. Il avait juste ralenti, pour le plaisir de fermer les yeux une seconde et de se revoir balancer, d'une pichenette, son mégot sur la flaque d'essence. Un cadavre chassait l'autre. Ceux qu'il laissait sur sa piste. En ce moment, tout le commissariat du Havre piétinait sans doute le tapis du salon d'Amanda, à Manéglise.

Combien de temps leur faudrait-il pour les trouver ? Le psy roumain avait mis des semaines. Même à plusieurs, il y avait peu de chances que les flics soient plus malins. Ce n'était pas une raison pour traîner, ni pour changer une méthode qui a fait ses preuves… celle du Petit Poucet.

Il posa sa main dans le dos d'Amanda, puis se pencha jusqu'à son oreille pour lui parler, ouvrant son autre main et l'approchant de sa tempe pour la protéger du vent.

— On descend, Amanda. On va à la planque, on récupère ce qu'on est venus chercher et on file !

Sa main glissa quelques centimètres de plus, jusqu'au creux de ses reins. Une courbe qu'il imaginait plus que ses doigts ne la suivaient, entre couches de vêtements et taille sans grâce.

Amanda n'avait pas réagi.

Toujours insensible à mes gestes ? s'interrogea Zerda. Ça viendra. Ça viendra forcément après une vie passée avec cette brute de Dimitri. Une vie à le sentir en elle, sur elle, derrière elle, sans jamais que le reste de sa peau serve à quelque chose, reçoive la moindre caresse ou le moindre baiser.

Doucement, sa main descendit jusqu'en haut de ses fesses, comme pour la pousser à avancer plus vite, à tirer Malone par le bras et à s'engager dans l'escalier taillé dans la falaise.

* *
*

Ils avaient déjà descendu plusieurs dizaines de marches. Amanda marchait devant, tenant son fils par la main. Malone ne disait rien, tête baissée, semblant seulement préoccupé par les gouttes d'écume. Ses petites jambes avalaient les marches sans fatigue apparente.

Amanda sentait le souffle d'Alexis dans son dos. Elle savait que si elle ralentissait, s'arrêtait pour respirer un moment, il s'immobiliserait une ou deux marches au-dessus d'elle et poserait une main sur son épaule, frôlerait un sein, collerait son torse à quelques centimètres de sa bouche, l'urgence servirait de prétexte. Ne pas traîner, se dépêcher. Le butin à récupérer, les flics à leurs trousses, Malone à protéger.

Tout en la pelotant.

Elle n'était pas idiote. Il jouait avec elle, mais elle se sentait troublée. Malgré tout, malgré elle. Elle n'était pas gourde au point de s'imaginer quoi que ce soit, qu'elle était désirable, qu'elle possédait le moindre charme, la moindre chance d'attendrir Zerda avec une œillade et une ondulation du bassin. Elle se contentait de calculer que Zerda pourrait avoir envie de profiter d'elle. Avant une cavale de plusieurs semaines, de plusieurs mois, il pourrait avoir envie de tirer parti de la situation. De la violer, s'il le fallait.

Malone glissa sur une marche plus haute que les autres. Elle le rattrapa *in extremis* d'une poignée ferme.

C'était peut-être sa chance, finalement. Pas pour elle, mais pour son fils. Peut-être pourrait-elle se placer entre le garçon et le tueur ? S'offrir en bouclier, elle aima l'image. Une femme trop épaisse peut réussir ces choses-là.

Elle sentait la petite main de Malone serrer la sienne, une pression supplémentaire à chaque nouvelle marche. Malone était le seul homme qui la trouvait belle. Le seul homme pour qui elle était douce, tendre, sensible. Unique. Le seul homme capable de l'aimer, sans la juger. Le seul homme, au fond, pour lequel sa vie méritait d'être poursuivie.

Elle baissa les yeux, l'escalier paraissait interminable. Tout en bas, la carcasse noire du bateau semblait se disloquer à chaque vague pour s'enfoncer davantage dans les eaux sombres la seconde qui suivrait. L'épave attendait pourtant là depuis une éternité.

Tout en adressant un sourire complice à son fils, Amanda tira sur le petit bras qui prolongeait le sien et accéléra encore, pour mettre au moins trois marches de distance entre elle et le serpent dans son dos.

* *
*

Malone se sentait rassuré. Il se sentait toujours rassuré quand il tenait la main de Maman-da. Elle était forte comme une montagne. Elle l'entraînait toujours, sans qu'il puisse résister, traîner, courir ou tomber, pour traverser une route, pour se tenir tranquille sur un trottoir, pour ne pas tomber dans un escalier, comme tout de suite. La main de Maman-da était comme un gros élastique qui le retenait.

Malone se disait que ça devait être pareil pour lui et Gouti. Il devait être un gros élastique pour Gouti, plus gros encore, il pouvait faire avec Gouti des choses que Maman-da ne pouvait pas faire avec lui, le tirer par le bras sans que ses pattes se posent par terre, le porter toute la journée, le jeter en l'air pour le rattraper, lui recoudre le bras même. Oui, Maman-da était bien plus gentille avec lui que lui avec Gouti.

Il n'avait jamais peur, avec Maman-da.

Il n'avait pas peur non plus de l'ogre derrière eux.

Il savait comment lui échapper. Il se souvenait de tout, maintenant. De presque tout, il y avait juste la forêt et la fusée qui manquaient. Tout le reste était là. Il allait bientôt retrouver la maison où il habitait avant, avec maman. La troisième maison, celle aux volets cassés. Peut-être que maman l'attendait là. Peut-être qu'ils allaient y habiter tous ensemble, elle, lui et Maman-da.

Il avait toujours très froid, mais il n'avait plus peur du tout.

Sauf des gouttes, même celles de la mer, même caché sous sa capuche.

54

Jibé s'était levé et fixait la commandante, ses yeux bleus plantés dans les siens. Des yeux de gosse charmeur, de petit malin qui a trouvé la solution avant tout le monde.

A combien de filles ce baratineur avait-il fait le coup ?

— Regarde, fit Jibé en collant sous le nez de Marianne une photographie issue du dossier du braquage de Deauville.

Marianne observa ce cliché qu'elle avait déjà étudié des dizaines de fois. La rue de la Mer devant les thermes. Les époux Lukowik abattus au milieu de la rue. Des voitures criblées de balles, garées face au casino. Elle ne comprenait pas où son lieutenant voulait en venir.

— Tu te souviens, Marianne, on s'est demandé comment Cyril et Ilona Lukowik comptaient s'enfuir, quel était leur plan pour quitter Deauville. L'hypothèse la plus vraisemblable, puisqu'ils n'allaient pas filer à pied avec leurs sacs de courses, c'est qu'une voiture les attendait.

— Je sais, Jibé. Je sais tout ça. On a vérifié toutes les immatriculations des voitures garées à proximité, sans rien trouver.

— Regarde l'Opel Zafira. Au premier plan sur la photo, à quelques mètres des cadavres…

Marianne se concentra, mais Jibé avait été plus rapide et posa son index sur le papier glacé.

— Là, Marianne…

— Merde, murmura la commandante.

A l'arrière de la berline grise, on distinguait la forme d'un siège auto. La lunette arrière de l'Opel avait cédé sous une balle de la police et des milliers de minuscules morceaux de verre recouvraient les banquettes du véhicule… et le rehausseur pour enfant.

— Une pluie de verre, insista Jibé. Ça ne te rappelle rien ?

— La phobie de Malone Moulin.

— Le fils supposé de Timo Soler.

Jibé et la commandante se tenaient côte à côte dans la petite chambre d'enfant encombrée de jouets. Elle sentait le cuir de Jibé contre son bras, sa barbe naissante à hauteur de ses yeux, son parfum tenace, Diesel, *Fuel for Life*, ou quelque chose d'approchant. Disparu le papa trop soucieux et l'époux trop soumis, le masque était tombé.

Il n'était qu'un prédateur, comme les autres. Un fauve.

Un salaud de mec.

Un bon flic.

— Ta théorie, Jibé ?

Le lieutenant planta une nouvelle fois ses yeux azur dans ceux de la commandante. Deux balles à bout portant.

— Il n'y a plus qu'à dérouler le fil, Marianne, tu seras d'accord avec moi. On a toujours pensé qu'un chauffeur attendait les Lukowik devant le casino, qu'il avait ainsi fait disparaître le butin. Mais sans qu'on en ait la preuve, il y avait une centaine de voitures garées à proximité au moment du braquage, dont beaucoup ont disparu dans la cohue pendant les minutes qui ont suivi la fusillade. Modifions juste un peu notre hypothèse, alors… Et si ce n'était pas un chauffeur qui les attendait, mais une chauffeuse. Une conductrice. La copine de Timo. Et à l'arrière de la voiture, il y avait leur gosse, un môme de moins de trois ans…

Le lieutenant détailla à nouveau le cliché, les cadavres, la foule autour.

— C'était plutôt une idée astucieuse. Deauville risquait d'être immédiatement bouclé par des barrages de police après le braquage, mais il était assez peu probable qu'on soupçonne une famille avec un gosse de trente mois à l'arrière.

— Sauf qu'ils se sont fait flinguer avant d'arriver à l'Opel.

— Ouais… Si on a vu juste, la copine de Timo Soler et son gamin font partie des dizaines de personnes qui se sont retrouvées rue de la Mer, après la fusillade, puis qui se sont évaporées dans la nature juste après.

— Des centaines, tu veux dire. Tous ceux qui se promenaient sur la plage, dans les rues, qui sortaient du Grand Hôtel, du Casino, des cabines de plage, des thermes. Une fois la grêle de balles passée, tout Deauville est venu couvrir l'événement. C'est aussi l'avantage, d'ailleurs, Jibé, si l'identification de la plaque d'immatriculation de l'Opel Zafira ne donne rien, on dispose de centaines de photos d'amateurs dans le dossier, un CD entier. On n'a plus qu'à les éplucher en espérant trouver le petit Malone Moulin sur l'une d'elles…

— Tenant la main de sa maman.

Marianne passa une nouvelle fois son doigt sur le cliché, avec précaution, comme si les éclats de verre le rendaient coupant.

— Les fous, murmura-t-elle. Impliquer un enfant de deux ans et demi dans un braquage…

— Il était en retrait, glissa Jibé. Avec sa mère. Ils pensaient s'en sortir sans une goutte de sang.

La commandante le mitrailla d'un regard signifiant que ses explications sonnaient comme des excuses, et ses excuses comme un signe d'irresponsabilité.

C'était injuste, presque ridicule, mais elle s'en fichait.

— Putain, Jibé… T'as des enfants ? Ce gosse a tout vu ! Des gens se faire abattre sous ses yeux, à un mètre de lui. Des gens qu'il connaissait peut-être.

Marianne avait une furieuse envie de continuer à cracher sa haine à la figure de Jibé. Utiliser un gamin comme leurre lors d'un braquage, tromper sa femme au risque de faire exploser la vie de famille de gosses qui n'ont rien demandé… Même délit ! Même punition !

Sauf que le lieutenant ne sembla pas remarquer la colère qui bouillait en Marianne. Il se contenta de poser sa main sur son épaule, les yeux toujours agités comme ceux d'un chien de chasse.

— Des gens qu'il connaissait… Tu as raison, Marianne. C'est ça, c'est ça la clé !

Un instant plus tard, ils étaient tous les deux assis sur le petit lit de Malone.

— On reprend depuis le début, fit Jibé. Une bande de potes de Potigny prépare un casse. Cyril et Ilona Lukowik, Timo Soler, le quatrième mousquetaire étant sans doute Alexis Zerda. S'y ajoute la copine de Timo Soler, dont on ne connaît pas le nom.

— Un tel coup suppose quelques semaines de préparation, continua Marianne, quelques mois peut-être. Sauf que, le jour J, le plan parfait foire. Ilona et Cyril sont abattus avant d'atteindre la voiture et Timo Soler est identifié…

— Et on en déduit l'identité du quatrième braqueur, Alexis Zerda, mais sans la moindre preuve, sans le moindre témoin ! Aucun proche de Timo Soler ne parle, personne n'est au courant de quoi que ce soit. Impossible d'imaginer à ce moment-là qu'il existe deux autres témoins, sa copine et son fils.

Jibé se serra un peu contre Marianne pour reprendre le dossier de Vasile Dragonman. La commandante se décala aussitôt, écrasant la combinaison spatiale d'un Buzz l'Eclair imprimé sous ses fesses.

Buzz protesta par un petit carillon qui n'avait rien d'intersidéral.

Etonnée, Marianne glissa sa main sous la couette et en sortit un petit album photo souple en coton épais, décoré de singes, de perroquets et d'arbres tropicaux, qui émettait un bruit de xylophone quand on les pressait.

Elle l'ouvrit par réflexe.

Sur la première photo, un bébé dormait dans un petit berceau d'osier protégé par un drap blanc très ajouré, genre moustiquaire ou dentelle un peu kitch.

Etait-ce Malone ?

Elle était incapable de le reconnaître… même si dans le berceau, collé à la petite bouche rose du bébé, un Gouti tout neuf et propre était posé.

— Deux autres témoins, continua Jibé, sans prêter attention à la découverte de Marianne. Si après le braquage on avait su que Timo Soler avait une copine et un gosse, on les aurait interrogés. La fille, elle, aurait pu nous baratiner…

— Mais, coupa la commandante, le gosse aurait parlé ! De ses parents. Des amis de ses parents.

— Des Lukowik… et surtout de celui qui restait dans l'ombre, mais qui avait pourtant dû souvent camper chez les Soler, venir boire un verre, sortir un plan de Deauville, refaire des dizaines de fois le parcours de la rue Eugène-Colas, à moto, chrono en main. Alexis Zerda !

— Alexis Zerda, répéta Marianne. Malone le connaissait forcément. Il jouait avec ses peluches à côté de lui, se réveillait le soir pour faire pipi ou restait à veiller sur les genoux de sa mère. Même inconsciemment, son visage, il l'enregistrait. Si on remontait jusqu'à ce gosse, on avait la preuve que Zerda était impliqué. Peut-être même que les Soler, Lukowik et Zerda vivaient ensemble dans le même repaire, à l'abri des regards et des oreilles indiscrètes.

— Celui qu'on cherche… Celui enfoui dans les souvenirs de Malone au milieu des pirates, des châteaux et des fusées. Sans doute la planque que Vasile Dragonman avait retrouvée.

Marianne tourna machinalement une autre page du petit album photo. Les pochettes en plastique étaient opaques à force d'avoir été manipulées par des doigts sales et humides.

Le bébé avait quelques mois. Il était assis dans l'herbe. Il semblait faire beau, le nourrisson était seulement vêtu d'une couche et d'un petit bandana rouge sur la tête qui lui donnait une allure de pirate.

Un garçon. Quasiment sans cheveux. Il plissait les yeux au soleil, impossible de distinguer leur couleur.

Malone ? Peut-être… Toujours aucune certitude.

Dans sa petite main potelée, il tenait Gouti par la patte arrière. Maltraité déjà, mais presque neuf encore.

— C'est ça alors, l'hypothèse, fit la commandante Augresse d'une voix basse. On fait disparaître le gosse. On le confie à une famille d'accueil, le temps que l'affaire se tasse. Le temps surtout que le gosse oublie ce qu'il a vu. Le visage d'Alexis Zerda en particulier.

Avant de continuer, elle repensa aux théories de Vasile sur la mémoire d'un enfant, celles qu'il lui avait exposées dans son bureau il y avait moins de cinq jours.

— Il suffit de peu de temps, Jibé, pour qu'un gosse de moins de trois ans oublie son passé et devienne pour le reste de sa vie un témoin muet. Seulement quelques semaines pour oublier un visage, quelques mois, à peine un an, pour oublier tout ce qu'il a vécu auparavant.

Jibé se colla à nouveau à Marianne pour observer l'album photo trouvé dans le lit de Malone.

— Malin… Plus que cela même, logique ! Mais ça pose tout de même un sacré nombre de questions, ma belle. Comment réussir un tel tour de passe-passe ? Comment trouver une famille d'accueil ? Puis parvenir à changer l'identité d'un gamin, même âgé de trente mois. Et surtout, pourquoi prendre un tel risque ? Il suffisait que la copine de Soler se cache avec son enfant, puisque jamais nous n'avons supposé son existence. On brûle, Marianne, mais il nous manque encore une pièce du puzzle.

On brûle…

L'image fit frissonner Marianne. Des cendres soulevées par le vent du large dansaient devant ses yeux. Elle tourna une nouvelle page de l'album.

Le bébé, sur la photo suivante, avait plus d'un an. Il se tenait debout, déguisé en Indien. Derrière l'arbre contre lequel il posait, on reconnaissait la petite mare du lotissement de Manéglise et les pavillons crème un peu plus loin encore. C'était Malone cette fois, sans aucun doute possible, car la photo était plus rapprochée, le visage mieux cadré et la lumière plus nette.

Aucune trace de Gouti ni d'autres peluches.

D'autres pages défilèrent. Malone dans un manège, devant un aquarium, devant un gâteau d'anniversaire, avec Amanda et Dimitri. Trois bougies.

Jusqu'à la dernière page, Malone au pied du sapin. Curieusement, ce dernier cliché sembla plus épais que les autres à la commandante. Elle glissa son doigt dans l'étui plastique, sous la photo, et en sortit une feuille de papier maladroitement pliée en huit.

C'était un dessin ! Réalisé par un adulte, mais colorié, gribouillé plutôt, par un très jeune enfant.

L'œuvre de Malone ?

La scène représentait une veillée de Noël classique, une famille réunie devant les cadeaux et le sapin scintillant ; un de ces dessins qu'on fait réaliser à un enfant trop excité le jour du réveillon pour le faire patienter et qu'on promet d'offrir au père Noël lors de son passage. Les trois membres de la famille, le papa, la maman et l'enfant, étaient dessinés grossièrement ; impossible d'en tirer de quelconques descriptions… même si la maman avait les cheveux longs, beaucoup plus longs que ceux d'Amanda Moulin.

Marianne enregistra un dernier détail : le dessin était accompagné de quatre mots, les uns écrits à côté de l'étoile couronnant le sapin, *Noël Joyeux*.

Les autres écrits à côté des cadeaux, *N'oublie Jamais*.

Elle examina un moment la feuille, usée d'avoir sans doute été triturée pendant des heures par Malone. Les quatre mots avaient été tracés par une écriture féminine, vraisemblablement celle de sa mère, il faudrait la comparer avec celle d'Amanda Moulin. Quel symbole ces quatre mots, ces trois silhouettes, cette fête de Noël pouvaient-ils représenter pour cet enfant ?

Les questions se télescopaient dans la tête de la commandante.

Un nouveau mystère ? Une autre clé ? Comment en être certains ! Chacun des objets dans cette banale chambre d'enfant pouvait y avoir été placé dans un but précis. N'être là que pour remplir une fonction programmée, visant à fabriquer une autre réalité, celle qu'on voulait que Malone admette. Etaient-ils de simples jouets, ou des pièges disposés là à dessein ? Ce calendrier sous la forme d'un système solaire ? Ces étoiles fluo au plafond ? Cette couette Toy Story ? Cet avion Happyland ? Cette caisse de fauves en peluche ? Ces pirates Playmobil ? Cet album photo…

Tout en continuant de le feuilleter, Marianne repensait au raisonnement de son adjoint. Qui était cet enfant sur les photos dont on suivait les trois premières années de vie comme dans un conte de fées ?

Le même enfant ?

Deux gosses différents, à partir de photos habilement retouchées ?

Ou bien, plus probablement, le même bébé, mais à qui on avait raconté deux vies… La première jusqu'à ses trois ans, jusqu'au braquage, jusqu'au drame, jusqu'au traumatisme absolu. La seconde ensuite, pour oublier la première, pour protéger les adultes qu'il avait fréquentés depuis sa naissance. Le sacrifier pour les protéger.

Quelle mère accepterait cela ? De perdre son enfant, même pour quelques mois, si ces quelques mois effacent tous ses souvenirs et font de lui un étranger ?

Plus stupéfiant encore, quelle mère accepterait d'échanger son enfant contre un autre ? Car ils en avaient eu la preuve, Lucas Marouette avait fait un excellent travail d'enquête, Amanda et Dimitri Moulin avaient vraiment eu un enfant, Malone, né le 29 avril 2012, à la clinique de l'Estuaire.

Si l'enfant de Timo Soler avait pris la place de ce Malone, qu'était devenu l'autre gosse ?

Envolé, lui aussi ?

55

Petite aiguille sur le 1, grande aiguille sur le 11

Après avoir descendu plus de la moitié de l'escalier, ils étaient presque parvenus à la hauteur des quatre grands cylindres. Le bateau flottait, face à eux. Sur leur droite, on commençait à apercevoir les premières maisons abandonnées.

Amanda n'était jamais venue ici. Elle avait parfois entendu parler de ce lieu étrange, mais jamais elle n'avait fait le rapprochement avec les histoires de Malone.

Maintenant, elle comprenait.

Malone tenait toujours sa main. Sage. Obéissant. Perdu dans ses pensées. Ses souvenirs peut-être.

Zerda marchait derrière eux, au même rythme, au même pas. Elle sentait qu'il aurait voulu qu'ils aillent plus vite, mais il ne disait rien. Le gosse avançait sans chouiner, il devait s'en contenter.

Il n'avait rien dit non plus lorsqu'elle s'était arrêtée quelques secondes pour retirer son trench-coat et le porter sur son bras. Elle était trempée sous l'acrylique, des gouttes glacées dégoulinaient dans son dos. La peur. La sueur. La descente était pénible. Le vent froid les cinglait, pleine face, mais elle avait tout de même dégrafé deux boutons de son chemisier.

Gorge ouverte. Une folie. Un truc à attraper la crève. Ou à la retarder, au moins… Le prétexte de l'effort physique était dérisoire, mais elle n'avait pas d'autres atouts, pas d'autre choix que d'envoyer à Zerda quelques messages grossiers.

Qu'elle était une femme…

Que s'il voulait…

Elle n'avait rien d'autre à sacrifier pour que Malone ait une chance de s'en sortir. Elle n'avait pas su protéger son premier enfant. Elle devait réussir à sauver le second.

Elle continuait de poser les pieds sur les marches, à un rythme régulier, il en restait encore une petite centaine avant d'atteindre la plage. Un escalier vers l'enfer…

Celui d'où Malone était tombé.

L'autre Malone, celui qui était mort.

Le 17 janvier 2015, le jour où elle avait reçu le courrier de la clinique Joliot-Curie, ce courrier qui annonçait que son fils n'avait plus que quelques semaines à vivre, que la lésion s'ouvrait dans son cerveau comme une fissure capable de fendre une pierre, ce jour-là, Dimitri n'avait rien dit en partant.

Il était revenu le soir.

Avec un autre gosse. Pour remplacer celui, condamné, qui dormait dans sa chambre à l'étage.

La promesse d'un autre gosse, plus exactement… si elle était d'accord.

Elle l'avait d'abord pris pour un fou. Elle n'avait rien compris à son histoire de copain qu'il n'avait pas revu depuis des années, Alexis, un copain prêt à leur rendre service, un service mutuel, un échange, un troc, une bonne affaire, il avait employé tous ces mots, elle s'en souvenait, ces mots qui ressemblaient à ceux qu'on utilise quand on négocie des bibelots avec ses voisins dans un vide-grenier.

Sauf qu'ils parlaient d'un enfant. Leur enfant.

C'était du provisoire, avait d'abord dit Dimitri, c'était pour quelques semaines, quelques mois au plus, le temps du deuil, le temps que la douleur s'éloigne. Une sorte d'antidépresseur, un gosse qui rit dans la maison, qui réclame une mère, qui réclame des jeux et des câlins. Puis, vite, il avait compris que ce n'était pas la bonne stratégie. Même s'il était très con.

L'image du cadavre de son mari repassa fugitivement devant les yeux d'Amanda. Du provisoire… Dimitri avait raison, au fond. Du provisoire et du prémonitoire, pour lui au moins. Quelques mois, c'est pile le temps qu'il lui restait à vivre.

Mais ce soir-là, encore bien vivant, Dimitri, il avait su changer de stratégie. Il avait prononcé les mots qu'il fallait, les seuls qui pouvaient la faire changer d'avis, lui faire accepter ce plan infernal.

Peut-être même qu'on pourra le garder…

Amanda n'avait posé les questions que plus tard, elle voulait connaître l'histoire de cet enfant tombé du ciel pour remplacer celui tombé de l'escalier, comprendre pourquoi il fallait le protéger, pourquoi sa mère et son père voulaient l'éloigner, dans un premier temps. Peut-être même ne plus jamais le revoir, dans un second temps, si la promesse de Dimitri n'était pas un mensonge de plus.

Peut-être même qu'on pourra le garder.

Amanda avait pourtant hésité… Quelle sotte, quand elle y repensait ! Dire que si elle avait refusé la proposition de Dimitri et Alexis elle n'aurait plus jamais senti la main chaude d'un petit homme dans la sienne, le cœur chaud d'un bout de chou contre le sien, les petites lèvres humides d'un lutin contre sa joue flasque.

Heureusement, elle avait fini par céder à Dimitri. Elle l'avait enfin compris, ce gosse qu'on lui offrait était une chance, une seconde chance.

Malone était condamné. Depuis des semaines, il ne parlait plus à personne à part à ses foutus insectes. Il communiquait à travers les ondes peut-être, par des antennes invisibles, par télépathie, mais sans rien exprimer. Ni joie, ni peine. Ce sont les médecins qui diagnostiquaient le mal qui le rongeait, cette douleur que les colliers de médicaments avalés ne suffisaient pas à diminuer, pas plus qu'ils ne parvenaient à ressouder cette fissure qui écartelait son cerveau. Fièvres, migraines, délires de la pensée. Ce maudit pont de Varole programmé pour s'effondrer. Lui ne montrait aucune souffrance.

Peut-être valait-il mieux que Malone s'envole, qu'il échappe à la souffrance avec laquelle il était enfermé, et qu'on redonne à sa mère la chance d'élever un autre bébé, d'en protéger un autre. Cela lui semblait tellement clair aujourd'hui, tellement évident.

La mer léchait les galets. Amanda se demanda si elle montait ou descendait. A l'absence de marques humides sur les pilotis et d'algues gluantes accrochées, elle conclut qu'elle montait. Ils devraient aller vite.

* *
*

Ils étaient enfin parvenus aux dernières marches, il ne restait plus qu'un parapet de béton à franchir avant d'atteindre la plage. Amanda essaya d'aider son fils, mais il se déroba, agile, se hissa sur le rebord, pour ne lui redonner la main qu'ensuite, toujours protégé dans sa capuche.

Un petit singe…

Bien sûr, s'était-elle dit en pleurant devant la chaise où Malone dormait, se bavant dessus, se pissant dessus, s'en fichant plus encore qu'un animal agonisant. Bien sûr, celui-là, le nouveau bébé, elle ne l'aimerait pas autant, ce ne serait pas le sien, ce serait juste une façon de se faire pardonner par son véritable enfant, de lui prouver qu'elle pouvait être une bonne maman, généreuse, attentive, protectrice, qu'il pourrait être fier là où il était, là où il ne souffrait plus.

Elle serra la main de son fils avant d'atteindre les galets. Un petit saut d'un mètre. Fort. Trop fort.

Il ne se plaignit pas. Il ne se plaignait jamais.

Elle ne pouvait pas savoir, alors, à quel point elle aimerait cet autre gosse qui devait prendre le même prénom que le sien.

Il était intelligent, imaginatif, pudique, il était comme elle aimait les hommes, comme elle aurait pu, voulu aimer un homme. Gentil, réfléchi, sensible à la fantaisie et à la poésie, s'intéressant aux fusées plus qu'aux voitures, aux baguettes magiques plus qu'aux sabres, aux rosiers plus qu'aux ballons, aux dragons plus qu'aux chiens.

Elle était prête à tout pour lui, même s'il ne l'aimait pas, pas comme une maman, pas encore, mais ça viendrait. Avec le temps. Et s'il n'avait pas le temps, il l'aimerait à travers ses souvenirs, si elle mourait pour lui.

Un instant, sans même se retourner vers Zerda, elle imagina que les embruns salés qui coulaient sur sa gorge nue la rendaient désirable.

Ils avaient atteint la plage et progressaient plus lentement encore. Amanda en était désormais certaine, la marée montait, rapidement, roulant les galets secs et les ramenant mouillés, quelques centimètres plus loin, dans un bruit de chantier. Malone ne lâchait pas des yeux les maisons sur pilotis, alignées et abandonnées.

Zerda était passé devant. Il désigna des yeux la troisième maison, celle aux volets brisés, sans même que son regard glisse vers Amanda, encore moins dans son décolleté détrempé. Il en ajouta même un peu, surjouant l'indifférence, en se penchant vers Malone sur le ton de la confidence comme si sa mère n'existait plus.

— On se dépêche, mon grand. On n'est plus à l'abri ici, il paraît que tu as parlé de notre cabane secrète à un étranger.

Il cligna un œil dans sa direction, comme pour lui signifier qu'il ne lui en voulait pas.

En se relevant, il jeta cette fois un regard appuyé sur Amanda, vertical, de son visage à sa poitrine, comme un scanner fatigué.

— On n'a pas de temps à perdre, insista-t-il.

Elle trembla, hésita à remettre sa veste.

On n'a pas de temps à perdre ?

Amanda n'avait plus la force de lutter. Dans quelques mètres ils atteindraient cette maison abandonnée sur cette plage déserte. Le doute submergeait son esprit, le roulis des galets roulés l'empêchait de réfléchir, le moindre bruit la déconcentrait, elle n'était pas plus intelligente que Dimitri, au fond. Elle finirait comme lui, étendue dans une mare de sang, une balle entre les deux yeux.

Elle observa sottement la mer monter.

La marée emporterait son corps au loin, dans les boues de l'estuaire, avec les autres ordures tombées des porte-conteneurs. Sa main était trempée, celle de Malone glissait dans la sienne comme un poisson juste sorti de l'eau.

Son corps, sa vie, ce chemin de croix, elle s'en fichait, du moment que son fils survivait.

* *
*

Zerda s'arrêta devant la maison et leur lança un franc sourire. La crosse de son Zastava dépassait toujours du blouson qu'il venait de rouvrir. Il semblait lire les interrogations intérieures d'Amanda comme s'il avait installé un mouchard dans son cerveau. Elle paniquait, elle hésitait, elle espérait encore, une trêve au moins, un répit. Qu'il épargne le môme. Qu'il la baise avant de la tuer. Qu'il se contente du butin.

Parfait !

Lui n'avait aucun doute. Aucune raison de modifier son plan. Après tout, pourquoi se priver de continuer de jouer au Petit Poucet, puisqu'aux yeux de ce gosse, il était déjà un ogre.

Il avait déjà trop traîné depuis des mois. A jouer les gardes-malades auprès de Timo pour éviter qu'il ne se dénonce. A laisser reposer son trésor. A attendre que le gosse oublie ; que les flics regardent ailleurs.

Il gravit les trois marches menant à la maison de bois et de tôles, dans le même état de délabrement que les dix autres cabanes formant ce bidon-plage, puis sortit la clé de sa poche, même s'il aurait tout aussi bien pu pousser du pied la porte de bois vermoulue. Il luttait contre l'euphorie qui montait. Ne pas la laisser le noyer, ne pas se griser.

Difficile.

Il savait que de cette maison où ils avaient passé toutes les semaines avant le braquage, avec Timo, Ilona, Cyril et le gosse, que de ce repaire de pirates, comme ils le surnommaient, il ressortirait dans quelques minutes. Riche.

Et seul.

56

Station Saint-Lazare. Ligne 14. Vendredi soir.
Je suis un des hamsters qui grouillent sur les escalators.
Envie de tuer
J'ai mis une bombe. Ils comprennent pas, ils parlent d'Al-Qaïda. Mais c'est juste moi.

Condamné : 335
Acquitté : 1 560

www.envie-de-tuer.com

Elle avait toujours détesté les parkings. C'était presque une phobie.

Surtout les parkings gigantesques des centres commerciaux, ces plaines d'acier interdites aux piétons, dont les issues se dérobent dès qu'on les approche, qu'il fallait traverser pourtant.

Petite, elle s'y était égarée, une fois.

Au centre commercial de Mondeville 2, dans la banlieue de Caen. Elle était ressortie du parking entourant le centre par la porte nord, sûre d'elle, boudeuse parce que ses parents avaient refusé d'acheter la dernière Poké Ball. Ils étaient entrés, avec papa et maman, par une porte identique. La porte sud. Ses parents l'avaient cherchée une heure sur le parking S2, le mauve, pendant qu'elle pleurait sur le N3, le vert. Paniquée. Abandonnée.

Le service de sécurité l'avait trouvée là.

Envie de tuer.

Les parkings… une phobie.

Adulte, elle y perdait sa voiture, presque à chaque fois.

Aujourd'hui, elle y perdait son amour.

Le sang noir de Timo continuait de couler, lentement. La tache sombre s'agrandissait sous lui, sur le siège couleur ivoire de la Twingo, couleur sucre trempé dans un café. A l'inverse le visage de Timo, ses bras, son cou pâlissaient, plus clairs encore que les sièges non souillés.

Elle lui caressait la cuisse, amoureuse, rassurante. Timo était assis sur le siège passager, orienté au maximum en mode couchette, sanglé par la ceinture. Les égarés du parking qui les frôlaient ne pouvaient rien remarquer, ceux qui tournaient la tête et fouillaient les habitacles du regard, comme on cherche à espionner des vies par des fenêtres, pouvaient éventuellement les prendre pour un couple peu pressé, en pleine discussion.

Les lèvres de Timo bougeaient, tremblaient, vues de l'autre côté de la vitre, on aurait même pu croire qu'il prononçait des mots.

Il essayait, d'ailleurs. Mais elle ne comprenait que quelques sons, une syllabe sur trois, sur dix. La bouche de Timo se referma sur un dernier soupir.

— ... *eur*...

Elle lui sourit tout en remontant sa main sur son torse. Elle avait toujours trouvé Timo beau. Les filles se retournaient sur lui, avant, quand il avait encore le droit de se promener dehors, sans être reconnu.

— ... *eur*...

Que voulait dire Timo ? De quoi parlait-il ?

De sa douleur ?

De sa peur ?

D'autres mots, avant qu'il meure…

— Il faut que tu vives, Timo. Tu m'entends ? Il faut que tu vives…

Elle se forçait à parler doucement elle aussi, en prononçant chaque syllabe, comme pour inviter Timo à en faire autant dans sa réponse.

Aucune réponse, seulement un tremblement de bouche.

— Il faut que tu vives, mon amour. Pour notre fils ! Je dois te laisser, tu le sais bien. Je dois te laisser quelques minutes, mais il faut que tu tiennes. Ensuite, j'appellerai les urgences, je leur donnerai tout, le numéro de l'allée, la couleur du parking, la plaque de notre voiture, ils viendront te chercher, te sauver. Ils te garderont quelques semaines à l'hôpital, quelques années de prison aussi, mais tu sortiras, tu seras encore jeune, mon amour, ton fils aussi sera encore un petit homme. Vous vous retrouverez. Tu comprends, il faut que tu vives, mon amour, pour nous, pour nous trois.

Tout en lui parlant, elle gardait un œil sur les chiffres lumineux du tableau de bord.

14 h 13.

Timo prononça un autre mot, inaudible, à l'exception de la première lettre. A. Le reste s'était perdu dans un bouillon de salive et de sang ravalés.

Un mot commençant par A.
Amour ?
A tout de suite ?
Adieu ?

Elle posa ses lèvres sur les siennes. Elles étaient sèches. Dures. Craquelées. Au-dessus d'eux se balançait le petit sapin accroché au rétroviseur, l'odeur de vanille se mélangeait à celle du tabac froid sans parvenir à la faire oublier.

Sans qu'elle puisse refouler ses pensées, le sapin lui faisait immanquablement penser à ce dessin glissé derrière la photo de son bébé.

Noël Joyeux

N'oublie Jamais

Le seul lien qui le reliait à elle.

Tout était en place. Tout était programmé. Il ne restait qu'à croire en la chance…

Elle s'assura que Timo ne pourrait pas basculer, que sa position était confortable, supportable au moins, allongé sur le siège passager ; elle tira sur la vitre les pare-soleil pour être certaine que, du parking, personne ne pourrait le remarquer.

Timo pouvait tenir. Timo allait tenir. Il avait tenu tous ces mois, depuis le braquage, tous ces jours, depuis que ce salopard de chirurgien les avait piégés. Il pourrait tenir encore quelques heures, quelques heures seulement.

Envie-de-vivre.

Elle sortit de la voiture et adressa un dernier sourire à Timo. Les yeux de son amour s'étaient déjà refermés, seule sa bouche tremblait encore, sans qu'aucun son en sorte cette fois.

Elle tituba, posa la main sur la carrosserie, laissant les larmes couler derrière ses lunettes de soleil. A travers ses yeux embués, la montre à son poignet se déformait comme une crêpe molle dessinée par Dalí.

14 h 23.

Au bout du parking, la porte électrique coulissante s'ouvrait au rythme des gens qui entraient et sortaient. Elle était pile à l'heure.

57

Papy restait stupéfait devant le gouffre.

Cinq cent soixante mètres !

Tout semblait à l'abandon autour du trou. Visiblement, il s'était perdu. Son GPS n'avait pas pris en compte les rénovations récentes dans Potigny, les dernières destructions des friches industrielles et les rues neuves qui traversaient les usines disparues, corons insalubres ou bâtiments de briques, comme on passe à travers un fantôme sans rien sentir d'autre qu'un frisson inexplicable. Le lieutenant s'était retrouvé en dehors du village et avait garé sa voiture avant de faire demi-tour dans un parking encombré de gravats.

Il recherchait la rue des Gryzońs, un coron de poche qu'on ferait tomber un jour aussi, quand tous les mineurs seraient morts, pour y planter des pommiers et y faire brouter des vaches. Pour gommer définitivement cette anomalie.

Dans le Nord se trouvent les mines, les terrils pyramidaux et les corons rouges bordés de rues pavées et fleuries ; en Normandie, les fermes, les colombiers et les puits au fond des cours. Les paysages doivent finir par ressembler à ceux que l'imagination collective produit. Dans le Nord, on voulait voir du Zola ; en

Normandie, du Flaubert ou du Maupassant. Une forme de chirurgie esthétique, appliquée par les hommes aux coins dans lesquels ils dormaient, à défaut de l'appliquer à la femme avec laquelle ils couchaient. Une façon comme une autre de lutter contre le temps qui passe et d'effacer ce que le passé a de plus laid.

Papy aimait bien refaire le monde, tout seul, dans sa tête, sans personne pour le contredire.

Pas même ce GPS à voix mielleuse qui lui indiquait des routes qui n'existaient plus et lui ordonnait de « faire demi-tour immédiatement ».

Connasse !

Pour la défense de son GPS, le lieutenant Pasdeloup n'avait pas été très attentif à ses indications. Tout en conduisant au ralenti, il consultait les messages que Marianne lui envoyait : des dessins de ce gosse, Malone, et toujours les mêmes indices.

Un bateau.

Une forêt, une fusée.

Un château avec quatre tours.

Les messages de la commandante accompagnant les dessins se faisaient de plus en plus pressants.

Bordel, Papy, plus de cinquante ans que tu vis dans l'estuaire, tu dois bien avoir une idée !

Ben voyons…

Le policier n'était pas non plus très concentré sur ces dessins d'enfant. Chacun son job. Ils étaient quinze au Havre à se pencher sur les coloriages ! Une enquête est un boulot d'équipe, lui aimait particulièrement flairer les pistes où les autres flics ne traînaient pas, travailler en solo, un peu à la manière d'un privé. A quelques mois de la retraite, il pouvait bien se permettre cette liberté. Il s'était mis directement en relation avec Lucas Marouette, le stagiaire coincé au commissariat, et le harcelait de questions. Il voulait avoir en main le maximum de cartes quand il trouverait cette foutue rue des Gryzońs, lorsqu'il marcherait dans ce bout de quartier où Timo, Ilona, Cyril et Alexis étaient nés, avaient grandi, pile au moment où les mines fermaient, comme des gamins seuls survivants après le bombardement de leur village, à inventer des jeux dans les ruines, à couvrir de leurs rires les lamentations des vieux. Comme les enfants d'Oradour, les bébés d'Hiroshima, l'espoir sans racines des gosses qui courent autour d'une tombe, sans comprendre, sans respect du sacré.

Une tombe profonde de cinq cent soixante mètres, devant laquelle il se tenait, et dans laquelle on avait balancé cent ans d'histoire du coin.

Le lieutenant était sorti de sa voiture et avait lu le petit panneau avant de se pencher sur le gouffre. Le puits d'Aisy était le dernier vestige industriel de l'activité minière du village. Large de cinq mètres, mais presque sans fond. On y avait extrait du minerai jusqu'à la fin des années 1980, et construit autour du trou une sorte de blockhaus de béton pour convoyer le fer, surmonté d'une tour d'excavation haute de trente mètres, carrée, hérissée de meurtrières inoffensives aux vitres brisées.

Il resta là un moment. Que fichait ce stagiaire ? Il avait pourtant posé des questions précises qui ne nécessitaient qu'un bon accès Internet, même si elles avaient dû lui paraître étranges... Le vieux lieutenant devenait-il gâteux ? Il voulait d'abord tout savoir sur la vie des agoutis ! Un rongeur bizarre d'Amérique du Sud... Tout, absolument tout. Débile, mon petit Marouette, peut-être, mais ce n'est pas le bout du monde de me trouver ça. Et plus facile encore, me donner la signification de quelques mots polonais, n'importe quel traducteur automatique devait suffire… Gryzońs, et tous les autres noms liés à la colonie polak de Potigny qu'il avait pu relever.

La clé reposait sur une association d'idées, sur un souvenir codé, il en était persuadé.

Enfin, plus difficile, mais il fallait bien tester le petit Marouette, il voulait obtenir la biographie la plus complète possible de Timo Soler, d'Alexis Zerda, d'Ilona Adamiack et de Cyril Lukowik ; de leur enfance jusqu'à aujourd'hui. Pas leur casier, cette histoire-là on la connaissait, mais tout le reste, ce qui d'habitude n'intéressait ni les flics, ni les avocats…

Il attendait !

Le message lui parvint une minute plus tard. C'était Marianne, pas Marouette.

Papy pesta.

La chef s'impatientait.

Elle avait posté un dessin de Malone Moulin, qui lui semblait ressembler à tous les autres. Un gribouillis, qui ne l'intéressa une seconde que parce qu'il ressemblait à ceux de ses petits-enfants accrochés avec quatre aimants sur le frigo de sa cuisine.

Quatre traits noirs verticaux et trois traits bleus vaguement horizontaux.

Le fameux château au bord de la mer, d'après Malone.

Un château, merde ! avait écrit Marianne. *Papy, trouve-moi un putain de château dans l'estuaire avec vue sur la Manche.*

Ça n'existe pas, Marianne !

Le gosse invente…

Papy attendit encore un peu, savourant ces quelques instants à se recueillir devant la tombe sans fond, puis se dirigea à nouveau vers la voiture. Direction la rue des Gryzońs, avec ou sans munitions.

Le message de Lucas Marouette lui parvint alors qu'il s'engueulait avec Anna, la fille autoritaire du GPS. Le lieutenant aimait bien les filles autoritaires qui lui tenaient tête.

Il y avait trois fichiers attachés.

Le premier contenait une trentaine de pages sur la vie des agoutis. Le lieutenant Pasdeloup les fit défiler rapidement. Plus tard…

Le second ne contenait qu'une page, un tableau de deux colonnes, des noms en polonais dans la première, en français dans la seconde.

Il ne s'intéressa qu'à une ligne.

Gryzońs.

Le lieutenant sentit son cœur s'accélérer. D'un mouvement de pouce sur l'écran tactile, il réduisit Anna au silence. Ainsi, il avait raison depuis le début.

Il cliqua avec un peu de fébrilité sur le dernier fichier. Deux pages, quelques éléments de biographie des Soler et des Lukowik. Le stagiaire était un sacré débrouillard, il avait déniché des vieux CV à Pôle emploi : il s'était rappelé que tous ces voyous pointaient au chômage, dans les mois qui avaient suivi le braquage. Personne ne s'était intéressé à leurs expériences professionnelles antérieures, à leurs stages de formation ou à leurs CDD. Encore moins à ceux des Lukowik, leur statut de précaires s'étant achevé ce matin de janvier 2015, devant les planches de Deauville. On avait seulement retenu qu'ils avaient travaillé un temps sur le port, lui docker et elle comptable.

Papy leva les yeux au ciel. Il possédait maintenant tous les atouts dans son jeu. Pouvait-il se tromper ?

Devait-il en parler à Mariannc ? Ça ne lui serait d'aucun secours, pour le moment, ni pour retrouver Timo Soler, ni pour localiser Malone Moulin, Amanda Moulin ou Alexis Zerda. Mais il savait désormais comment cette folie avait germé.

Un nouveau message l'agressa. C'était encore Marianne, elle n'allait pas le lâcher avec ses coloriages !

Papy ? T'as reçu mon dernier mail ?

Du doigt, tout en soupirant, le policier fit à nouveau glisser le dessin de Malone Moulin.

Quatre traits noirs…

Le gosse avait décrit au psy des tours cylindriques, mais il n'y avait aucun château encore debout autour du Havre. Encore moins face à la mer. Tout avait été bombardé pendant la guerre.

Marianne l'emmerdait, chacun son bout d'enquête, chacun son fil. Si chacun faisait son boulot on se rejoindrait une fois la pelote démêlée.

Le regard du policier suivit un instant la course des nuages, jusqu'à s'arrêter sur la tour d'excavation du puits d'Aisy.

Il y eut comme un déclic, une sorte d'engrenage, un mécanisme qui se déclenchait dans son cerveau. Sur le coup, il lui sembla que l'immense bloc de béton dressé vers le ciel vacillait, tremblait, pour finir par s'effondrer lui aussi dans le gouffre béant qu'il surplombait.

Sa main tremblante saisit le téléphone portable. Après tout, il adorait satisfaire le moindre des désirs des femmes autoritaires. Il appuya sur *Boss* dans la liste de ses contacts.

— J'ai trouvé, Marianne. Je l'ai trouvé, ton putain de château au bord de l'eau.

58

Petite aiguille sur le 2, grande aiguille sur le 7

Malone s'était assis sur les marches de la maison à pilotis, face à la mer. Gouti était posé sur ses genoux au cas où les vagues remontent d'un coup ou qu'une vague plus grosse déborde. Gouti n'avait pas de capuche, rien sur la tête pour le protéger des gouttes. L'ogre lui avait dit de ne pas entrer dans la maison, de rester là, dehors, d'attendre. Assis.

Tant mieux. Même s'il avait froid, il préférait rester là. Dans ses souvenirs, le bateau était plus joli, il avait des grandes voiles blanches et un drapeau noir tout en haut. Celui-là était moche, à moitié coulé dans l'eau. On aurait presque dit un rocher.

Comme le château. Il n'avait pas l'air bien solide lui non plus, et puis les tours ne protégeaient pas grand-chose et on ne devait pas voir très loin d'en haut, si on pouvait monter, parce qu'il n'y avait pas de fenêtres, pas d'escalier, rien. Juste quatre tours. Même pas de murs entre les tours pour que les chevaliers puissent surveiller. Une grosse vague et hop, tout pouvait disparaître, comme le bateau, comme la maison de l'ogre, comme Gouti.

Non, Gouti, il le tenait bien, entre ses genoux, même s'il était mort.

Malone était pressé que la mer s'en aille. Il se souvenait de ça aussi. Des fois, la mer partait loin, plus loin que les cailloux ronds, et elle laissait du sable derrière elle. Malone construisait des châteaux avec maman, devant la maison, des grands châteaux de sable qui restaient longtemps debout quand la mer revenait.

C'était ici, il en était sûr, même si tout était caché sous la mer. Peut-être que quand elle partirait, la mer, sa maman reviendrait jouer avec lui.

La maman d'ici, pas Maman-da.

Le cri terrible le fit sursauter. Celui de l'ogre. Immédiatement, il serra sa capuche contre ses deux oreilles et juste après enfonça ses deux doigts dans celles de Gouti pour qu'il n'entende pas non plus.

* *
*

Alexis Zerda fit basculer d'un mouvement brusque l'armoire de contreplaqué, elle explosa en une dizaine de planches sur le parquet humide, cloisons, portes et tiroirs, puis il retourna du pied les morceaux de bois éparpillés dans les débris de verre et de vaisselle, de bibelots cassés, de feuilles jaunies volantes. Rien.

Rien qu'un bordel sans intérêt.

Il arracha avec la même humeur les étagères clouées aux murs par quatre pointes. Les rares livres, disques, vases, conserves s'écrasèrent à leur tour sous le poids du meuble déséquilibré.

Toujours rien, rien que le merdier qu'ils avaient laissé en quittant ce repaire.

Aucune trace du butin !

Zerda fouilla encore les derniers meubles, sous les lits, arracha le placo des minces cloisons entre les cinq pièces, chambres, cuisine, salon, sans autre motivation que la fureur, puisque l'évidence lui était apparue, dès qu'il avait soulevé la trappe sous le frigo de la cuisine : il s'était fait doubler !

Le butin était dissimulé dans le vide d'air sous la maison, seulement accessible en déplaçant le réfrigérateur, dans trois valises aux proportions exactes de celles avec lesquelles on peut voyager en cabine sur une compagnie aérienne low cost. Deux millions de camelote ! Le lit de la première chambre cogna avec violence contre le mur. La lame de poignard au bout de son bras tailla une large entaille dans le matelas, déclenchant une pluie de polystyrène couleur éponge.

Ils étaient seulement quatre à connaître la cache ! Timo, les Lukowik, et lui. Même le gosse n'était pas au courant. Dimitri et Amanda non plus, bien entendu. Ils avaient dissimulé le butin comme prévu après le braquage, le temps d'attendre que tout se tasse, le temps de contacter des receleurs aussi, des Chinois, des types à l'autre bout du monde sans liens possibles avec les indics des flics d'ici.

Qui l'avait trahi ?

Zerda éventra un second matelas déjà à moitié moisi par l'humidité, puis le laissa retomber au sol comme un cadavre éviscéré, fouillant à peine ses entrailles.

Il n'y avait aucune raison que l'ordure qui avait récupéré le magot sous la trappe l'ait dissimulé ailleurs dans cette maison. Et il se souvenait parfaitement de l'endroit où il avait laissé les trois valises, lorsqu'il était revenu, le soir du braquage.

Qui ?

Qui pouvait être revenu ensuite ?

Pas Timo. Pas dans son état. Il l'avait laissé quasi mort dans son appartement du quartier des Neiges. Encore moins les Lukowik, Cyril et Ilona étaient déjà à la morgue du Havre, entre les mains des légistes, au moment où il planquait les valises.

Restait alors une seule possibilité, quelqu'un avait parlé.

Timo ? A sa copine ? Au gamin ?

Zerda s'arrêta un instant et jeta un regard à Amanda, assise sur une chaise du salon, pensive, comme concentrée devant un téléviseur invisible.

Il s'occuperait d'elle plus tard.

Il fit trois pas vers la porte de l'entrée, prit le temps de respirer, de se calmer, et se pencha vers le gosse.

On ne sait jamais.

* *
*

Amanda fixait le mur. Une fissure dans le mur, plus précisément, qui lui rappelait la fêlure mortelle dans le cerveau d'un enfant. La maison finirait elle aussi par s'écrouler, cela commence toujours ainsi, par une minuscule fêlure, puis inexorablement tout s'écarte, pour finir par créer un vide, un gouffre, sans même qu'on s'en aperçoive, et tout tombe dedans, tout ce à quoi vous tenez.

Elle se leva, doucement. Zerda semblait ne plus faire attention à elle, mais elle le connaissait, il était un fauve sur le qui-vive, une sorte de tigre, apathique en apparence. Prêt à bondir pourtant, n'importe quand, sur n'importe quoi.

Cette fissure l'intriguait…

Elle s'approcha et colla son nez sur le mur. La lézarde ressemblait davantage à un fil qui menait du plafond au sol, longeait la plinthe, pour remonter ensuite sur quelques centimètres jusqu'à une petite table de formica meublée d'un seul tiroir. On aurait dit une colonie de fourmis qui a trouvé une réserve de sucre et qui organise méticuleusement le pillage.

Amanda passa son doigt sur le mur. Plus étrange encore, la fissure dans le mur n'était pas naturelle. On l'avait tracée, au feutre noir, en pointillés minuscules, en imitant de façon saisissante une discrète file d'insectes.

Comme si on avait voulu qu'elle la remarque ! Elle seule. Comme dessinée par quelqu'un qui connaissait le secret de son fils, qui savait que les seuls êtres vivants l'ayant accompagné dans sa montée vers le ciel étaient des insectes, avançant en procession sous son crâne.

Elle se retourna doucement vers Zerda. Il parlait à Malone, devant l'entrée de la maison.

Qu'est-ce qu'il pouvait lui raconter ?

Peu importe, elle disposait de quelques secondes de répit. D'évidence, celui qui avait tracé cette ligne noire voulait qu'elle ouvre ce tiroir.

Elle le tira vers elle, prenant soin de se placer devant pour que son corps le dissimule. De vieilles cartes routières mal repliées s'étirèrent, comme courbaturées. Elle les poussa, chercha dessous. Se mordit les lèvres.

Elle ne comprenait pas.

Ses doigts tremblant attrapèrent les deux cartons rectangulaires.

Elle tenait dans sa main deux billets d'avion !

Deux numéros de siège, 23 A et B.

Deux noms, Amanda et Malone Moulin.

Un départ, Le Havre-Octeville, et une destination. Caracas, *via* Galway, en Irlande.

Vol au départ du Havre, 16 h 42. Dans moins de deux heures.

Qu'est-ce que cela signifiait ?

Quelqu'un les avait déposés ici ? Etaient-ce ces billets que cherchait Zerda ? C'est par ce moyen qu'il espérait fuir lui aussi ? Impossible, toute la police de France devait être à ses trousses, jamais il ne franchirait la douane ainsi.

Qui alors ?

Secouée par une soudaine toux violente, elle ne put réfléchir davantage. Zerda leva les yeux vers elle, méprisant. Son décolleté avait été sa dernière idée stupide, n'avait servi qu'à faire entrer un froid glacial sous sa poitrine, dans ses poumons, à compresser son cœur dans un écrin dc givre.

Elle allait mourir dans quelques minutes, la morve au nez. Ridicule, pitoyable, comme l'avait été toute sa vie. Elle ne devait plus se concentrer que sur une chose, détourner l'attention de Zerda et hurler dans le même temps à Malone de s'enfuir, de courir le plus vite possible loin de ce taudis, avant que la marée ne les emprisonne définitivement ici.

* *
*

— Tu as perdu ton trésor ?

Malone n'avait pas peur des ogres, alors il pouvait bien l'aider. Surtout que celui-ci avait l'air complètement perdu, rien à voir avec le grand ogre de la forêt dans l'histoire du chevalier Naïf, avec son poignard capable de découper la lune en tranches.

— Tu as une idée, Malone ? Tu sais où il est caché ? Il avait une voix de méchant qui essaye d'être gentil.

— T'es comme Gouti, alors…

— Comment cela, comme Gouti ?

— Oui, comme Gouti. Tu connais pas l'histoire ? Gouti, son trésor, il le cache avant de faire dodo, pour être sûr de le retrouver après, quand il se réveille.

— Continue, Malone. Continue. Que fait-il pour retrouver son trésor ?

— Rien. C'est ça l'histoire. Il le retrouve jamais. A chaque fois que Gouti enterre un trésor, il le perd et il sait plus où il l'a caché.

Un flot d'injures se fracassa dans la tête de Zerda. A croire que quelqu'un avait mis toutes ces idées dans la tête du môme rien que pour se foutre de sa gueule !

Sa voix se fit pourtant plus douce encore. Aiguë, mais les enfants aimaient cela. Il savait se contrôler quand il le fallait.

— S'il ne le retrouve jamais, Gouti, son trésor. Qui le trouve alors ? Qui lui a volé ?

— Personne…

Malone regarda la mer en pressant Gouti entre ses genoux, puis continua.

— Personne et tout le monde. C'est ça, l'histoire. Le trésor de Gouti, c'est une graine, une graine enterrée sous la terre qui pousse et qui fait un grand arbre pour que tout le monde puisse jouer, et manger, et dormir dedans aussi.

Zerda se pencha encore vers l'enfant. Il sentit frotter contre sa cuisse le canon du Zastava accroché à son ceinturon.

* *
*

La curiosité avait été la plus forte, Amanda continuait de fouiller le tiroir, tout en veillant à toujours boucher l'angle de vision d'Alexis. Elle souleva une dernière carte. Yvetot. Série bleue. Code 1910 O. Trop vite. Elle avait déplacé dans le même mouvement l'objet dissimulé dessous. Il y eut un bruit, léger, sans doute couvert par le bruit des vagues, mais qui fit tout de même tressaillir Amanda.

Comme dans un jeu de précision, cette fois-ci, elle prit un temps infini pour poser la carte routière sur la table en formica, afin de dévoiler le fond du tiroir.

Elle plissa plusieurs fois les yeux pour être certaine qu'elle ne rêvait pas.

Il n'y avait pas d'autre explication, quelqu'un l'avait déposé là exprès. Pour elle.

59

Aujourd'hui, Stéphanie a accouché de notre troisième enfant. Sauf qu'elle en avait deux dans son ventre.
Envie de tuer
Je lui ai demandé lequel elle voulait garder.

Condamné : 1 153
Acquitté : 129

www.envie-de-tuer.com

Gouti avait tout juste trois ans, ce qui était déjà grand dans sa famille, car sa mère n'en avait que huit et son grand-père, qui était très vieux, en avait quinze.

Cinq flics s'affairaient autour de la commandante Augresse et du lieutenant Lechevalier.

Le cadavre de Dimitri Moulin avait été évacué quelques minutes auparavant avec le tapis de bambou ensanglanté, et désormais les flics allaient et venaient entre l'extérieur et la scène de crime sans aucune précaution ; on avait même déplié une carte sur la table du salon des Moulin.

Il y avait urgence, avait martelé la commandante : empêcher deux autres meurtres, dont celui d'un gamin de trois ans. Et depuis que Papy les avait appelés, en assénant sa certitude, ils tenaient enfin une piste sérieuse.

Malone n'avait pas dessiné les donjons d'un château, mais ceux d'une usine !

Le lieutenant Pasdeloup l'avait compris en observant la tour d'une mine qui ressemblait étrangement à un donjon. On ne devait pas rechercher quatre tours, mais quatre cheminées, ou quatre citernes, quatre cuves.

Face à la mer… Un jeu d'enfant !

Les cinq policiers autour de la table disposaient chacun d'un ordinateur portable, posé devant eux, le nez collé à l'écran, comme une équipe de geeks qui jouerait en ligne contre une autre située à l'extrémité de la planète.

Google Earth, Google Street View, Mappy, Système d'informations géographiques de l'Agence d'urbanisme du Havre ou de la Communauté d'agglomération, tous les sites qui contenaient des informations géoréférencées, des photos ou des plans, étaient passés en revue. Deux autres policiers, Benhami et Bourdaine, étaient chargés d'appeler le Grand Port maritime et la Chambre de commerce et d'industrie.

La commandante Augresse supervisait toute l'équipe. Papy était le meilleur flic de son équipe, cette intuition le démontrait une fois de plus. Quel dommage que cette tête de cochon préfère opérer seul ! Elle l'aurait bien échangé contre Jibé. Non pas que le petit cul du lieutenant, penché sur la table, lui déplaise, ni qu'il ne soit pas un flic efficace, il l'avait encore prouvé en repérant ce siège auto dans l'Opel Zafira garée devant le casino de

Deauville, mais la présence de Papy l'aurait rassurée, sans qu'elle sache exactement pourquoi. C'était stupide, mais elle n'arrivait plus à faire pleinement confiance à Jibé.

Il était une fois un grand château en bois qui avait été construit avec les arbres de la grande forêt juste à côté. Dans ce grand château, qu'on pouvait voir de très loin à cause de ses quatre grandes tours, habitaient des chevaliers. En ce temps-là, les chevaliers portaient tous le nom du jour où ils étaient nés...

Après l'euphorie de la suggestion du lieutenant Pasdeloup, « Cherchez une usine ! », l'enthousiasme était retombé.

Rien ne correspondait…

La plupart des enquêteurs s'étaient concentrés sur la zone industrialo-portuaire, mais on se situait très loin du cap de la Hève. En front de mer, on ne trouvait ni raffinerie, ni centrale électrique, ni aciérie ou usine chimique. Les sites de production s'étendaient plus en amont du fleuve, dans les terres, vers Port-Jérôme, la plus grande raffinerie de France. Les policiers avaient aussi cherché de l'autre côté de la Seine, vers Honfleur, mais on n'y recensait qu'un port de plaisance, quelques bateaux de pêche, un phare, et aucune tour, même industrielle… Rien non plus vers le nord, en direction du terminal pétrolier d'Antifer, rien ressemblant aux descriptions de Malone Moulin.

Marianne pestait en regardant méchamment sa montre.

14 h 40.

Ils pataugeaient… Au moins, Jibé aurait une bonne excuse pour rentrer tard ce soir à la maison ! Il pourrait faire la bise à ses enfants et à sa femme sans crainte qu'elle renifle le parfum d'une autre. La commandante pourrait même faire un mot d'excuse au joli cœur.

D'ailleurs, le reste de l'enquête piétinait tout autant. La piste de la plaque de l'Opel Zafira s'était soldée par une impasse. La voiture avait été déplacée après le braquage, quelques heures plus tard ou le lendemain, sans que personne la remarque ou la repère. D'après le numéro d'immatriculation, elle appartenait à un pharmacien de Neuilly, qui ne venait presque jamais à Deauville et conservait trois voitures dans son garage. Il n'avait signalé le vol que trois mois plus tard, le 9 avril. Personne n'avait fait alors le rapprochement entre cette voiture volée et la liste des vingt-sept autres véhicules garés le long de la rue de la Mer le jour du braquage. Une jolie boulette ! L'Opel avait sans doute été brûlée depuis dans un coin de l'estuaire, ou balancée du bord d'un quai au fond d'un bassin.

On ne pouvait en tirer que deux conclusions, pas vraiment neuves : les braqueurs avaient minutieusement préparé leur coup, et c'était bien à bord de cette voiture, puisqu'elle avait été volée, qu'Ilona et Cyril Lukowik avaient projeté de s'enfuir, et que le butin avait disparu.

Restait un dernier espoir : reconnaître Malone Moulin sur l'une des photographies prises par les badauds avant, pendant ou après la fusillade. Lucas Marouette était sur le coup. Rien à signaler pour l'instant, et sauf coup de chance, ça lui prendrait un sacré moment pour en venir à bout. Ce petit as de l'informatique allait devoir zoomer sur plusieurs centaines de photos pour y traquer un visage, un seul parmi une foule de touristes.

Sur son île, tout le monde le surnommait Bébé-pirate. Il n'aimait pas beaucoup ça, surtout qu'il n'était plus un bébé depuis longtemps, mais comme il était né le dernier, ses cousins grandissaient en même temps que lui, il restait toujours le plus petit.

Dans le salon des Moulin, la voix déformée de Gouti continuait de raconter ses histoires, du lundi au dimanche, en boucle, depuis près d'une heure. Marianne avait tenu à ce qu'on n'arrête pas le lecteur MP3 tant que l'on n'aurait pas décrypté le sens codé de tous ces lieux, même si cette voix nasillarde rendait la scène étrange, presque irréelle.

Dix flics jouant à la console en écoutant des contes pour enfants.

« Tu vois, Gouti, les vrais trésors ne sont pas ceux qu'on cherche toute sa vie, ils sont cachés près de nous depuis toujours. »

La commandante s'éloigna de la table pour répondre au téléphone qui vibrait dans sa poche.

Angie.

C'était bien le moment !

Marianne colla sa main sur son oreille droite et avança jusqu'à la terrasse du petit jardin derrière le pavillon des Moulin.

— Marianne, tu es là ?

— Angie ? Qu'est-ce qui se passe, il y a un problème ?

— Non... c'est toi. Tu devais me rappeler avant ce soir. Me donner des nouvelles. Ton psy alors, c'est lui, le tas de cendres ?

La commandante leva les yeux au ciel, puis les fit courir dans le jardin clos par trois murs de troènes. Deux stères de bois sous un appentis que l'homme de la maison ne rentrerait plus, un ballon égaré sous une chaise en plastique qu'il ne renverrait plus jamais à son fils, un barbecue rouillé qui resterait pour toujours éteint.

— Oui, c'était lui, lâcha Marianne.

Il y eut un long silence. Interminable. Ce fut la commandante qui prolongea la conversation.

— Et depuis, la liste s'est allongée, ma belle. Je n'ai vraiment pas le temps, là…

— Je… je comprends…

Machinalement, Marianne jouait avec un morceau de papier dans sa poche. Elle le sortit et le lut.

Noël Joyeux. N'oublie Jamais.

Le billet trouvé dans l'album photo de Malone.

— Tu… tu seras disponible ce soir ? insista timidement Angélique.

— Non, sans doute pas…

Marianne s'en voulut sur le moment d'avoir répondu aussi sèchement, mais Angie ne pouvait pas occuper sa ligne plus d'une minute. Elle prit néanmoins le temps d'une question supplémentaire.

— Ça va toi ? T'es au salon ? Tu m'as l'air toute drôle…

— Ça va. Ça va. Je tiens à toi, tu sais, Marianne. J'ai besoin de toi.

Elle avait dit cela d'une voix douce, presque chuchotante, comme prononcée au creux de l'oreille d'un enfant, ou d'un amant. Cela toucha la policière. Elle avait beaucoup d'affection pour Angie. Inexplicablement, même si elles ne se connaissaient au fond que depuis quelques mois. Sûrement parce qu'elle partageait avec cette coiffeuse rêveuse le même mélange de désespoir absolu et de passion incontrôlable pour les destins de princesse ; et que seul un humour féroce permettait de supporter le grand écart des sentiments.

Envie-de-tuer.

Envie-de-vivre.

Envie-de-tout-faire-sauter.

Envie-de-tout, envie-de-rien.

Pas maintenant, pas ce soir, elles auraient le temps de refaire le monde en descendant une bouteille de rioja quand cette affaire serait bouclée. De refaire leur petit monde.

— Merci, ma belle, susurra Marianne. Je te reviens vite, promis. Mais faut que je raccroche !

— No problemo. Ciao…

Marianne rentra dans la ruche où dix flics-abeilles butinaient. Jibé s'énervait, il allait et venait d'un écran à l'autre, haussant les épaules comme s'il croyait de moins en moins à l'inspiration de Papy. Remplacer les tours par des cheminées, les chevaliers par des ouvriers. Et puis, l'heure tournait, le pauvre chéri était coincé ici…

La voix d'Angie continuait de flotter dans sa tête.

J'ai besoin de toi.

Plus qu'une déclaration d'amour… c'était un appel au secours !

Marianne se gronda, maîtresse et élève indisciplinée à la fois ; c'était ridicule, elle n'allait pas recommencer à se fourrer des pensées parasites dans la tête. D'ailleurs, il n'était pas bien difficile de se concentrer sur autre chose, il suffisait de s'approcher un peu de l'enceinte posée à côté du buffet en acajou d'où sortait la voix féminine de Gouti.

Il sortit son grand couteau. La lame fit un éclair dans la nuit, comme si la lune au-dessus d'eux n'était qu'un fromage que l'immense arme pouvait découper en tranches.

L'agent Bourdaine était planté devant elle, au garde-à-vous, droit comme un thuya taillé ras.

— Pour moi ?

Il acquiesça d'un signe de tête sans bouger le tronc.

— Commandante Augresse, j'écoute.

— Hubert Van De Maele, Je suis ingénieur au Grand Port maritime. Enfin ingénieur en retraite. Le président m'a téléphoné, apparemment vous recherchez un site précis, en relation avec une enquête ? Il n'avait pas le temps, alors il fait travailler les anciens. Ça m'occupe, ça me permet de lutter contre l'Alzheimer, l'Alexander, le Parkinson ou le Huntington, tous ces trucs qui vous guettent dès qu'on vous met au rancart. Du coup, le président sait bien que je ne dis jamais non. Vous cherchez quoi exactement ?

Lasse, Marianne expliqua rapidement, sans entrer dans les détails. Un site qui pourrait ressembler à un château, proche de la mer et d'un bateau qui pourrait ressembler à un vaisseau de pirates… mais rien, même en remontant à cinquante kilomètres au fond de l'estuaire, ou en suivant la côté d'est en oue…

Van De Maele la coupa avec autorité :

— Vous avez pensé à l'ancienne base de l'OTAN ?

— Pardon ?

— La base abandonnée de l'OTAN. A Octeville-sur-Mer, après le cap de la Hève, près de l'aéroport.

Le cœur de Marianne cognait de toutes ses forces.

— Continuez.

— Au début des années 60, en pleine guerre froide, l'Etat français, qui était encore membre de l'OTAN, a décidé de construire une petite base à cinq kilomètres au nord du Havre, au cas où le port serait bombardé. Des murs de béton de soixante centimètres, quatre cuves d'hydrocarbures de dix mille mètres cubes, des postes de mouillage pour les pétroliers ou les cuirassés, le tout caché au pied de la falaise et relié au plateau par un escalier de quatre cent cinquante marches. Les militaires ont occupé le site, classé secret défense, pendant vingt ans. Comme dans le désert des Tartares ils ont attendu l'ennemi pendant des années, sans jamais voir arriver le moindre cosaque ou sous-marin rouge, vous vous en doutez. La base n'a jamais servi à rien ! Au début des années 80, elle a été neutralisée. On a coulé du ciment dans les citernes de pétrole, les portes des blockhaus ont été soudées, et tout a été abandonné en l'état. Il n'est resté qu'une route défoncée et l'escalier. Une dizaine de maisons ont alors poussé là, profitant de l'accès à la mer et du matériel à récupérer, de façon complètement illégale. Du squat, mais les pieds dans l'eau… Puis tout le monde, sauf quelques associations environnementales, a oublié cette histoire !

— Les quatre citernes, elles ressemblent à quoi ?

— Elles sont alignées face à la mer, au-dessus du blockhaus de béton, assez impressionnantes. D'en bas, on ne voit qu'elles. C'est vrai qu'avec un peu d'imagination, ça peut ressembler à un décor de science-fiction, un repaire de méchant, le genre de truc auquel James Bond s'attaquerait. C'est un site assez sordide.

— La base n'a jamais servi, m'avez-vous dit. Il n'y a pas de bateau, alors ?

— Non, aucun, jamais. Tous les quais ont été détruits avec la fermeture de la base… Et cinq épis plantés dans la mer sont toujours destinés à empêcher tout débarquement.

Marianne se mordit les lèvres. Une fausse piste de plus ?

— Cela dit, ajouta Van De Maele, pour ajouter encore au côté sinistre du lieu, entre les cuves de fuel rouillées et les maisons de tôles sous la falaise, personne n'a jamais eu le courage, le temps ou l'argent pour évacuer l'épave.

— L'épave ?

— Oui. Elle fait partie du décor elle aussi. Un bateau qui est venu s'échouer là, il y a bien trente ans. Un tanker de la première génération. Coupé en deux. A marée haute, on pourrait croire qu'il flotte encore, comme un vaisseau fantôme, mais à marée basse, quand la mer se retire, on voit bien qu'il est simplement enlisé dans le sable. Noir. Planté presque fièrement dans la vase. Mais piégé là pour la nuit des temps. Patrimonialisé, comme on dit aujourd'hui, mais pas comme le serait un monument aux morts. Piégé là à cause d'une guerre qui n'a jamais eu lieu. Le désert des Tartares, je vous dis.

Marianne n'écoutait plus, elle avait déjà rendu le téléphone à Bourdaine, sans même remercier l'ingénieur en retraite. Elle s'arrêta un instant sur les dessins d'enfant étalés sur la table, puis interpella le lieutenant Lechevalier, sans aucune autre arrière-pensée que d'aller vite, le plus vite possible.

— Le repaire existe, Jibé ! Le gosse n'a rien inventé, il a juste déformé un peu la réalité. Tout correspond, c'est forcément la planque où Malone a passé les premières années de sa vie (elle prit une respiration pour tenter de ralentir les battements de son cœur), et où il passe peut-être ses dernières heures (ralentir encore, souffler). En ce moment, avec un tueur !

60

Petite aiguille sur le 2, grande aiguille sur le 9

Alexis Zerda regardait les pilotis vibrer, trembler, devenir aussi mous que des câbles de caoutchouc. La marée montante les avait presque entièrement recouverts et les vagues les plus audacieuses atteignaient la terrasse de la maison. Ils devaient filer…

Le gosse ne savait rien, c'était une évidence. Il se contentait de répéter ce qu'on avait imprimé dans son cerveau, cette histoire de rat d'Amazonie qui enterre son trésor et ne le retrouve jamais, le cherche jusqu'à en devenir dingue.

Ce gosse était un perroquet auquel on avait appris une fable ! Celle qui lui avait gravé ce conte dans le crâne était évidemment celle qui avait mis la main sur le butin. Quelle folle ! Le narguer et lui laisser le gosse entre les mains…

Zerda passa sa main droite sous la capuche de Malone et caressa les cheveux de l'enfant, alors que lentement la gauche glissait le long de son ceinturon pour attraper le Zastava. Il devait se débarrasser d'Amanda d'abord. Il s'occuperait du gamin plus tard. Il avait du mal à comprendre pourquoi, mais pour la société un gosse valait une fortune, inestimable, davantage encore que trois valises de deux millions d'euros. Alors pour une mère, par combien pouvait-on multiplier la valeur d'un enfant ?

— Amanda, on file.

Zerda avait donné l'ordre d'une voix calme, impérative.

Il tourna les yeux vers l'intérieur de la maison, avança, et referma la porte derrière lui. Amanda se tenait immobile au fond de la salle, debout parmi les meubles qu'il avait fracassés. Il la trouva presque touchante, chancelant sur ses jambes trop fortes. Presque désirable avec son chemisier ouvert, son bassin qui frissonnait, cette vie qu'elle se mettait à regretter, maintenant que c'était fini. Presque belle, même avec son regard implorant.

Fais ce que tu veux de moi, mais laisse l'enfant.

Ce regard d'abandon total... Aurait-il une autre occasion dans sa vie de croiser une telle soumission ? Une telle résignation ? Un tel don de soi ? Jamais sans doute, chez aucune femme, même s'il la soumettait à la pire des tortures.

L'amour d'un enfant rendait les femmes sublimes.

Mais vulnérables et prévisibles, aussi. Il avança d'un pas, prenant soin de vérifier que Malone se tenait toujours à sa place, à jouer avec son rat et rêver aux pirates. Il fit glisser le Zastava derrière son dos.

Zerda connaîtrait d'autres filles, même s'il devrait payer pour les séduire, payer beaucoup.

L'amour de l'argent rendait également les femmes sublimes. D'autres femmes. Ailleurs.

En aveugle, son pouce libéra la sécurité du pistolet.

— Je ne lui ferai aucun mal, Amanda. Je ne toucherai pas à ce gosse, tu as ma promesse.

Sa façon d'en finir dignement. Proprement. Son index se colla à la détente. Il dégainerait et tirerait en même temps, pour qu'Amanda n'ait pas le temps de se rendre compte. Elle n'était pas condamnée pour désertion à être fusillée par un peloton, Présentez armes, en joue et tout le baratin, juste une miette de pain sur son chemin de Petit Poucet.

En finir, vite, foutre le camp.

— Je sais, Alexis, fit Amanda. Je sais que tu ne toucheras pas à ce môme.

Elle souriait. C'était mieux ainsi. Ça soulageait Zerda qu'elle le prenne bien. Il eut juste le temps, une fraction de seconde, de se rendre compte à quel point cette dernière idée était ridicule.

Qu'elle prenne bien quoi ? Sa mort ? Son exécution ?

Il entendit dans un brouillard les derniers mots prononcés par Amanda.

— Parce que tu n'en auras pas le temps.

Son attention s'était brusquement concentrée sur le bras d'Amanda glissé sous son chemisier, son bras qui se tendait, pointé vers lui, et au bout de ce bras, un revolver.

Elle tira. Quatre balles.

Deux atteignirent la poitrine de Zerda, la troisième lui traversa l'omoplate, une quatrième se ficha un bon mètre à sa droite, dans le mur de contreplaqué.

Zerda s'écroula, sans réagir ni comprendre.

Mort sur le coup.

Amanda effectua les gestes suivants mécaniquement, établissant la liste dans sa tête comme elle le faisait chaque jour pour sa tonne de tâches quotidiennes. Glisser dans sa poche droite le revolver trouvé dans le tiroir, sous les cartes. Elle le balancerait dans la mer dès qu'elle serait dehors. Glisser dans sa poche gauche les deux billets d'avion. Ranger, un minimum.

Faire diversion, un maximum, comme l'aurait fait Zerda. Trafiquer les apparences pour que la police patauge le plus longtemps possible.

Puis foutre le camp.

* *
*

— Je suis fatigué, Maman-da…

Malone n'avait pas grimpé le quart des marches de l'escalier. Amanda tira plus fort sur sa main. Une marche de plus, une sur les trois cents qui restaient. Le vent les poussait dans le dos, un peu.

— Je veux m'arrêter, Maman-da, je veux me reposer, je veux retourner dans ma maison, celle au bord de la mer. Je veux attendre maman.

Amanda ne répondit pas, tira le bras. Une marche encore.

298

— C'est trop long, c'est trop haut !

297

— Arrête ! Tu me fais mal au bras !

296

— T'es méchante, Maman-da. T'es méchante. Je t'aime pas.

296

— Je t'aime pas. Je n'aime que ma maman. Je veux maman !!! JE VEUX MA MAMAN.

296

D'un mouvement brusque, Amanda lâcha la main de Malone, puis, avant qu'il ne réagisse, arracha la peluche qu'il tenait au bout de sa main gauche. Les yeux de l'enfant paniquèrent devant la colère froide d'Amanda. Pas un autre mot ne sortit de sa gorge. Le vent le frigorifiait.

Amanda n'hésita pas une seconde. Elle prit un pas d'élan, dans un geste de semeuse, puis lança Gouti le plus loin qu'elle put. Il atterrit quelques mètres plus bas, rebondissant comme un pantin désarticulé sur les branches nues des noisetiers, au-dessus d'un fossé de ronces et d'orties, pour enfin rester en équilibre, pendu aux épines, pattes en croix, tête en bas.

Gouti !

Malone fixait sa peluche, bouche ouverte, larmes aux yeux, incrédule.

La main ferme d'Amanda empoigna ses cinq petits doigts, comme cinq insectes agaçants qu'on attrape d'un coup. Puis elle prononça quatre mots, seulement quatre, chacun séparé par un long silence et que le vent plaqua à la falaise pour qu'ils résonnent longtemps, tout le reste du temps de leur lente montée.

— C'est moi, ta maman !

III

Angélique

VENDREDI
Le jour de l'amour

61

Aéroport du Havre-Octeville,
vendredi 6 novembre 2015, 15 h 20

Angélique souffrait. Sa position était presque insupportable. Ses cuisses, ses fesses et son dos reposaient sur des cartons qu'elle tassait en essayant de ne pas les écraser, risquant au moindre geste qu'ils s'effondrent sous elle comme un château de cartes.

Elle devait tenir en équilibre, comme une funambule assise sur un tabouret de verre posé sur un fil au-dessus du vide. Au moindre signe de faiblesse d'un des cartons, ses mains se plaquaient contre un des murs, pour soulager son poids, pour répartir les charges. Ses muscles se tétanisaient à force de tenir la pose.

En aveugle. Une funambule aux yeux bandés, histoire de corser encore le numéro.

Angie était prête à souffrir longtemps encore, une éternité s'il le fallait. Comment se plaindre de ce sang qui manquait au bout de ses jambes recroquevillées, de ses doigts aplatis, alors que le corps de Timo se vidait du sien depuis trois jours ? Comment maudire cette odeur atroce qui lui remontait dans les narines, ce mélange d'ammoniaque, de lavande et de merde, quand un parfum de mort embaumait le corps de son amour depuis trois jours, cette puanteur qu'elle combattait en pressant son propre corps contre le sien ?

Elle devait tenir, d'interminables minutes, comme elle le faisait depuis près d'une heure. Tout comme Timo tenait, sur le parking, dans la Twingo.

L'écran rétroéclairé de sa montre diffusa une faible lueur, suffisante pour lire sans que personne la repère à l'extérieur.

15 h 23.

Elle appellerait les secours dès qu'elle serait en sécurité.

Elle accentuait, par touches millimétrées, la pression de ses mains sur les parois, pour maintenir un infime mouvement de balancier renforçant l'équilibre. Du moins, c'est ce qu'elle supposait. C'est ce qu'elle avait lu. Elle avait tout lu, tout ce qui pouvait lui servir. Tout écrit, tout noté, tout prévu, afin de mettre le maximum de chances de son côté, peu importe si elle n'en avait qu'une sur cent, une sur mille.

Angélique entendit des pas rompre le silence. Des portes qu'on ouvre, qu'on cogne, qu'on claque. Presque aucune parole, aucun rire, aucune musique, seulement des pas, du bruit et des soupirs. Elle se retenait de respirer à chaque son, même si personne ne pouvait soupçonner qu'elle se tenait là. Tout près.

Des images silencieuses défilaient dans le noir. Le braquage de Deauville, Ilona et Cyril, abattus sous ses yeux, leurs cadavres allongés devant les thermes, la balle qui passe à travers la lunette arrière de l'Opel Zafira, la pluie de verre, la foule de vautours autour d'eux, et elle qui époussette les éclats de diamant dans les cheveux de son fils, avec naturel, comme si elle se contentait de balayer des confettis d'un revers de main après le passage du carnaval.

Le temps s'accélérait, elle revoyait le visage d'Alexis Zerda, sa panique, sa fureur contre Ilona et Cyril, morts pourtant ; sa colère contre Timo et son casque qui avait rebondi sur le trottoir devant l'hippodrome, blessé au poumon pourtant.

Zerda était sorti de la planque et s'était avancé vers la plage, c'était le soir, il n'y avait personne au pied de la falaise sur des kilomètres, puis il leur avait balancé que les flics feraient forcément le rapprochement avec lui, s'ils avaient identifié les trois autres braqueurs, ils n'auraient pas à aller chercher plus loin que la rue des Gryzońs.

« Ils n'ont pas de preuve, Alex, avait trouvé la force de murmurer Timo. Même s'ils me collent en taule, je ne dirai rien. »

Timo n'avait même pas dit ça par calcul, pour que Zerda ne le laisse pas crever là comme un chien blessé, l'achève peut-être. Il était sincère. Oui, repensait Angélique, son nigaud de Timo était sincèrement désolé pour ce salaud de Zerda, il était sincèrement prêt à s'excuser d'avoir laissé tomber son casque, d'avoir pris une balle dans le poumon, de n'avoir pas été à la hauteur du plan parfait conçu par le cerveau de la bande, un cerveau qui n'osait même pas croiser ses yeux mouillés.

Ses yeux de serpent, Angélique l'avait tout de suite compris, n'avaient évité ceux de Timo que pour mieux s'attarder sur son fils.

Malone. Elle devait l'appeler Malone maintenant.

Zerda avait dévisagé longuement le garçon de trente mois, du même regard qu'il posait sur les flics, les indics, tous ceux qui se plaçaient entre lui et sa liberté.

Malone connaissait le visage d'Alexis.

Si les flics remontaient jusqu'à cet enfant, ils n'auraient qu'à lui montrer une photo, n'importe laquelle de ces photos prises à Potigny, au club de foot ou dans le bar-tabac de la Mine, et Malone hocherait la tête en disant oui. Un gosse de trois ans ne peut sans doute pas être convoqué à la barre, lors d'un procès, mais son témoignage n'en constitue pas moins une preuve pour un juge d'instruction, suffisante pour l'embarquer, pour le coffrer, pour mettre tout en branle, justice, police.

Mieux qu'une preuve même, si Malone hochait la tête pour dire qu'il connaissait Zerda, ça devenait une certitude pour les enquêteurs : les quatre avaient préparé le braquage ensemble, depuis des mois, sous les yeux de l'enfant ; avaient parlé des heures de chaque détail devant ce gosse vif et bavard. Timo ne dirait rien, même s'il était pris ; elle non plus, même si les flics parvenaient à l'identifier. Seul le gosse représentait un danger.

Angélique avait alors réfléchi à la vitesse de ces planches à voile qui glissaient sur la mer noire derrière les cuves d'hydrocarbures. Il fallait convaincre Zerda que Malone n'était pas un témoin dangereux, en tout cas moins dangereux vivant que mort ; les arguments étaient venus d'eux-mêmes, juste après qu'elle eut envoyé son fils jouer sur la plage.

« Un gosse de moins de trois ans oublie, Alex. Oublie vite. Dans quelques semaines, quelques mois au plus, il aura effacé ton visage de sa mémoire. Il suffit d'attendre, de temporiser, de laisser tranquillement reposer le butin. »

Alexis Zerda avait longtemps observé Malone, avec ses bottes rouges, occupé à ramasser les lichens sur la plage et à les disposer en cercle entre de minuscules tas de galets.

Peut-être au fond Zerda avait-il compris qu'il n'avait pas le choix, que s'il choisissait d'éliminer l'enfant, il devait tuer aussi la mère, avant qu'elle ne l'étrangle de ses mains, et qu'il n'en avait pas envie.

Zerda avait toujours eu un faible pour elle.

Le con !

Son plan était né à ce moment-là. En reliant les trois seuls horizons qui s'ouvraient devant elle, l'encadrement rouillé de cette maison de tôles au premier plan, les bottes rouges de Malone sur cette immense plage au second et l'immensité de l'océan en arrière-plan.

Trois plans pour un seul, un plan dingue, un château de cartes, une maison de carton dont la moindre cloison pouvait faire basculer tout le reste.

Un plan minutieusement préparé pendant des mois, et exécuté pour ses derniers détails dans l'urgence ; depuis la nuit dernière, dès qu'elle avait compris qu'Alexis Zerda commençait à faire le vide autour de lui, se débarrassait de tout témoin gênant.

Dans l'obscurité, le son agaçant de talons aiguilles claquant sur le pavé la tira de ses pensées. Des pas rapides, saccadés. Une employée pressée avant de prendre son service ? Une working girl au temps compté ? Une femme élégante courant retrouver son amant ?

Si proche d'elle. Invisible…

Angélique se força à rester concentrée sur ses souvenirs. Oui, ce plan imaginé dans l'urgence était fou, irréaliste, mais elle n'avait pas d'autre choix. Elle devait fabriquer une à une ces petites cloisons et les assembler. Chacune était fragile, mais ensemble elles pouvaient tenir debout. Elle devait simplement séparer, compartimenter, et être la seule à connaître le plan d'ensemble. Ce n'était pas bien difficile au fond. Séduire, elle savait faire.

Séduire un homme seul, elle disposait de tous les atouts pour cela.

Séduire une femme seule était sans doute au fond plus simple encore. Les femmes seules se méfient des hommes, pas des amies qui tombent du ciel.

Vasile Dragonman. Marianne Augresse.

Le reste était entre les mains de son fils. Malone ! L'appeler Malone, s'enfoncer ce prénom dans le crâne. Avait-il suivi à la lettre ses conseils ? Avait-il sagement obéi à Gouti ? Avait-il écouté toutes ces histoires qu'elle avait enregistrées, en déguisant sa voix, en dissimulant tout cela à Alexis bien entendu. Comment ce tueur aurait-il pu imaginer que sa vengeance passait par des contes pour enfants et par un rat en peluche qui connaît la seule façon de se débarrasser des ogres ?

Les talons aiguilles s'éloignaient déjà, laissant place pour la première fois à des rires. Des rires d'enfants. Et plus fort qu'eux, avec quelques secondes de décalage, les cris d'une mère.

Grossiers, vulgaires. Sans humour, sans tendresse, sans justification, seulement les cris d'un garde-chiourme, comme si la joie de ses gosses était une insulte à sa propre existence, comme si la vie de ses gosses lui appartenait, et qu'elle en disposait, comme des objets. A ranger. A faire briller. A briser, par négligence ou par colère.

Envie-de-tuer.

Les gosses repartaient déjà dans l'autre sens, suivis des pas lourds de la mère.

Son plan, quand Angélique y pensait, lui rappelait des souvenirs plus anciens. Des souvenirs bizarres qui remontaient à la troisième, un recueil de nouvelles que la prof de français leur avait fait lire, un livre de science-fiction avec une série d'histoires qui racontaient la colonisation de Mars par les hommes, un truc de fous. Les Martiens, avant d'être tous tués par les hommes, possédaient des pouvoirs étranges, comme celui de prendre plusieurs apparences, selon qui les regardait. Un des derniers Martiens survivants s'était caché dans une ferme isolée, où les colons humains l'avaient pris pour leur fils mort des années plus tôt. Il était resté là, aimé, tranquille. Jusqu'à ce que ses parents adoptifs l'emmènent en ville. Mauvaise idée ! Dans la rue, une femme avait pris le Martien pour son mari décédé quelques jours plus tôt, un homme pour sa femme qui l'avait quitté, un autre pour un ami resté sur la Terre… Le Martien avait beau fuir, il trouvait toujours quelqu'un pour le reconnaître, lui prendre la main, la taille, le cou, le supplier de rester, de ne pas disparaître à nouveau. Il était mort ainsi, piétiné et écartelé par cette foule de gens en deuil qui l'aimaient sans vouloir le partager.

Elle comprenait aujourd'hui cette histoire de fous. C'est ce qui ne devait pas arriver à son fils.

Malone, pour Amanda.

Malone pour elle, désormais.

Son fils, même s'il portait le prénom d'un autre.

Un carton s'affaissa sous son poids, Angélique dut se retenir aux deux parois, priant pour que l'ensemble de l'édifice ne s'écroule pas. Elle souffla, la pyramide tenait bon, même s'il lui semblait que son trône improvisé continuait de s'affaisser, imperceptiblement, millimètre par millimètre. A chaque seconde, tout pouvait se casser la gueule.

Pas maintenant, pria-t-elle, pas si près du but. Il suffisait que sa maison de carton tienne debout encore quelques minutes.

Ensuite, ils auraient l'éternité pour en construire une autre, dans la clairière la plus lumineuse de la plus grande forêt du monde.

Loin.

Une maison de pierre, solide, indestructible.

Pour sa famille.

Elle, Timo et leur enfant.

62

Aujourd'hui, pour mon enterrement de vie de jeune fille, mes trois copines m'ont fait défiler sur les Champs-Elysées en pute mexicaine avec des bas résille, des faux seins et un sombrero.
Envie de tuer
Je n'ai rien dit quand le bus touristique est arrivé alors qu'elles reculaient pour me prendre en photo. Pour leur enterrement de vie tout court, elles étaient déguisées en enchiladas.

Condamné : 19
Acquitté : 1 632

www.envie-de-tuer.com

Le lieutenant Lechevalier n'avait pas hésité à retirer ses chaussures et à remonter son pantalon de toile jusqu'aux genoux. Il pataugeait dans les trente centimètres d'eau qui grignotaient les pilotis sans que la morsure froide de la marée montante semble le déconcentrer. Après avoir glissé son bras sous la maison de bois et tôle, il se redressa, trempé, en exhibant un manteau ensanglanté.

— C'est tout ce que j'ai trouvé.

Marianne, au sec sur le pas de la porte, observa le vêtement. Un trench-coat, une coupe féminine, de grande taille. Jibé insista en faisant glisser ses gants de latex sur le tissu trempé.

— Vu les litres de sang que la toile a épongés, Zerda ne s'est pas contenté d'égratigner Amanda Moulin. Si je me fie aux taches, je dirais plusieurs balles, mortelles, poitrine, ventre et poumon.

La commandante grimaça. Jibé se plantait rarement sur les aspects balistiques d'une enquête.

— Fallait s'y attendre, soupira-t-elle. Aucune trace du corps ?

— Aucune, confirma Jibé. Ni du gamin, d'ailleurs…

— Avec de la chance, Zerda a conservé la même stratégie, un cadavre à chaque étape. Le gamin est encore avec lui.

— Tu penses que Malone sera le prochain sur la liste ?

Marianne dévisagea son adjoint.

— Sauf si on l'en empêche ! Vous me démontez cette maison en kit, boulon après boulon, et vous me retrouvez le cadavre d'Amanda Moulin. Zerda n'a pas pu le remonter par l'escalier et il n'a pas été emporté par la marée. C'est dans cette planque que, pendant des mois, la bande de la rue des Gryzońs a préparé le braquage de Deauville. Alors vous allez m'apporter une jolie collection de souvenirs de leur séjour les pieds dans l'eau.

Jibé entra dans le pavillon, pieds nus, la chemise bleu ciel trempée collée à la peau. Marianne avait le téléphone collé à l'oreille et mobilisait la division de la logistique opérationnelle de la DCPJ[1].

— Vous m'entendez ? Oui, c'est la commandante Augresse ! Vous m'intensifiez la procédure d'alerte contre Alexis Zerda et Timo Soler. Photos, affiches, mail, fax, vous m'inondez toute la région.

Un instant, elle leva les yeux au ciel.

— Et vous vous assurez qu'à l'aéroport du Havre-Octeville ils collent leurs photos partout, que chaque agent de chaque guichet les ait sous son nez. On est à moins de cinq kilomètres de l'aéroport et je ne crois pas beaucoup au hasard.

* *
*

La mer était montée d'une vingtaine de centimètres supplémentaires. Les policiers allaient et venaient, de l'escalier à la maison, portant avec précaution l'équipement nécessaire à l'analyse de la scène de crime sous le contrôle sévère de Marianne. Ils n'avaient pas osé prendre le temps d'ôter chaussures et pantalons et marchaient habillés dans l'eau qui leur arrivait au genou, titubant sur les galets glissants que la houle dispersait.

Marianne avançait prudemment sur le Dalami décollé de la maison, rendu glissant par les mares d'eau déposées par les rangers trempées des policiers. Seul dans la chambre la plus isolée, Jibé semblait indifférent à l'agitation. Il était assis face à un bureau improvisé composé d'une planche et de deux tréteaux, les yeux rivés sur un ordinateur portable.

1. Direction centrale de la police judiciaire.

L'eau salée continuait de couler dans son dos, collant ses muscles les plus saillants au tissu transparent de sa chemise. Trapèzes, grands dorsaux, lombaires, Marianne le trouva sexy ainsi, indifférent à l'humidité, beau comme ces footballeurs qui jouent quatre-vingt-dix minutes sous la pluie battante, les cheveux collés, les cuisses luisantes, concentrés sur leur match comme s'ils ne sentaient pas les gouttes. Le seul intérêt de regarder un match de foot, d'ailleurs.

Si beaux, si cons, ces salauds.

Jibé dut sentir sa présence dans son dos et se tourna vers la commandante.

— C'est le portable de Zerda. Il a tout effacé, mais je vais faire un peu de spéléologie, on ne sait jamais.

Marianne ne protesta pas. Logiquement, ils auraient dû confier l'appareil au Service central de l'informatique et des traces technologiques, mais le temps pressait. Jibé se débrouillait bien avec un PC. La vie d'un gosse était en jeu…

S'il était encore vivant.

La commandante redoutait qu'une analyse ADN ne lui apprenne que le sang retrouvé sur le trench-coat ou le Dalami était mêlé à un autre, celui d'un enfant de trois ans ; ou qu'on ne découvre pas seulement le cadavre de la mère de famille, d'une minute à l'autre, dans un placard ou sous un plancher… mais deux. Dont un plus petit.

Elle frissonna.

— Ça va, Marianne ?

La commandante hésita à envoyer chier son adjoint. C'est lui qui était trempé et c'est elle qui grelottait.

Beau, con et fier comme un paon !

— Commandante ? C'est pour vous !

Bourdaine se tenait derrière elle, dehors, les deux pieds dans la mer en position de saule pleureur, jambes maigres jointes en tronc et bras mous portant un téléphone quelques centimètres au-dessus de l'eau. Marianne attrapa le portable.

— Patronne ? C'est Lucas ! Vous allez être fière de moi, j'ai trouvé le jeune Malone sur la photo !

— La photo ? Quelle photo ?

Lucas Marouette reprit plus lentement, comme un vieux prof face à un bizut qui a du mal à intégrer toutes les informations en même temps.

— Une des six cent vingt-sept qui ont été prises après la fusillade à Deauville. Gentiment apportées par des dizaines de touristes qui ont immortalisé la scène, soucieux de collaborer avec notre belle police.

— OK, abrège. Tu es certain que c'est le petit Malone ?

— Aucun doute, patronne ! D'ailleurs, je vous ai envoyé la photo en JPEG. L'agent Bourdaine l'a ouverte, vous n'avez qu'à glisser votre doigt de gauche à droite.

Merci, pesta Marianne, je sais me servir d'un écran tactile ! Son pouce caressa l'écran pendant que le stagiaire continuait, intarissable :

— Et ce n'est pas tout, patronne. Devinez qui tient la main du petit Malone sur la photo ?

Lucas l'énervait toujours autant à l'appeler patronne tous les trois mots, la commandante hésita à reprendre le gamin quand l'image apparut, à la seconde où Marouette prononçait le dernier mot.

— Sa maman !

Sur la photo de cinq centimètres sur trois, une foule de plusieurs dizaines de personnes se serraient, toutes alignées le long du Casino. Marianne posa son pouce et son index sur l'écran, nerveusement, pour agrandir le cliché et faire défiler les visages ; son regard balayait presque uniquement des couples de plus de soixante ans.

— Sous le sens interdit, patronne, précisa Lucas. A côté d'un grand type chauve qui dépasse les autres d'une tête.

L'écran défila sur la droite.

Un sens interdit.

Un grand type chauve.

Descendre.

En découvrant le visage de Malone, Marianne pensa immédiatement au *Cri* de Munch, ce visage déformé du tableau qui avait inspiré le masque de *Scream,* un visage d'enfant frappé par la folie, brutale, insoutenable.

Les yeux de la commandante restèrent un long moment aimantés à la figure de Malone, comme fascinés par cette terreur qui contrastait avec la quasi-indifférence des autres figurants. Puis enfin, son regard se déplaça de quelques centimètres, pour se poser sur celle qui lui tenait la main.

Sa maman. La femme de Timo Soler.

Un instant, elle crut que la maison sur pilotis basculait, emportée par la mer.

Non, c'est elle qui chavirait.

Elle se rattrapa de la main gauche à l'encadrement de la porte pendant que sa main droite perdait toute force et laissait tomber le portable dans la mer.

Toujours planté, Bourdaine, stupéfait, ne bougea pas une tige pour récupérer l'appareil.

* *
*

Angie...

Angélique était la mère de Malone.

Tout défilait dans la tête de Marianne, vite, très vite…

Leur rencontre, il y a dix mois, à la suite de cette enquête sur le site *envie-de-tuer.com*. On avait adressé personnellement à la commandante une plainte anonyme à propos de ce site, comme il en existe des millions sur la Toile. Sauf que celui-ci était hébergé quelque part au Havre. La commandante n'avait eu aucun mal à le localiser en passant par le Service des traces informatiques. Elle avait convoqué la fille qui l'hébergeait, Angélique Fontaine, qui lui avait confirmé qu'elle avait créé le site des années auparavant, lorsqu'elle était adolescente, une version trash du site *vie-de-merde*. Depuis des années, *envie-de-tuer* vivait sans elle. Quelques internautes postaient encore parfois un message, le tout plafonnait à quelques centaines de vues par mois. Angélique n'était pas opposée à la fermeture du site, elle s'en fichait, elle avait tourné la page de ces délires d'ado morbides. La commandante avait envoyé un rapport standard au procureur de la République, ils en feraient ce qu'ils voudraient.

Le courant était immédiatement passé avec Angélique. Elle était jolie, souriante, gentille sans avoir complètement renoncé à son insolence. C'est Angélique qui l'avait recontactée le lendemain, au prétexte de lui apporter d'autres éléments pour le dossier *envie-de-tuer*, de vieilles copies de mails ou des factures de l'hébergeur du site. Elles avaient pris un verre un soir, Angélique travaillait au salon de coiffure dans la journée. Puis elles s'étaient revues une semaine plus tard, pour dîner au Uno. Bien entendu, tout était calculé. Y compris la lettre anonyme du départ…

Marianne regardait le téléphone portable flotter dans l'eau. Les vagues le soulevaient, déposant une écume grise sur l'écran, mais il ne coulait pas, sans doute grâce à la coque de silicone.

Elle ne s'était pas méfiée d'Angie. Pourquoi se serait-elle méfiée, d'ailleurs ? Elle n'avait quasiment jamais rien raconté à Angie sur les enquêtes dont elle s'occupait. Juste le nom de Vasile Dragonman et de Malone Moulin, pas même celui de Timo Soler, avant d'aller le coincer, au quartier des Neiges, lorsque Angélique l'avait appelée dans la Mégane. Elle avait simplement dû entendre le GPS hurler une adresse dans l'habitacle : « Franchissez le pont V… » Facile alors de comprendre que ce n'était pas le docteur Larochelle qui arrivait pour soigner son chéri, mais la cavalerie… Angélique avait été assez habile pour ne pas l'interroger frontalement, elle se contentait de la surveiller, de savoir où elle était, quand elle y était. De garder le contrôle, en quelque sorte.

La voix de Lucas Marouette continuait de brailler dans le téléphone-radeau, comme si le flic stagiaire était enfermé dans un cercueil miniature balancé à la mer. Ses mots étaient inaudibles, ou Marianne ne les entendait pas.

Elle cherchait à se souvenir, en se repassant leurs longues heures de conversation, quels éléments de l'affaire elle avait révélés à Angélique.

Presque rien. Elles avaient parlé mecs, fringues, livres, ciné… et enfants. Surtout d'enfants.

Des enfants des autres.

Rien de grave. Une faute professionnelle monumentale…

De sa poche, ses doigts extirpèrent le dessin trouvé derrière la photo de Noël du petit album de Malone, quatre mots. L'étoile, le sapin, les cadeaux, la famille.

Noël Joyeux

N'oublie Jamais

Une écriture féminine, une maman aux cheveux longs. Comment avait-elle pu être aussi stupide ?

Noël Joyeux plutôt que Joyeux Noël…

N'oublie Jamais

NJ

Angie…

Malone savait déjà reconnaître les lettres de l'alphabet, quelques lettres. Ce dessin était un moyen habile pour qu'il se souvienne du prénom de sa mère, de façon subliminale au moins. Un code secret qui s'ajoutait aux contes de Gouti qu'elle avait enregistrés pour son fils. La commandante Augresse comprenait maintenant pourquoi les histoires étaient racontées par une voix déguisée.

Piégée. Comme une gamine !

Marianne repoussa l'envie de se jeter du seuil de la maison. Une pulsion dérisoire, il n'y avait pas assez d'eau pour se noyer, et trop pour se briser le crâne. Bourdaine était toujours planté, bras de saule ballants, attendant un ordre. Il aurait pu rester ainsi jusqu'aux grandes marées.

La commandante se concentra enfin sur les cris de Marouette dans son rectangle de silicone. D'un signe de tête, elle demanda à Bourdaine de pêcher l'appareil.

Le téléphone dégoulina sur son épaule alors que Lucas hurlait toujours.

Intact, apparemment.

— Patronne ? Vous étiez où ? J'ai tous les renseignements sur la mère de Malone Moulin. Elle s'appelle

Angélique Fontaine. Tenez-vous bien, patronne, c'est aussi une gamine de Potigny. Elle a grandi impasse Copernic, à trois rues de celle des Gryzońs, j'ai vérifié sur Mappy. Elle était dans la même classe que Soler jusqu'en quatrième. Après, pile le jour de ses seize ans, elle s'est tirée du bled ! Je suppose qu'elle a retrouvé Timo après et que…

La commandante Augresse raccrocha, sans même attendre que Marouette ait terminé son exposé. Dans la même seconde, elle composa un autre numéro enregistré.

— La logistique opérationnelle ? C'est encore Augresse. On a du nouveau pour l'alerte, alors soyez réactifs ! Avec les photos de Zerda et Soler, vous m'en ajoutez une troisième. Celle d'une fille. Angélique Fontaine. Vous contactez le central, ils ont la photo. Je veux que ce soit sous presse dans les minutes qui suivent, et vous me balancez son portrait partout. Gares, péages, brigades mobiles postées sur chaque rond-point.

Marianne rapprocha encore le téléphone de son oreille, comme si au final l'immersion avait dégradé la qualité de réception. Elle attendit d'être certaine d'avoir été comprise, puis hurla dans le combiné :

— Oui, bien entendu, vous me collez aussi son visage dans l'aéroport du Havre. En priorité !

La commandante n'avait pas entendu Jibé avancer dans son dos. Il marchait pieds nus. La chemise délavée collée à ses pectoraux.

— Tu as raison, Marianne.

Elle lui répondit sans l'entendre.

— Toujours pas retrouvé le cadavre d'Amanda Moulin ?

Jibé secoua négativement la tête et répéta :

— Tu as raison, Marianne.

— Raison de quoi ?

— Pour les priorités. L'aéroport.

Marianne écarquilla les yeux alors que son adjoint levait jusqu'à son nez l'ordinateur portable qu'il portait à bout de bras.

— Regarde, j'ai exhumé ça de la mémoire de cette machine.

La commandante ne distinguait que des symboles minuscules, impossibles à lire, sur l'écran faiblement éclairé.

— Vas-y, Champollion, déchiffre…

— Accroche-toi, Marianne, tu as devant tes yeux tout l'historique d'une recherche informatique sur des sites comparatifs de compagnies aériennes. Toutes les recherches renvoient au même lieu de départ et à la même destination : Le Havre-Galway puis Galway-Caracas. Aujourd'hui. Le vol de 16 h 42.

Il vérifia sur sa montre.

— Dans une demi-heure !

Il observa le ciel, puis baissa les yeux jusqu'à l'eau froide, comme s'il allait plonger. Il évalua la profondeur de l'eau, plia l'ordinateur sous son bras et lâcha, confiant :

— L'aéroport est à moins de cinq kilomètres. Ça devrait le faire !

63

Petite aiguille sur le 4, grande aiguille sur le 3

Amanda attrapa Malone par la taille et le hissa jusqu'à ce que la fille derrière son guichet puisse le voir. Un effort physique dérisoire comparé à celui qu'elle venait de supporter : porter Malone pendant les trois cents dernières marches de l'escalier, avant de filer à l'aéroport avec le Ford Kuga de Zerda. Elle surjoua néanmoins sa peine en souriant à l'hôtesse qui vérifiait leurs papiers et les billets. Un sourire de complicité. La fille n'était pas très jolie, boudinée dans son uniforme pourpre, mais elle compensait par une harmonie de détails, des petites lunettes rondes vert pomme, un petit chat émeraude monté en bague, des ongles peints arc-en-ciel, qui lui donnaient davantage de charme que les hôtesses filiformes des autres guichets d'enregistrement, cintrées, poudrées, maquillées, telles des Barbies hôtesses de l'air clonées et tout juste sorties de leur emballage, par cartons de douze.

Une timide et rêveuse, pensa Amanda. *Jeanne*, son nom était épinglé sur sa poitrine ; elle aimait les enfants, ça crevait les yeux. Les enfants et les chats.

L'hôtesse signifia à Amanda qu'elle pouvait reposer Malone. Sitôt les pieds par terre, il se cacha derrière ses jambes.

Jeanne n'avait pas l'air d'une emmerdeuse, mais elle vérifiait néanmoins avec méticulosité chaque document, sûrement à cause de ce branle-bas de combat, ces militaires qui arpentaient le hall, ces photos d'Alexis Zerda et de Timo Soler aux murs. Amanda sentait la sueur couler dans son dos, même si elle se répétait qu'elle ne craignait rien, que tous ses papiers, comme ceux de Malone, étaient en règle, qu'aucun flic n'allait téléphoner à l'aéroport pour signaler son nom, puisqu'au pire, si les flics avaient fini par trouver la cache de la base désaffectée de l'OTAN, ils la croyaient morte !

— Tu as déjà pris l'avion, mon petit bonhomme ? demanda Jeanne en se penchant. Tu es déjà parti aussi loin ?

Malone se cacha à nouveau derrière elle et Amanda adora cette réaction de chaton craintif. L'hôtesse insista.

— Tu n'as pas peur, dis-moi ? Parce que tu sais, là où tu vas, il y…

Un silence calculé pour faire réagir Malone. Les gouttes de sueur dans le dos d'Amanda glissaient jusque sous son jean, il lui semblait impossible de ne pas en sentir l'odeur amère.

— Il y a la jungle… Pas vrai, mon ange ?

Malone restait muet.

Les deux coups de tampon sur les passeports résonnèrent dans le crâne d'Amanda comme deux coups de masse qui font tomber les murs d'une prison.

— Mais tu n'as aucune raison d'avoir peur, mon ange. Tu pars avec ta maman !

Des militaires passaient derrière eux, Jeanne leur lança un regard méprisant avant de continuer de s'adresser à Malone.

— Tu demanderas à ta maman. Elle t'expliquera la jungle.

Amanda crut s'évanouir.

Malone ne l'avait pas regardée !

Quand cette idiote d'hôtesse bavarde avait prononcé le mot « maman », il avait tourné la tête dans l'autre sens, vers le mur, vers les photos affichées, pas celles de Zerda ou de Soler.

Celle d'Angélique Fontaine.

Les flics avaient progressé plus vite qu'elle ne croyait, ils avaient déjà identifié cette fille, ils savaient sans doute déjà qu'elle était la véritable mère de Malone, ils avaient donc tout compris…

Amanda se retint de paniquer. Heureusement, Jeanne ne la regardait pas, concentrée sur Malone.

Les flics avaient tout compris… Tout sauf qu'elle, Amanda, était vivante et qu'on ne lui volerait pas son enfant ! Angélique Fontaine avait abandonné son gosse, était complice de meurtres, allait échouer en prison pour des années ; Malone avait besoin d'une mère libre, d'une mère qui l'aimait, il avait déjà presque tout oublié de sa vie d'avant. Dans quelques jours, Angélique ne serait déjà plus qu'un visage flou sur une photo, dans quelques semaines, elle n'aurait tout simplement jamais existé pour lui.

L'hôtesse les observait, troublée.

Ne pas échouer maintenant, si près du but.

Amanda se tourna à son tour vers les photos, sans s'y arrêter, pour fixer plus loin, dans la même perspective, les avions derrière les baies vitrées, les pistes bitumées, la mer, une main ébouriffant d'un geste naturel les cheveux de Malone.

Une mère et son fils, avant le grand départ, déjà un peu dans le ciel.

Cela dura une éternité, piétinée par les bottes des jeunes militaires en treillis. Enfin, Jeanne fit passer les passeports par l'ouverture de la plaque de verre incassable.

— Tout est en règle, madame, bon voyage.

— Merci.

C'était le premier mot qu'Amanda prononçait.

Au bout de la piste, un Airbus A318 bleu ciel de la KLM s'envolait.

* *
*

Le lieutenant Lechevalier leva les yeux vers l'Airbus azur qui traversait le ciel. Il le suivit une seconde au-dessus de l'océan noir pétrole, avant de dévaler les marches en courant.

Marianne se tenait une cinquantaine de marches plus bas, essoufflée.

— J'ai un témoin ! cria-t-il. Et pas n'importe lequel…

Il se planta devant la commandante et lui tendit la peluche.

— T'as trouvé ça où ?

— Dans les ronces, quelques marches plus haut. Alexis Zerda a dû le balancer avant de disparaître dans la nature.

La commandante ne répondit rien. Un instant, il avait espéré un compliment, un sourire, quelque chose comme « Bien joué, Jibé ». Le lieutenant n'était pas idiot, cette peluche était une découverte capitale. Le gosse ne s'en serait jamais séparé, cette boule de poils synthétiques rassurait le môme, le calmait, le consolait. Si Zerda ne s'était pas encombré de la peluche, c'est donc qu'il n'avait pas l'intention de s'encombrer de l'enfant. Peut-être même s'en était-il déjà débarrassé, dans un coin un peu plus discret qu'un fossé d'épines au bord de l'escalier.

Marianne saisit le doudou tendu par son adjoint et le coinça entre ses bras, avec une tendresse que le lieutenant Lechevalier jugea excessive, comme si à son tour sa supérieure s'était mis dans la tête que cette peluche parlait vraiment… et la câlinait pour lui soutirer des confidences.

— On continue, Jibé ! fit Marianne. On se magne. On grimpe.

Une nouvelle fois, la commandante avait lancé son ordre sans lui jeter un regard. En trois pas, le lieutenant avait déjà repris cinq marches d'avance. Depuis quelques heures, il trouvait étrange le changement d'attitude de Marianne envers lui. Une sorte d'énervement systématique, d'agressivité, qui ne serait pas seulement due à cette affaire, à leurs échecs successifs, à l'urgence de coincer Zerda et Soler ; qui lui serait personnellement destinée.

Un traitement de faveur. Spéciale dédicace.

Comme si leur complicité, presque instinctive, avait volé en éclats et qu'il n'était plus aux yeux de sa supérieure qu'un homme-flic exécutant avec compétence ses ordres, au sein d'un commissariat peuplé de dizaines d'autres hommes-flics exécutant avec compétence les ordres. Ça le minait de ne pas comprendre les raisons de cette brusque déception. Il avait assuré pourtant, il avait repéré le siège auto du gosse dans l'Opel Zafira garée devant le casino de Deauville, il avait déniché les traces de ces billets Le Havre-Galway-Caracas sur l'ordinateur de Zerda, il avait trouvé Gouti accroché aux ronces…

Lire l'admiration dans les yeux de Marianne était l'un des trucs auxquels, bizarrement, il tenait dans sa vie. Rien de sexuel justement. Rien de sexuel pour une fois. Aucune ambiguïté de cet ordre avec sa chef, rien qu'un duo qui fonctionnait bien, un peu comme un couple de danseurs ou de patineurs.

Un autre Airbus stria le ciel. L'aéroport du Havre était à moins de deux kilomètres à vol d'oiseau. L'avion pour Caracas décollait dans un quart d'heure, ils arriveraient à temps, même si, avec le dispositif de surveillance mis en place, Zerda, Soler ou Angélique Fontaine ne pourraient pas s'envoler par là !

Une minute plus tard, Jibé avait déjà atteint la dernière marche de l'escalier. Il se retourna vers Marianne, elle se tenait trente marches plus bas, le regard perdu vers la mer, accrochée à Gouti comme une fille à son sac à main dans le tram. Tremblante.

Une fraction de seconde, il eut l'illusion que la peluche avait attendu d'être seule avec la commandante pour lui faire une révélation cruciale, et que celle-ci avait bouleversé Marianne. C'était stupide, bien entendu, mais c'était exactement l'attitude de sa supérieure ; celle qu'elle aurait eue si, d'un coup, simplement en observant le doudou, elle avait compris qu'ils faisaient fausse route depuis le début.

Il traversa le parking. Le temps d'atteindre la Mégane garée cinquante mètres plus loin, de la démarrer, de rouler jusqu'à l'escalier, Marianne serait là. Il lui ouvrirait la portière passager sans même qu'elle ait à ralentir.

Efficace. Réactif. Dans le même tempo. Un duo de patineurs…

Tout en faisant clignoter les phares de la Mégane, une réflexion l'agaça ; il s'était toujours demandé comment les couples de danseurs, sur pointes, sur chaussures vernies ou sur patins, s'y prenaient pour se frôler ainsi pendant des années sans finir par tomber amoureux.

64

Peut-être qu'Anna continuait de s'énerver toute seule dans la voiture, Papy l'ignorait, il avait coupé le moteur, garé la Mégane et abandonné le GPS pour passer au plan B.

A l'ancienne. Une bonne vieille carte du village.

S'il était facile de se repérer dans la partie moderne de Potigny, une grande rue et un chapelet de commerces encadrés par des pavillons neufs, les anciens quartiers de mineurs se dissimulaient avec pudeur des rares visiteurs. Ils se résumaient à une dizaine de barres de deux cents mètres, chacune divisée en dix petites maisons mitoyennes, toutes identiques.

Le lieutenant Pasdeloup avait coché la rue des Gryzońs sur le plan, et avec davantage de précision encore les adresses de chaque acteur du drame qui s'était joué là. Lucas Marouette lui avait même retrouvé, dans un vieux livre sur l'histoire de Potigny, des photos des maisons du temps où la mine tournait encore, il avait zoomé puis scanné celles qui les intéressaient.

Federico et Ofelia Soler, 12 rue des Gryzońs
Tomasz et Karolina Adamiack, 21 rue des Gryzońs

Josèf et Marta Lukowik, 23 rue des Gryzońs
Darko et Jelena Zerda, 33 rue des Gryzońs

Avant de quitter la voiture, après le message affolé de Marianne, il avait ajouté une nouvelle croix. Celle des parents d'Angélique Fontaine, impasse Copernic, à trois rues de celle des Gryzońs. C'est celle qu'il avait trouvée en premier, une petite maison qui n'en touchait aucune autre par le miracle d'un jardin de poche. Coquette. Du moins, elle avait dû l'être. Volets fermés, fleurs fanées, grille rouillée. Une maison de fantôme dont on peinait à croire qu'elle ait pu abriter des rires d'enfant et des cris d'adolescente.

Potigny n'était pas un village où l'on pouvait grandir. Vieillir, à la limite.

Il tourna à droite pour enfin s'engager rue des Gryzońs. C'est d'abord la cohérence de l'architecture de l'alignement de maisons qui le frappa. Uniforme, monotone, monochrome, avec des nuances de rouge brique que seul le rare soleil devait être capable de distinguer.

Rouge rouille, rouge vin, rouge sang.

D'ici aussi, les gosses avaient fui. Il ne restait d'eux qu'un panneau *Enfants, ralentir* devant un dos-d'âne qui ne devait dire vrai qu'une fois ou deux par an, quand les petits-enfants revenaient pour un Noël ou un anniversaire.

Papy marcha lentement. La rue était droite, vide, ventée, on aurait dit la rue principale de Daisy Town, il était Lucky Luke et des milliers de regards le traquaient derrière les rideaux, le banquier, le blanchisseur chinois, la pépée du saloon, et Billy the Kid allait apparaître à l'autre bout de la rue.

Personne.

Pas même le croque-mort.

Il parvint au 12, la maison des Soler. D'après les fiches de Marouette, la maison avait été rachetée quelques semaines après la mort du père de Timo. Une bonne affaire, Federico Soler avait préféré passer les quelques mois de retraite pour lesquels il avait trimé toute sa vie à bricoler dans sa maison plutôt que de suivre une chimio à l'hosto. Au jeu des sept différences avec la photo qui remontait au temps où Timo était adolescent, le bac à sable avait été remplacé par des hortensias, la pelouse de foot par un terrain de boules, le panneau de basket par un barbecue. Un rideau s'ouvrit sur une robe de chambre rose. Papy continua.

Le 21, Tomasz et Karolina Adamiack. Un panneau décorait la barrière.

A vendre.

L'état de délabrement de la maison, visiblement abandonnée depuis des années, contrastait avec l'entretien méticuleux de la tombe des parents d'Ilona.

Le 23, deux maisons plus loin, Josèf et Marta Lukowik. Le lieutenant Pasdeloup décida qu'il pousserait plus tard jusqu'à l'ancienne maison des Zerda, au 33 ; cela faisait plus de vingt ans qu'ils avaient quitté le village alors que si les fiches de Lucas Marouette étaient exactes, les parents de Cyril habitaient toujours là. Mêmes volets vert clair que sur la photo d'époque, même potager, même toboggan, même balançoire accrochée à la branche haute du cerisier. A croire que leur gosse n'était jamais parti.

Papy s'avança jusqu'à la barrière.

Une boîte à lettres. Le logo du pays d'Auge. Une sonnette, quelques centimètres au-dessous.

Son index trembla un peu avant d'appuyer sur le bouton, comme si la sonnerie n'allait pas seulement réveiller les occupants de la maison ; réveiller tout le quartier aussi, tout le village, y compris ceux qui dormaient dans le cimetière.

Avait-il vu juste ?

Avait-il eu raison de suivre cette route, seul, sans Marianne ni aucun autre flic ?

Il sonna.

Il attendit de longues secondes avant que la porte de chêne s'ouvre.

Il s'attendait plutôt à voir Marta Lukowik apparaître. Ce fut Josèf.

Crâne de steppe grise, pull assorti, position de douanier polonais sur la ligne Oder-Neisse. Tout juste s'il n'avait pas le fusil de chasse entre les mains, seulement deux yeux noirs et rapprochés comme les trous d'un double canon prêt à abattre tout étranger.

— Oui ?

Malgré tous les efforts de Josèf Lukowik pour impressionner le lieutenant Pasdeloup, pour le bloquer derrière la barrière d'abord, pour l'éconduire au plus vite ensuite, sans même chercher à savoir ce qu'il voulait, Papy ne lui accorda pas un regard.

Il regardait plus loin.

Derrière lui.

Par le minuscule interstice entre la porte ouverte et la masse corpulente du mineur en retraite. Il lui avait suffi d'une fraction de seconde pour comprendre que sa quête n'était pas vaine. Qu'il avait deviné la vérité, depuis le début.

65

Petite aiguille sur le 4, grande aiguille sur le 4

— Maman-da ?

Elle roula des yeux furieux à Malone. Immédiatement, il se reprit.

— Maman ?

— Oui, mon chéri ?

— Pourquoi les gens retirent leurs chaussures ?

Malone ne comprit pas bien la réponse. Il ne voyait pas le rapport entre les ceintures, les bijoux des femmes, les lunettes, les chaussures, les ordinateurs…

Maman-da, après tout, dans sa tête, il avait le droit de l'appeler comme ça, Maman-da ne lui disait plus que deux mots maintenant, qu'elle répétait tout le temps :

— Dépêche-toi…

Et sa main poussait son dos, et son bras tirait le sien. Des policiers, un monsieur et une dame, vérifièrent à nouveau les papiers que leur donnait Maman-da. Malone en profita pour faire un pas de côté, elle le rattrapa *in extremis*.

— Qu'est-ce qu'il y a, mon chéri ?

Malone remarqua que sa voix était plus gentille, c'était sûrement à cause des policiers, un peu comme il faut être sage devant la maîtresse. C'était le moment d'en profiter.

— Je veux Gouti !

Malone revoyait son doudou la tête en bas dans les buissons qui piquent. Maman-da n'avait pas le droit de lui prendre.

PAS le droit de le laisser là-bas.

PAS le droit de partir sans lui.

Elle observa les policiers, l'air bête, tout en le serrant entre ses bras.

— Là où on va, mon chéri, il y en a plein, les mêmes. Je pourrai t'en acheter un autre, un plus beau.

Malone ne l'écoutait pas, ses yeux se faufilaient entre les bras de Maman-da. La salle de l'aéroport était grande, mais il courait vite. Plus vite que Maman-da, c'est sûr. Il suffisait qu'il se sauve. Pas dur.

Il chuchota, d'une toute petite voix :

— D'accord, maman.

Maman-da le lâcha.

Immédiatement, Malone bondit, avant même que Maman-da ait pu réagir. Il n'avait plus qu'à courir loin, droit devant, et tourner après les grandes affiches sur le mur.

— Malone, arrête ! cria la voix de Maman-da dans son dos.

Il s'arrêta.

Pas parce qu'elle avait crié, ça n'avait rien à voir. Maman-da avait dû faire se retourner tous les gens dans l'aéroport en hurlant si fort, mais lui l'avait à peine entendue.

Il regardait l'affiche.

C'était maman.

Elle était là, avec son grand sourire, ses longs cheveux, et elle le regardait lui aussi, comme pour le gronder.

Qu'il était bête ! Dire qu'il avait failli lui désobéir...

Il se souvenait seulement maintenant de son conseil, celui qu'il ne devait pourtant jamais oublier, celui qu'elle lui avait pourtant fait promettre de répéter tous les soirs dans sa tête, et il l'avait fait, avec Gouti.

Il devait attendre, c'est tout.

La main ferme de Maman-da l'emprisonna.

— Ça suffit, Malone !

Attendre le bon moment.

Et avant, faire comme si Maman-da était sa maman. Ils passèrent encore devant les policiers, Maman-da retira ses lunettes, sa montre, son téléphone. Malone seulement la médaille autour de son cou. Ils passèrent sous une porte sans mur, Maman-da sonna, pas lui, elle dut encore retirer un collier.

Il l'attendait sagement de l'autre côté.

Les policiers riaient entre eux. Il y en avait d'autres qui se tenaient un peu plus loin, avec des fusils, ceux-là vraiment déguisés comme pour la guerre.

Pendant qu'ils marchaient dans le couloir, devant des grandes vitres à travers lesquelles on voyait les avions, Malone repensait aux derniers mots de maman.

— Porte 8, fit Maman-da. Deux ronds l'un sur l'autre. Tu cherches avec moi, mon chéri ?

Malone regardait dans l'autre sens, côté murs, côté magasins, côté portes.

Il allait devoir être courageux. Il aurait tant voulu que Gouti soit avec lui. Il n'y avait qu'un seul moyen pour échapper aux ogres ! Pour ne pas monter dans l'avion qui l'emmenait vers leur forêt.

Maman le lui avait répété, quand elle lui avait dit au revoir, alors qu'il tenait son doudou contre son cœur.

C'est une prière, c'est ta prière. Tu ne devras jamais l'oublier.

C'est tout simple, tu en es capable.

Juste avant de monter dans l'avion, tu devras dire une phrase, une phrase que tu as déjà prononcée mille fois, mais que tu devras dire juste à ce moment-là.

Même si ce n'est pas vrai. Il faudra que l'on te croie.

Deux ronds l'un sur l'autre.

Porte 8.

Maman-da souriait. Un avion blanc et orange était relié à une sorte de grand tuyau, comme un énorme aspirateur, comme si les gens n'étaient que des moutons de poussière ou des miettes.

Malone tira sur la manche de Maman-da.

Il faut que l'on te croie. Même si ce n'est pas vrai.

— Maman.

Maman-da lui souriait. Il suffisait de l'appeler maman pour qu'elle sourie.

— Oui, qu'est-ce qu'il y a, mon chéri ?

— J'ai envie de faire pipi.

66

Aujourd'hui, presque à minuit, il m'a dit désolé ma belle, je couche jamais le premier soir... Moi non plus, pas depuis les 317 derniers soirs.
Envie de tuer
Je lui ai laissé mes talons aiguilles en souvenir... un dans chaque couille !

Condamné : 97
Acquitté : 451

www.envie-de-tuer.com

La Mégane pila devant la grande porte vitrée de l'aéroport. Les deux portières avant s'ouvrirent en même temps, parfaitement coordonnées. Marianne et Jibé en sortirent d'un bond. La commandante s'apprêtait à sprinter, tenant toujours Gouti dans sa main gauche.

16 h 33.

L'avion pour Caracas, *via* Galway, décollait dans neuf minutes.

Ce compte à rebours l'obsédait, même si elle savait qu'Alexis Zerda ne pouvait pas s'échapper par ce vol, par cet aéroport, ni avec le gosse, ni avec Timo, ni avec Angie.

Ni même seul. Ils avaient prévenu chaque agent, chaque policier, chaque hôtesse, fait circuler des photos des trois suspects. Il était impossible de se faufiler à travers les mailles dans cet aéroport de poche. Cette recherche de billets d'avion n'était sûrement qu'une nouvelle diversion, ou un des plans de Zerda, le plan B, le plan Z, peu importe, mais pas celui qu'il suivrait ; il était tout sauf stupide, il n'allait pas se jeter dans la gueule du loup…

16 h 34.

Dans le doute, elle fonçait !

La porte de verre coulissante s'ouvrit devant elle. Marianne allait la franchir, sans même ralentir son rythme, lorsqu'elle sentit une force la tirer en arrière. Elle brisa son élan, net.

Jibé la retenait par le poignet !

L'oreille du lieutenant était restée collée au téléphone depuis qu'ils s'étaient garés sur le parking et il se contentait de hocher la tête en cadence.

— Attends, Marianne.

Le contact de la main de son adjoint sur sa peau ne lui provoqua aucun frisson. Trois minutes plus tôt, quand Jibé avait enfilé une chemise sèche dans la voiture, elle avait détaillé sans aucune gêne son torse bodybuildé et son six-pack impeccablement dessiné. Pourtant, la seule image qui lui était venue était celle des enfants de Jibé attendant leur papa à la sortie de l'école, pendant qu'il offrait son corps parfait aux caresses d'une jolie fille.

Une sorte de rejet débile ! Jibé restait un flic efficace, un collègue agréable à mater en douce dans le rétro. Mais question fantasme, c'était fini. Pour l'instant au moins… Marianne reviendrait à la charge après la ménopause, si le beau Jibé n'avait pas pris dix kilos avec le passage de la quarantaine.

Le beau Jibé qui ne lâchait pas sa main.

— Qu'est-ce qu'il y a, bordel ?

— C'est Constantini. Ils ont retrouvé le cadavre dans la planque de la base de l'OTAN. Il y avait une fosse derrière la baraque, remplie de gravats, de boulettes de pétrole, d'algues et d'eau jusqu'à ras bord à cause de la mer montante. Constantini a dû plonger jusqu'aux épaules pour sortir le corps.

— OK, Jibé. On s'y attendait.

Marianne se retourna vers la porte de l'aéroport, tenta d'avancer, mais le lieutenant Lechevalier la retenait encore. La porte de verre coulissante s'ouvrit, puis se referma une seconde plus tard, comme déçue que personne n'entre.

— Quoi, Jibé ?

— Y a juste un problème. Avec le cadavre.

Le lieutenant marqua une pause, serrant le poignet de Marianne comme s'il prenait son pouls.

150 pulsations/minute.

La porte de l'aéroport s'ouvrait et se fermait, affolée.

— Magne-toi, Jibé !

— Le cadavre. C'est pas celui d'Amanda Moulin !

La main du lieutenant accentua la pression.

175 pulsations/minute. La porte-guillotine hachait toujours le vide.

— C'est celui de Zerda. Deux balles dans la poitrine.

— Merde…

Jibé relâcha enfin le poignet de la commandante. Elle bondit comme un ressort, droit vers le hall de l'aéroport, interrogeant son adjoint sans même le regarder :

— Y a autre chose, Jibé ?

Il marchait à côté d'elle. A peine quelques centimètres derrière.

— Ouais, et encore plus inattendu que le cadavre de Zerda… C'est Marouette, le stagiaire, il bosse bien, le petit. Il est rapide. Il a poussé les recherches sur Angélique Fontaine.

Marianne se mordit les lèvres. La porte de verre lui renvoyait en contre-jour son image déformée. Jibé allait lui annoncer qu'ils avaient trouvé une photo d'Angie ou, mieux encore, un témoin, le serveur du Uno ; Angélique Fontaine y avait rendez-vous chaque semaine avec une femme qui lui ressemblait étrangement, oui, Marianne, tu ne vas pas me croire, ton sosie !

— Marouette a cherché partout, continua Jibé. Dans toute la vie de cette Angélique, de son départ de Potigny jusqu'à aujourd'hui. Elle bosse dans un salon de coiffure au Havre, elle habite Graville…

Des bouffées de chaleur enveloppaient Marianne. Bien entendu, elle s'expliquerait, bien entendu, elle assumerait sa connerie, elle demandait seulement qu'on lui laisse quelques minutes, le temps de sauver le gosse.

— Et alors ? bafouilla Marianne.

Deux soldats armés jusqu'au cou, FAMAS en bandoulière, marchaient vers eux.

— Aucune trace de marmot ! Rien dans sa bio depuis ses vingt ans qui puisse laisser penser qu'elle en a eu un !

Marianne repensa à leur conversation au Uno, l'accident de voiture d'Angie, enceinte, provoqué par le père de son enfant, sa détresse de ne jamais pouvoir être mère. Toutes ces confidences qui ne prenaient leur sens que pour la scène finale.

— Comment on peut planquer un gosse ? insistait le lieutenant Lechevalier. Pendant trois ans ! Il existe un état civil, bordel, des maternités, des crèches, des nounous, des grands-parents, des pédiatres, des voisins. On ne cache pas un bébé dans son appartement pendant qu'on va travailler, sous son manteau quand on sort faire les courses. Marouette et les collègues n'ont trouvé aucune trace de nourrisson dans la vie d'Angélique Fontaine. Aucune !

Les deux soldats se tenaient à moins de deux mètres d'eux.

Une voix désabusée ricanait sous le crâne de la commandante. Eh oui, Jibé, chacun ses petits secrets de famille. Toi et tes poufs. Moi et ma meilleure copine.

Marianne brandit sa carte de police sous le nez des soldats et continua sans dévier ni ralentir son pas, savourant cette dérisoire marque d'autorité sur ces gamins au crâne rasé. Une sorte de baroud d'honneur. Un instant, son regard s'arrêta sur les affiches collées au mur face à elle.

Les visages d'Alexis Zerda, de Timo Soler et d'Angie s'étalaient en format A3.

Pour rien ! C'est Amanda Moulin qu'il fallait rechercher dans cet aéroport, c'est elle qui tentait de prendre l'avion avec ce gosse qu'elle avait adopté, qui portait son nom. Les douaniers n'avaient aucune raison de l'en empêcher. Bien joué, Amanda !

La commandante consulta sa montre alors que Jibé s'était lui aussi arrêté sur les photos. Il pensait sans doute que toute cette affaire dérapait, qu'ils ne contrôlaient plus rien. Le pauvre…

Moins de cinq minutes avant le décollage.

Elle continua de progresser dans le hall, tenant toujours Gouti entre ses doigts. Jibé avait beau être un bon flic, il se trompait sur ce coup-là. Il était largué, n'avait rien compris.

Elle si, grâce à cette peluche.

Amanda ne devait pas s'envoler avec Malone. Surtout pas ! Non pas parce qu'elle était coupable du meurtre d'Alexis Zerda, on pouvait pour le moins lui accorder la légitime défense. Non, il y avait une autre raison.

Angie ne lui avait pas menti ! Angie avait seulement lancé une bouteille à la mer, un SOS qui faisait écho au sien. D'une certaine façon, elle lui avait même avoué la vérité. L'urgence se situait là, uniquement là, et pour le reste, elle ferait plus tard le tri dans ses sentiments, devant la police des polices.

Toujours sans ralentir, dans un ballet presque intuitif avec son adjoint, Marianne désigna la direction de la douane alors qu'elle-même se dirigeait vers les guichets d'enregistrement. Aucun besoin de s'expliquer. Pros, coordonnés.

Marianne se retrouva face à un nouveau soldat, vingt ans à peine, qui observait incrédule son rat en peluche au bout d'une main et sa plaque de commandante dans l'autre. Elle allait le remettre à sa place lorsque le téléphone vibra dans sa poche.

Elle se surprit à prier. Ça ne lui ressemblait pas, pourtant.

Mon Dieu, faites que ce soit Papy qui appelle !

Qu'il l'aide à prendre la bonne décision, cette fois ; qu'il lui confirme ce que Gouti lui avait révélé quelques minutes plus tôt, en remontant l'escalier de la base abandonnée de l'OTAN.

Trois simples mots cousus à sa fourrure, que personne, sauf elle, n'avait remarqués. Banals. Standard. Les mêmes mots que ceux cousus aux milliers de peluches identiques vendues dans le monde… mais qui pourtant éclairaient la vérité d'un éclat irréel.

Angélique n'était pas la mère de Malone !

67

Petite aiguille sur le 4, grande aiguille sur le 7

Il n'y avait presque plus personne devant eux. L'aspirateur avait dû avaler presque tous les moutons. Hop, direct dans l'avion.

Malone grimaçait, la main qui serrait la sienne lui faisait un peu mal, surtout la bague qui lui rentrait dans la peau. Il se retenait de pleurer.

Il leva les yeux.

Un, deux, trois.

Trois derniers moutons devant eux. La file avançait vite. La dame en costume était beaucoup plus rapide que les autres, plus rapide que celle de tout à l'heure derrière la vitre où on passait les papiers, plus rapide aussi que celle où il fallait retirer les ceintures et les montres. Celle de maintenant regardait à peine les gens passer, encore moins les papiers avec leur photo qu'on lui tendait, elle prenait juste la feuille, celle qu'il faut pour monter dans l'avion, la déchirait et la rendait.

Un, deux, trois, recompta encore Malone.

C'était la troisième fois qu'il fallait montrer les papiers. Forcément, la dame faisait moins attention la troisième fois.

La bouche de l'aspirateur venait d'engloutir les derniers moutons. La dame les avait tous laissés passer ; c'était leur tour maintenant.

Malone hésita, la dame lui faisait un peu peur, elle avait de longs ongles rouges, des cheveux de la couleur du feu, une peau foncée, des yeux noirs, une bouche qui s'ouvrait en grand quand elle parlait et qu'elle ne fermait jamais complètement, comme si elle avait trop de dents.

Malone avait compris.

C'était un dragon.

Elle surveillait l'entrée de la grotte, celle qui menait à la forêt des ogres, elle laissait passer les moutons, elle s'en fichait, mais est-ce qu'elle les laisserait passer, eux ?

Le dragon prit leurs papiers avec leur photo, ne les regarda presque pas, puis déchira la feuille, ouvrit la bouche sans lever les yeux.

— Bon voyage, madame.

Il faisait un peu noir dans l'aspirateur. Un peu plus froid aussi. Au bout, Malone voyait un autre trou, celui de l'avion.

La main le tirait plus fort encore.

La forêt des ogres...

Cette fois-ci, Malone ne put retenir ses larmes.

La main dans la sienne se fit molle. La voix dans le tunnel se fit douce.

— Tu as été très courageux, mon amour.

Malone s'en fichait d'être courageux. Il s'en fichait des ogres. Il s'en fichait du dragon. Il s'en fichait que l'avion décolle avec ou sans eux.

Il voulait Gouti.

Il voulait son doudou.

— Il va encore falloir être un tout petit peu courageux, mon amour. Gouti serait fier. Tu as fait exactement ce qu'il attendait de toi.

Elle prit Malone dans ses bras.

— D'accord, mon amour ?

Malone renifla. Il continuait de marcher. Juste avant de sortir de l'aspirateur pour entrer dans l'avion, il y avait un petit trou, on voyait le goudron de la piste en dessous. Et juste après, il y avait encore deux dames en costume qui réclamaient la feuille déchirée. Pas les papiers avec leur photo cette fois, juste la feuille. Le numéro de leur siège était marqué dessus, Maman-da lui avait expliqué. Les deux dames avaient elles aussi des bouches avec trop de dents, mais elles leur montrèrent gentiment la place où ils devaient s'asseoir dans l'avion.

La main serra encore plus fort la sienne.

— On est partis, mon amour ? Je te promets, papa nous rejoindra bientôt.

Elle l'embrassa. Malone renifla. Sans Gouti à caresser, il ne savait pas quoi faire de ses mains. Ses yeux continuaient de pleurer, mais il finit par laisser échapper un sourire.

— D'accord, maman.

68

Aujourd'hui, il est revenu acheter le pain. Il est beau. Il est ingénieur, un truc comme ça. Il porte bien la cravate, la veste, ses gosses qu'il fait valser sur son dos en riant. Pas une fois il ne m'a regardée lorsque je lui tends la baguette de pain. Pas une fois ses yeux ne sont descendus dans mon décolleté. Pas une fois il ne m'a regardée autrement que comme une merde de vendeuse.

Envie de tuer

J'ai tout inventé et tout balancé par mail à sa femme. Elle lui a fracassé le crâne avec un fer à repasser, je l'ai lu dans le journal du coin.

Condamné : 2 136
Acquitté : 129

www.envie-de-tuer.com

Les silhouettes qui s'approchaient derrière Marianne ressemblaient à des fantômes. Immenses, translucides, plus elles avançaient et plus elles grossissaient, aussi hautes désormais que la tour de contrôle blanche et rouge de l'aéroport, écrasant comme des maquettes d'enfants les deux Boeing 737 stoppés sur la piste. Elles devinrent un bref instant plus sombres, presque menaçantes, pour s'évaporer la seconde d'après. Un nuage dans le ciel, sans doute, qui avait suffi à effacer sur la grande baie vitrée de l'aéroport le reflet des policiers qui venaient à la rencontre de la commandante.

Dans son dos.

Marianne ne détourna pas pour autant le regard, dirigé vers le tarmac.

Portes 5 à 9. Amsterdam. Galway. Lyon. Barcelone.

Jibé se posta à côté de sa supérieure, essoufflé, sans accorder un coup d'œil au paysage.

— Marianne ? Ecoute-moi ça. On a retrouvé Soler ! Un coup de fil anonyme. Une femme. Il dormait sur le siège passager d'une Twingo garée sur le parking de l'aéroport.

Marianne, brusquement tirée de sa torpeur, délaissa les avions immobiles et se tourna vers son adjoint.

— Timo Soler… Enfin ! Il va comment ?

— Mal… Un poumon perforé, une plaie toujours ouverte à l'omoplate, hémorragie interne, mais il était toujours vivant quand Bourdaine et Benhami ont ouvert la portière. Ils ont même relevé quelques bribes de conscience. Les paupières qui s'agitent, les lèvres qui tremblent, ce genre de truc, rien de plus… T'attends pas à des aveux !

La commandante planta ses yeux dans ceux de son adjoint.

— Ton diagnostic, Jibé ?

— Difficile à dire. Les urgences arrivent. Une chance sur dix ? Sur cent ? Après tout, Soler a survécu jusque-là, c'est déjà un miracle qu'il soit encore en vie…

Sur leur droite, le type chargé de la sécurité à l'aéroport s'agitait. Visiblement, il se fichait de la survie de Timo Soler. C'était un petit homme cravaté, avec des lunettes fines qui glissaient sur un nez trop pentu et des gouttes de sueur qui coulaient de son crâne chauve, inondant entre son cou et ses oreilles ce qui lui restait de cheveux. Il était encadré par une hôtesse aux ongles peints et cheveux rouges, haute d'une tête de plus que lui, et deux jeunes militaires au crâne rasé, en treillis, mitraillette à l'épaule. Le quatuor avait des allures de mafia. Un fonctionnaire véreux, son escort et ses deux bodyguards. Il avait la voix sèche et cassante de ceux qui n'ont aucune autorité.

— Qu'est-ce qu'on fait, commandante ?

Marianne ne répondit pas. Elle fixait à nouveau le Boeing 737 derrière la vitre, repassant dans sa tête le film des derniers événements.

Timo Soler avait été abandonné entre la vie et la mort sur le parking de l'aéroport, mais on s'était arrangé pour que les secours soient appelés à temps et qu'il reste une chance de le sauver, même infime. C'était logique, après tout, puisque tous les épisodes de cette histoire avaient été rédigés à l'avance ! Marianne n'était au fond qu'une marionnette dans ce jeu d'ombres, un personnage dont on avait écrit le rôle, chapitre après chapitre.

Elle repensa à l'avant-dernier, il y avait moins de cinq minutes.

Un cri avait résonné dans l'aéroport alors qu'elle interrogeait les hôtesses au guichet. Jibé avait couru, avec Constantini, en direction des toilettes femmes.

Marianne les avait suivis avec quelques mètres de retard. Elle avait compris dès qu'elle avait vu la porte défoncée par l'épaule de Constantini puis, derrière, le corps étendu dans les toilettes.

Une illusion de plus.

Amanda Moulin avait été assommée dans les chiottes, les seules de cet aéroport de poche, par surprise, et son agresseur avait ensuite tiré le corps jusqu'à la cabine de toilettes la plus proche, grossièrement bâillonné et ligoté. Un travail exécuté dans la précipitation.

« Il était caché là, avait indiqué Jibé en ouvrant la porte du placard d'entretien face à eux. Il était caché dans ce cagibi et il attendait Amanda Moulin. »

Marianne avait observé le placard, les cartons écrasés en équilibre instable, entre détergents et serpillières.

« C'est dingue, avait continué Jibé. Combien de temps a-t-il pu rester ainsi recroquevillé là-dedans ?

— Elle…

— Elle ? »

La commandante avait une dernière fois examiné le rectangle étroit, large d'environ trente centimètres. Amanda Moulin, assise sur les toilettes, le bâillon glissé en collier autour de son cou, roulait des yeux ahuris.

— Elle ! Seule une femme pouvait entrer là-dedans. Une femme fine et souple.

Angie.

L'image du visage d'Amanda s'effaça doucement, tout comme celle du placard vide aux cartons de papier toilettes et d'eau de Javel. Le Boeing 737 les remplaça.

Monsieur Sécurité surveillait toujours Marianne. Nerveux, son regard se posait successivement sur les seins de l'hôtesse presque à la hauteur de ses yeux, sur les mitraillettes de ses deux sbires, puis sur la commandante. Monsieur Sécurité n'était sans doute pas habitué à voir une femme avec une arme à la ceinture. Une femme à qui il était obligé de quémander une décision.

Marianne réfléchissait. Vite. Tout était limpide, au fond. Angie avait pris la place d'Amanda Moulin dans l'avion ! Elle avait dû entrer dans l'aéroport quelques heures auparavant, bien avant que son portrait ne soit distribué aux douaniers. Elle avait certainement réservé une place sur un autre vol, n'importe lequel, puis avait patienté, simplement cachée dans les toilettes. Elle n'avait plus qu'à attendre qu'Amanda Moulin, que personne ne soupçonnait, dont personne ne possédait le portrait, vienne avec Malone, passe l'enregistrement des bagages, passe la douane, passe chaque contrôle. Le dernier, celui devant la porte d'embarquement, était purement formel, la file de cent vingt passagers devant être évacuée vers l'avion en quelques minutes, les hôtesses ne feuilletaient les passeports que par principe et vérifiaient uniquement le numéro de siège sur les billets. Le boulot de contrôle avait déjà été effectué avant, deux fois.

Une mère et un enfant. Deux passeports. Une vague ressemblance. Angie, en dissimulant a minima son visage, n'avait aucun risque d'être interceptée à cette étape.

Le plan parfait. Angie avait simplement fait preuve d'une audace incroyable.

Monsieur Sécurité, à bout de nerfs et d'arguments, cherchait désespérément du secours ; un appui quelconque, mais les deux bodyguards semblaient figés en chiens de faïence, et l'hôtesse muée en poupée de cire.

Pas aidé ! Il soupira.

— Bon, on fait quoi ?

Marianne répondit en pointant son doigt vers la baie vitrée :

— L'avion pour Galway est encore sur la piste ?

L'autre leva les yeux au ciel et battit des mains, puis désigna à son tour les Boeing sur le tarmac.

— Oui ! Et on en a trois qui attendent derrière. La fille et le gosse sont dedans, on a vérifié. On attend juste vos ordres, commandante. Le juge Dumas a été clair, l'avion ne partira pas sans votre accord. J'ai quinze hommes qui peuvent intervenir dès que…

Marianne ne répondit rien. Monsieur Sécurité baissa les yeux et grimaça. Il devenait dingue. Cette commandante indécise se baladait avec une peluche immonde dans la main et personne ne bronchait. A croire qu'il était le seul à l'avoir remarqué. Une histoire de timbrés…

Loin de rassurer l'officier, les doigts de Marianne se mirent à câliner la peluche, courant sur la fourrure de Gouti, d'une couture à l'autre. La commandante relut encore les trois mots inscrits sur l'étiquette agrafée au doudou. Le secret de Gouti !

Sans même qu'elle puisse le retenir, un petit sourire sur ses lèvres.

Trois mots imprimés devant leurs yeux, depuis le début, et auxquels personne n'avait fait attention.

Fait en Guyane.

Oui, Angie avait tout écrit à l'avance, toute cette histoire, jusqu'au dernier chapitre ! Mais c'était à elle, Marianne, de choisir le dernier mot.

Les confidences d'Angie à la table du Uno n'avaient servi qu'à ça. Qu'à préparer ce moment. Qu'à insinuer le doute… Toutes ces soirées, toutes ces heures où Angie s'était fait passer pour son amie.

Une manipulation ?

Un appel au secours ?

Monsieur Sécurité se hissa sur la pointe des pieds et cria d'une voix de roquet :

— Bordel, on attend quoi, commandante ?

La calme réponse de Marianne acheva de l'affoler.

— Un coup de téléphone.

69

Aujourd'hui, Léonce m'a demandé de le débrancher.
Envie de tuer
J'y suis pas arrivée.

Condamné : 7
Acquitté : 990

www.envie-de-tuer.com

L'enfant se balançait, lentement, sans conscience du danger pourtant.

Les deux cordes qui reliaient la planche de bois fendue étaient usées, arrimées au portique par des mousquetons rouillés. La pluie et le temps s'étaient tout autant attaqués aux autres agrès, une barre vermoulue, des anneaux dissymétriques, un pont de singe troué.

L'enfant ne bougeait pas, la balançoire oscillait seule, sans que le moindre geste freine ou accélère son mouvement, pas même un battement de paupières. Le regard de l'enfant était figé et on imaginait que pour lui, c'est tout le reste qui devait bouger. L'herbe, les arbres, la maison, la terre entière.

A travers la véranda, Marta Lukowik observa longuement l'enfant couvert de la tête aux pieds, des moufles au bonnet, puis posa le café sur la table. Toute une série de plantes et d'arbustes poussaient dans la pièce vitrée, rangés avec ordre dans des pots de terre alignés contre les fenêtres, des orangers, des citronniers, des groseilliers, composant un mélange de couleurs assez raffiné.

Josèf, assis en face du lieutenant Pasdeloup, tendit le doigt vers le petit jardin fermé par trois hauts murs de briques. Papy crut qu'il allait parler de l'enfant.

— Ça a pas l'air, mais on est plein sud. On a fait construire la véranda en 90, juste après la fermeture des mines, avec les indemnités. Une folie…

Il toussa en tirant une tasse de café vers lui.

— On la paye toujours, vingt-cinq ans après, mais je serais peut-être plus en vie aujourd'hui si je ne passais pas mes journées sous serre, entouré de toutes ces plantes.

Sa toux se mua en rire gras. Marta mit un sucre dans le café de son mari, sans même qu'il le lui demande.

— Et puis avec trois murs, ajouta Josèf, on n'est pas emmerdés par les voisins !

C'était sa conclusion. Ses lèvres se contentèrent de frissonner au contact du café chaud.

Papy goûta le sien. Amer. Il avait eu toutes les peines du monde pour que Josèf Lukowik le laisse entrer, et exhiber sa carte de policier devant le nez du mineur en retraite n'avait pas arrangé les choses. Ce n'est que lorsqu'il avait cité les noms de Timo Soler, Angélique

Fontaine et Alexis Zerda que Josèf avait entrouvert la porte d'un centimètre de plus.

Au nom d'Alexis Zerda surtout. Papy avait réagi d'instinct.

« Alexis Zerda est mort ! Abattu. Il y a moins d'une heure. On a retrouvé son corps dans une cuve sur l'ancienne base de l'OTAN. »

La porte s'était ouverte, Josèf avait seulement dit :

« On va passer dans la véranda. Marta, tu nous sers un café. »

C'était tout. Comme si Josèf n'avait aucune envie que le lieutenant traîne dans le couloir au papier peint démodé, s'attarde sur les affiches *Solidarność*, sur la photo de la cathédrale du Wawel ou le portrait de Bronisław Bula au-dessus du meuble à chaussures.

On recevait dans la véranda.

Sans être emmerdés par les voisins.

Papy vida son café d'un coup, retint une grimace, puis fixa ostensiblement l'enfant sur la balançoire.

— Que s'est-il passé ?

Marta Lukowik posa sa main sur celle de son mari. Une main ridée piquetée de taches brunes, aussi usée que les agrès du portique, aussi fatiguée d'avoir porté des enfants pendant des années, avant qu'ils grandissent et l'abandonnent. Le lieutenant Pasdeloup avait compris que cette main posée indiquait à son mari qu'il était trop tard, qu'il devait tout dire. Une connexion par le simple toucher. C'était à son mari de trouver les mots, mais c'était sa femme qui se confessait.

Josèf toussa encore, sans prendre la peine de protéger son café.

— Alexis nous a téléphoné après le braquage de Deauville. Je l'appelle Alexis, hein ? Pour nous, Zerda, c'était Darko, son père, je suis descendu vingt ans au fond du trou avec lui.

La main de Marta pesa plus fort encore sur celle de son mari.

— Il a été le premier à nous prévenir, avant les policiers, avant les journalistes, avant les voisins. Cyril avait été tué par les flics à Deauville, rue de la Mer. Main dans la main avec Ilona, abattue elle aussi. Je me souviens, il était presque midi, Marta écoutait Nostalgie en rempotant un camélia dans la véranda, elle a tourné le bouton sur France Info. Ils ne parlaient que de ça. Alexis disait vrai, le pot lui est tombé des mains, y a encore une marque, là.

Il désigna une entaille dans le carrelage.

— Déjà que Marta et moi, on n'aimait pas trop les flics avant…

Papy ne releva pas. Dans le jardinet, l'enfant se balançait toujours, aussi régulier que le va-et-vient d'une horloge.

— Alexis Zerda a voulu vous rencontrer ?

— Oui, on s'est vus à peine une heure après, près de l'étang du Canivet. Le coin où tous les gosses du village allaient pêcher, à l'époque. Il était seul. Nous, on y est allés tous les deux. C'est Marta qui conduisait. Moi, je tremblais trop, c'est dans ces moments-là que cette merde d'arthrite à la main droite me reprend.

Papy s'aperçut alors que la main de Marta posée sur celle de Josèf était aussi une façon de le calmer, en l'immobilisant, comme une caresse qui rassure un oiseau affolé.

— Alexis se tenait devant l'étang, près de ce qui restait de la cabane dans les joncs qu'ils avaient construite à dix ans pour piéger les grenouilles et les poules d'eau. Deux tôles et trois planches foutues. Alexis tremblait, lui aussi. C'était la première fois que je le voyais ainsi. Même quand il s'était fait convoquer par les profs du collège après avoir racketté la petite Leguennec, jamais il n'avait ravalé cette morgue contre toute autorité, cet air de défi permanent, le même que son père contre les porions. Mais là, non. Pour la première fois, il semblait, comment dire, vulnérable, et on savait tous pourquoi.

— Parce qu'il avait frôlé la mort. Parce que Cyril et Ilona étaient…

— Non, coupa Josèf en ponctuant sa réaction d'une nouvelle toux. Alexis n'en avait rien à foutre de notre fils, de notre belle-fille, ou même de Timo qui avait pris une balle dans le poumon. A la limite, ça l'aurait même arrangé, moins de parts de butin à distribuer, moins de témoins en vie aussi. Vous savez, je ne me suis jamais fait aucune illusion sur le petit Alexis. Quand je l'ai vu pour la première fois, c'était ici, dans le jardin, pour le goûter d'anniversaire des cinq ans de Cyril. Ça peut sembler bizarre, mais on peut deviner presque à tous les coups ce qu'un gamin de maternelle va devenir. Le petit Alexis, pour vous résumer d'une phrase, c'était déjà pas le genre de gamin à aimer partager un gâteau.

Papy ne commenta pas et revint à l'affaire.

— Qu'est-ce qui le rendait vulnérable, alors ?

— Le dernier témoin vivant !

Le lieutenant Pasdeloup abattit une carte.

— Angélique Fontaine ?

Josèf afficha un sourire, qu'il partagea avec sa femme.

— Non. Angie n'aurait jamais rien dit aux flics, ce n'était pas son genre, et il le savait. Non, ce qui paniquait Alexis, c'était le gosse. C'est pour cela qu'il avait pris le risque de venir nous rencontrer. Pour le gosse.

— Il avait quel âge ?

— Presque trois ans. Le gamin était resté avec eux pendant toute la préparation du braquage. Dans les bras de sa mère, à jouer à côté d'eux, à manger avec eux. Forcément, les flics allaient venir interroger le môme. A trente mois, il était dégourdi, débrouillard, bavard. Le gosse aurait parlé. Au minimum, il aurait reconnu le visage d'Alexis sur les photos qu'auraient montrées les flics. Au maximum, il aurait répété des bouts de conversations, des dates, des noms de lieux, de rues, de magasins. Les gosses sont des éponges à cet âge-là.

— Le témoignage d'un enfant de trente mois ? Un juge en aurait tenu compte ?

Josèf regardait à travers la véranda. Imperceptiblement, la balançoire avait ralenti sa course, peut-être par lassitude de ne pas recevoir un coup de main de l'enfant assis sur elle.

— On s'est renseignés, continua le mineur en retraite. A partir des anneées 90, depuis les affaires de pédophilie, ouais, les gosses sont écoutés par les juges… et c'est pas plus mal d'ailleurs.

— C'était quoi, exactement, le plan d'Alexis Zerda ?

La réponse de Josèf claqua. Marta en sursauta.

— Echanger le gosse.

Il fut brusquement pris d'une quinte de toux plus violente que les précédentes. Ce fut Marta qui poursuivit, d'une voix douce.

— C'était la seule solution, au fond. Les policiers allaient forcément découvrir l'existence de cet enfant. Ils allaient donc venir l'interroger, le gamin allait tout raconter, dénoncer Alexis. Même si on lui demandait de mentir aux policiers, en imaginant que ce soit possible de demander un tel truc à un gosse de trois ans, les flics se seraient forcément aperçus qu'il cachait quelque chose et il aurait fini par craquer. La solution qu'Alexis

Zerda avait imaginée était d'une grande simplicité, quand on y pense, il suffisait que les flics n'interrogent pas le bon môme. Il suffisait de le remplacer par un autre, si possible pas trop bavard celui-là... Mieux même, un gosse incapable de communiquer, traumatisé, perdu dans son monde intérieur. C'était la seule solution, répéta Marta.

Sa main était restée posée sur celle de son mari, ferme, mais elle ne pouvait empêcher sa voix de vibrer. Josèf ajouta entre deux quintes :

— Alexis aurait tué ce gosse si on n'avait pas accepté. Il aurait tué ce gosse pour qu'il ne parle pas.

L'enfant dans le jardin était descendu de la balançoire désormais immobile. Ou bien il en était tombé. Il était allongé dans la pelouse, sur le côté. L'herbe haute dépassait ses oreilles, ses épaules, ses cuisses. Presque sans que sa tête bouge, sa joue caressait les touffes les plus proches, comme s'il s'agissait de la crinière d'un animal contre laquelle il s'endormait.

Marta se leva pour demander au lieutenant s'il voulait un autre café, il accepta par principe tout en pensant qu'il pourrait toujours ne pas le finir. Lorsque Marta revint avec la cafetière, Papy reprit.

— Il suffisait d'échanger le gosse pour que les flics n'interrogent pas le bon. Je veux bien, mais ça supposait tout de même un sacré tour de passe-passe, non ?

Josèf trempa les lèvres dans la nouvelle tasse de café, qui visiblement atténuait sa toux. C'est lui qui poursuivit l'explication.

— Alexis avait sa petite idée. Il avait trouvé un donneur ! Un pote avec qui il avait partagé une cellule à Bois-d'Arcy, Dimitri Moulin. Son gosse, Malone, avait fait une chute dans un escalier. Il était dans un état proche du légume. C'était le profil idéal. Il a suffi de quelques milliers d'euros pour convaincre le père…

Il observa Marta, puis continua.

— Ça a été un peu plus difficile de convaincre la mère. Elle refusait de se séparer de son enfant, même pour quelques mois. Alors, avec le père ils ont trafiqué les résultats des dernières analyses de l'hôpital, ils ont fait croire à Amanda, la mère, que son enfant était condamné, qu'il ne lui restait plus que quelques mois à vivre. On devait jouer le jeu, c'était le deal. On a eu pendant des heures Amanda au téléphone ; au début elle appelait dix fois par jour, puis un peu moins, puis presque plus. Nous, on a continué à lui envoyer des messages, des courriers, des photos, pour la rassurer. Enfin, la rassurer… Plutôt lui dire que Malone était toujours en vie, il n'y avait rien à dire d'autre. Aucun progrès à signaler. Malone mange, Malone se balance, Malone dort, Malone regarde les papillons, Malone regarde les fourmis. Malone ne parle pas, Malone ne joue pas, Malone ne rit pas… Oui, on continuait de lui donner des nouvelles, mais déjà, on avait bien compris…

Il ne put continuer sa phrase. Des larmes coulaient sur son visage ridé. Au fond du jardin, l'enfant fixait dans l'herbe un point que lui seul voyait, sans doute un insecte minuscule.

Papy vint en aide à Josèf.

— Vous aviez compris que dans le cœur d'Amanda, l'autre enfant avait pris la place du sien. C'est bien ça ?

— C'est ça, confirma Marta. Bien entendu, nous avons eu accès à tout le dossier médical. (Elle jeta un regard à travers la véranda, vers le petit corps étendu dans l'herbe.) En réalité, le gamin peut rester ainsi des années. Il ne souffre même plus.

Sa voix était d'une douceur infinie.

— Le plan d'Alexis pouvait sembler compliqué, mais il était d'une grande simplicité en réalité. Il suffisait de tenir l'échange quelques semaines, le temps que l'enfant oublie sa vie d'avant, oublie au moins les visages, les noms et les lieux compromettants. C'était imparable ! Ensuite, ce qui pouvait arriver aux deux gosses, Alexis s'en fichait.

Et les Lukowik avaient accepté l'échange ; de couvrir Zerda pour tromper la police. Le lieutenant Pasdeloup pensa au dossier ouvert sur le fauteuil passager de la Mégane. Josèf avait eu quelques démêlés avec la justice quand il était jeune. Ivresse sur la voie publique, bagarre de rue, insultes à agent, rien de méchant et c'était il y a près de cinquante ans, mais cela suffisait à comprendre que Josèf et Marta n'étaient pas du genre à collaborer spontanément avec les flics.

Il restait cependant des zones d'ombre dans le dossier. Angélique Fontaine n'avait pas eu d'enfant, il n'y en avait aucune trace dans le dossier, Lucas Marouette était formel.

— Parlez-moi d'Angélique Fontaine, demanda Papy.

Un large sourire s'afficha sur le visage de Marta.

— La petite Angie a toujours été la plus intelligente de toute la bande des Gryzońs. Maligne, douée, gracieuse. Un peu rêveuse aussi. Gamine, dans Potigny, on ne la croisait jamais sans une poupée ou un livre à la main. Belle comme un cœur en plus… Jolie et romantique, vous vous doutez de la suite, inspecteur, le problème d'Angie, c'était les garçons, les garçons et l'autorité en général. Dans la liste de tous ses amoureux, Timo Soler était le mieux, c'est vous dire… Mais un mauvais garçon tout de même, un amoureux secret, c'est pour ça que vos radars de flics n'ont pas détecté la présence de la gamine dans le lit de Timo. Pour Angie, tout a explosé à l'adolescence, sa mère trompait son pauvre père, tout le village était au courant, lui le premier, mais ce n'était même pas ça le problème, je crois. C'est juste que ses parents n'étaient plus à la hauteur, la petite Angie était une extraterrestre pour eux, leur maison, impasse Copernic, était devenue une planète sans vie et Angie rêvait de taxis pour la galaxie. Ensuite, tout a dérapé quand elle s'est tirée. Le cancer de son père qui l'a emporté en six mois, son fameux blog, *envie-de-tuer*, et puis ensuite l'accident, bien entendu.

— L'accident ?

Papy avait sursauté. Le dossier de Marouette ne mentionnait aucun accident. La pièce de puzzle qui lui manquait ?

— Angie s'est plantée en voiture, en janvier 2005, dans un virage de la côte de Graville avec son copain de l'époque. Une petite ordure comme elle les collectionnait ! Lui s'en est sorti sans une égratignure, mais Angie était enceinte, de quelques mois. Elle a perdu son enfant et le toubib lui a appris qu'elle ne pourrait jamais en avoir d'autres. Pourtant, Dieu sait qu'elle en voulait, des mômes, la petite Angie. Je la revois, la pauvrette, gamine, avec ses poupées, si elle n'a pas fait mille fois le tour de Potigny en poussant son landau rose.

Devant le regard incrédule du lieutenant, Josèf crut bon de préciser.

— On était peu nombreux dans la confidence, mais avec les Fontaine, on avait le même médecin, le docteur Sarkissian. Il habite toujours Potigny, d'ailleurs, il pourra vous le confirmer. On joue à la pétanque avec lui chaque vendredi après-midi. Il est des nôtres, comme on dit. Pour qu'un médecin soit resté ici, d'ailleurs, il fallait bien qu'il soit des nôtres…

Papy déglutit. Tout s'éclairait. Presque. Il plaça à son tour sa main sur celles de Josèf et Marta, puis posa sa question avant qu'ils ne les retirent.

— Quand avez-vous vu votre fils et votre belle-fille pour la dernière fois ?

Il sentit que les deux mains voulaient s'échapper et tint bon.

Qui allait répondre ? Il aurait parié pour Josèf, ce fut Marta.

— Tout dépend de ce que vous entendez par « voir », inspecteur. Cyril et Ilona sont repassés une ou deux fois, avant le braquage, en coup de vent, un café, un dîner, pas même le temps d'une balade et d'une belote, mais on s'en contentait, c'était déjà mieux qu'avant.

Leurs mains étaient chaudes. C'était étrange, cette fusion de leurs trois paumes.

— Racontez-moi, fit le lieutenant.

— Cyril a galéré après le collège. C'était le moment où la mine a fermé. Il a commencé à trafiquer, du shit, des autoradios, des bagnoles, des alarmes de résidences secondaires… C'était pas un ange, Ilona non plus, mais ils ont payé. Plus de deux ans de prison ferme en tout. Après leur sortie, ils se sont mariés et ils se sont rangés. Vraiment, inspecteur ! Ils ont pris un appartement au Havre, dans le quartier des Neiges, lui est devenu docker, il bossait bien, ça lui plaisait. Puis après quatre ans passés sur le quai de l'Europe ils sont partis.

— En Guyane, c'est ça ?

— Oui. Dans le grand port maritime de Remire-Montjoly, Mærsk ouvrait une ligne supplémentaire. Ça payait mieux qu'au Havre, beaucoup mieux, mais il fallait signer un contrat d'engagement pour l'outre-mer sur plusieurs années.

— Ils n'ont pas hésité alors ?

— Non… Ils sont partis tous les deux, en juin 2009, il y a déjà six ans maintenant. Je crois que je n'ai pas revu Cyril plus de sept jours entiers depuis, avant qu'il ne se fasse…

De nouvelles larmes coulaient. Elle tourna la tête et laissa traîner ses yeux sur le portique rouillé au fond du jardin, comme s'il était le symbole de la vie qui avait foutu le camp de cette maison. L'enfant aux fourmis n'était qu'un fantôme de plus.

Josèf prit le relais.

— Au bout des cinq ans, quand Cyril est revenu au Havre, il n'y avait plus de travail pour lui sur les docks. Les effectifs avaient fondu de 50 %. Plus besoin de muscles, un seul type pouvait décharger un paquebot de quinze mille conteneurs avec juste un joystick. Je vous fais pas un dessin, inspecteur, chômage, galère, manque de fric, Cyril s'est mis à fréquenter à nouveau Alexis.

Marta épongeait ses larmes avec un mouchoir brodé.

— Il fallait bien qu'ils prennent leurs responsabilités, justifia Josèf. On n'y pensait pas, lorsqu'ils sont partis en Guyane…

— Vous ne pensiez pas quoi ? insista Papy.

Il connaissait pourtant déjà la réponse.

Dehors, près de l'enfant, dans l'herbe mal tondue, un papillon s'envola, sans même qu'il le suive des yeux.

Ce fut Marta qui se lança.

— On ne pensait pas que Cyril et Ilona nous ramèneraient un petit-fils !

70

Papy marqua une longue pause, le temps pour lui de se concentrer pour se remémorer les points-clés du dossier, ceux qui l'avaient intrigué la nuit précédente lors de sa veille au commissariat avant d'appeler Anaïs à Cleveland.

L'intuition !

Il observa à nouveau, par la vitre de la véranda, l'enfant allongé dans l'herbe haute.

« On ne pensait pas que Cyril et Ilona nous ramèneraient un petit-fils ! »

D'après le rapport, les policiers du SRPJ de Caen étaient passés chez Josèf et Marta Lukowik le 20 janvier 2015 pour interroger l'enfant de Cyril et Ilona Lukowik. Tout était en règle. Les grands-parents avaient hérité de la garde du petit orphelin. Ils avaient montré à l'enfant des photos de tous les suspects possibles, dont Alexis Zerda. Ils l'avaient interrogé une bonne heure. Rien à signaler !

Le gosse, d'après le rapport, semblait peu éveillé, à la limite du retard mental. Les policiers l'avaient consigné dans le rapport sans s'en étonner outre mesure : l'enfant venait de perdre ses deux parents de mort violente. Ils recommandaient un suivi psychologique, avaient un peu échangé avec les grands-parents, mais pour l'enquête, il n'y avait rien à tirer de ce côté-là. Logique, au fond, c'était un interrogatoire de pure routine, mais par principe, le SRPJ ne voulait négliger aucune piste. Le compte rendu de cet interrogatoire tenait sur une dizaine de lignes dans un dossier qui comportait plusieurs centaines de pages de témoignages et d'expertises. Personne, à part Papy, n'y avait prêté attention.

Maintenant, il voulait éclaircir chaque détail.

— Quel âge avait votre petit-fils, lorsque vous l'avez vu pour la première fois ?

La voix de Marta vibra, trahissant son émotion, comme lorsqu'elle avait parlé d'Angie.

— Un peu moins de deux ans. Il venait de revenir de Guyane, il était né là-bas, il n'avait connu que ce pays, le climat équatorial, c'est d'ailleurs la première chose que j'avais remarquée, ce gosse avait tout le temps froid en Normandie, j'avais fait des tas de remarques à Cyril pour qu'il couvre mieux son enfant, mais je crois qu'il s'en foutait. C'était un gamin gai, très en avance pour son âge. Il parlait déjà beaucoup, tout le temps, surtout de la grande forêt d'Amazonie, des singes et des serpents, de la fusée Ariane qui décollait de Kourou, même s'il commençait déjà à ne plus se souvenir de tout, à confondre un peu.

Elle désigna du regard les plantes sous la véranda.

— Il s'amusait à rapprocher les pots pour faire une jungle. Et il empilait des verres pour faire une fusée, il imitait le bruit avec sa bouche, il jouait au singe sur le portique en poussant des grands cris.

— Je suppose qu'il ne lâchait pas sa peluche ?

De nouvelles larmes perlaient au coin des yeux de Marta. De peine et de joie mêlées.

— Son Gouti ? Oh non, il ne le lâchait pas ! Ses parents le lui avaient acheté là-bas. Ils auraient pu choisir un animal d'Amazonie plus connu, un jaguar, un tatou, un paresseux, un puma, un perroquet, ils n'avaient que l'embarras du choix, mais c'était un clin d'œil à la rue de leur enfance, *gryzoń* veut dire « rongeur » en polonais.

Agouti, gryzoń, rongeur…

Papy n'avait remis les pièces du puzzle dans l'ordre qu'en arrivant à Potigny, cette expatriation de cinq ans en Guyane mentionnée dans le dossier de Cyril et Ilona, cette peluche baptisée Gouti, et quelques autres indices, comme cet album photo dont Marianne lui avait parlé au téléphone, décoré de singes, de perroquets et d'arbres tropicaux, cette photo de berceau en osier protégé par une moustiquaire, tous les souvenirs qui dans la mémoire de l'enfant se confondaient avec ceux de la base de l'OTAN, la jungle, les fusées…

Marta se leva et haussa le ton.

— Un gosse en or, fit-elle. La tête dans les étoiles. On l'a revu une ou deux fois par mois ensuite. Celui-là au moins aurait pu être heureux. Il était né près du ciel, pas sous la terre, comme tous ceux de ce village. Celui-là au moins aurait pu s'évader. Il avait une chance, avant…

— Avant quoi, Marta ?

La vieille femme se colla contre la véranda froide. Ses mots se transformaient en buée opaque.

— Avant qu'il ne voie ses parents se faire fusiller devant lui ! Vous avez des enfants, inspecteur ? Peut-on concevoir un plan plus monstrueux que de se servir d'un gosse de deux ans et demi pour passer les barrages de police après un braquage ? De se servir de son propre gosse, je vous parle de mon fils, inspecteur, de mon fils et de ma belle-fille ! Comment voulez-vous que cet enfant survive à ça ? Alexis nous a raconté, il ne s'est pas gêné, Cyril, blessé, a juste eu le temps de poser une main sur la portière de l'Opel Zafira et de croiser les yeux de son fils, avant de s'éloigner et de prendre trois autres balles dans le dos. Comment voulez-vous qu'un enfant se relève d'un tel traumatisme ? Foutu, inspecteur, ce gosse est foutu lui aussi !

Elle se retourna et, tout en restant debout, prit à nouveau la main de son mari.

— Foutu comme Josèf, qui a creusé toute sa vie un tunnel pour n'y trouver que de la silicose, foutu comme Cyril, foudroyé pour avoir voulu toucher ce qui brillait, une troisième génération foutue.

Son regard parcourut le jardin, les trois murs de briques. L'enfant allongé sur la pelouse semblait s'être endormi.

— On ne s'évade pas, lieutenant. Jamais.

— Sauf s'il oublie, glissa Papy.

Pour la première fois, Marta sembla perdre le contrôle d'elle-même.

— Et comment voulez-vous qu'il oublie ? Ce gosse n'a plus de parents ! Nous sommes trop vieux, dès que la parenthèse chez les Moulin sera terminée, sa vie, pour lui, ce sera de foyer en foyer, avec cette marque de mort imprimée dans le cerveau. Une marque qu'on n'efface pas…

Une marque qu'on n'efface pas.

Papy repensa aux propos échangés avec Marianne, aux théories de Vasile Dragonman. Etait-il possible de supprimer les souvenirs d'un enfant avant que sa mémoire ne se stabilise, même un traumatisme, surtout un traumatisme, de l'enterrer plutôt que de l'obliger à vivre avec toute sa vie ? Quelle somme d'inconscience, de désespoir et de détermination fallait-il pour tenter ce pari ?

Il ne répondit rien cependant.

Marta se tourna à nouveau vers la cour et baissa les yeux vers l'enfant qui dormait sur le gazon, un sourire sur le visage, un mince filet de bave aux lèvres, les cheveux mêlés aux touffes d'herbe que le vent chatouillait.

— A la limite, ce petit ange sera plus heureux.

Josèf semblait perdu dans ses pensées, Papy en profita pour se lever et sortir son téléphone. Il était urgent de prévenir Marianne, maintenant qu'il possédait tous les éléments. Il fit deux pas pour s'éloigner. Brusquement, au détour d'un jeu de lumière, la vitre de la véranda lui renvoya son reflet. Etait-ce la proximité des époux Lukowik, Papy se sentit soudain vieux.

Trois générations foutues, avait martelé Marta. Malgré lui, il repensa à ses enfants, Cédric, Delphine, Charlotte, Valentin, Anaïs, tous envolés du nid, à ses six petits-enfants qu'il ne voyait presque jamais. Oui, il se sentit vieux. Tout était-il foutu aussi pour lui ?

Il resta trop longtemps à observer son reflet, Marta crut qu'il regardait au-delà, à travers la véranda, jusqu'à l'enfant.

La voix de la vieille femme se fit méchante.

— Celui-là aussi, vous allez nous le prendre ?

71

Aujourd'hui, je traverse le pont des Arts. Seule.
Envie de tuer
Comme la goutte qui fait déborder le vase, j'aimerais être celle qui pose le cadenas qui fait s'écrouler le pont.

Condamné : 19
Acquitté : 187

www.envie-de-tuer.com

Les quinze militaires se déployaient autour de l'avion, semblant obéir à une chorégraphie savante orchestrée d'un simple mouvement des doigts par le directeur de la sécurité de l'aéroport, de l'autre côté de la baie vitrée.

Marianne ne lui accorda pas un regard et raccrocha le téléphone. Les mots de Papy continuaient de résonner dans sa tête. Ils se mêlaient à ceux de Vasile Dragonman, quelques jours plus tôt.

Peut-on effacer la mémoire d'un enfant ? Enfouir un

traumatisme ? L'empêcher de grossir, de faire des racines, de ronger une vie ?

Pourquoi pas, après tout.

Le cerveau d'un enfant de trois ans est une pâte à modeler. Pourquoi ce gosse n'oublierait-il pas que ses parents étaient morts, assassinés sous ses yeux, puisque ce souvenir était insoutenable et qu'il avait trouvé une fée pour l'effacer d'un coup de baguette magique ?

Oui, ce gosse croyait qu'Angie était sa maman. Angie l'avait manipulé, pour le sauver. Gouti avait été son instrument, son complice. Angie n'avait fait qu'utiliser le plus vieux truc au monde, opposer une vérité à une autre, Amanda contre Angie, une alternative déjà si compliquée pour son petit cerveau. Deux mamans aimantes, c'était déjà une de trop, la meilleure façon pour oublier que la troisième n'était plus là pour l'élever, pour oublier qu'elle était tombée devant lui, pour oublier la trace de la main ensanglantée de son père sur la portière de sa voiture. Pour ne plus se souvenir que d'une pluie de verre coupante, et bientôt oublier aussi cette pluie.

Sous les yeux consternés du responsable de la sécurité de l'aéroport, Marianne serra la peluche élimée entre ses mains.

Angie voulait un enfant, plus que tout. Angie serait une bonne mère. Malone grandirait heureux avec elle.

Angie n'avait tué personne.

Angie était devenue son amie pour cela, pour qu'elle comprenne qu'elle voulait sauver cet enfant. Parce qu'Angie était sa seule chance.

Angie n'avait accepté le plan de Zerda, échanger les deux enfants, que pour mieux se débarrasser de lui, le moment venu. Alexis Zerda était bien incapable d'imaginer jusqu'où pouvait aller la détermination d'une mère pour protéger son enfant. Alors deux mères couvant le même gosse… Condamné d'avance, Alexis ! La première, Amanda, lui a tiré deux balles dans la poitrine avec un flingue que la seconde, Angie, lui avait mis entre les mains.

Le chef de la sécurité semblait décidé à en terminer. Il s'épongea le crâne, écarta d'un geste brusque l'hôtesse aux ongles peints et se planta devant Marianne.

— Alors, commandante ? On y entre, oui ou non, dans ce putain d'avion ? Il s'agit d'une femme et de son gosse. Ils ne sont pas armés. Alors vous attendez quoi, merde ? C'est vous qui nous avez donné l'ordre de ne pas faire décoller ce zinc !

Jibé, toujours immobile derrière eux, accompagné des agents Bourdaine et Constantini, semblait compter les points.

Marianne ne répondit rien. Un vertige la saisissait. L'avion immobile sur la piste. Les types en uniforme l'encerclant. Le nain chauve qui aboyait sur elle. La raideur stoïque de ses deux gardes du corps. Le sourire figé de l'hôtesse. Comme si tout s'était arrêté autour d'elle sauf les jappements du roquet.

— Bordel, bloquer un décollage, c'est bloquer tous les autres ! J'ai quatre vols qui attendent derrière… Merde, j'ai dix hommes armés sur le tarmac, on peut prendre d'assaut la carlingue en quelques secondes.

— Du calme, fit la commandante, presque par réflexe. On parle d'un enfant et sa maman.

Le roquet insista.

— Pourquoi tout ce cirque alors ? Pourquoi immobiliser au sol cet avion et retarder tout le trafic depuis vingt minutes ?

Il chercha à défier la commandante, autorité contre autorité, légitimité contre légitimité, par l'affrontement physique au besoin. L'intimidation du mâle dominant.

Il releva son col galonné comme un dindon et colla son jabot contre la poitrine de Marianne.

En finir cette fois…

Elle ne lui fit même pas l'aumône d'un regard. Elle pivota vers l'hôtesse au sourire rouge et aux cheveux de feu.

Elle posa une main amicale sur son épaule et lui tendit l'autre main, lentement, pour bien lui faire comprendre qu'elle lui confiait la mission la plus délicate de toute cette enquête.

La main de l'hôtesse se referma, c'était doux, même si elle ne comprenait toujours pas ce qu'on attendait d'elle.

Marianne lui expliqua à voix haute, comme par défi, pour que tous l'entendent.

— Le gosse a oublié son doudou. Il ne peut pas partir sans lui.

72

Petite aiguille sur le 5, grande aiguille sur le 3

Le cap de la Hève n'était plus qu'un petit point à l'horizon qui disparut la seconde d'après sous l'aile du Boeing 737. Droit devant, par le hublot, Angie n'apercevait déjà plus que l'océan, sur lequel flottaient quelques nuages de coton qu'ils traversaient sans les fendre, comme des rêves crèveraient un oreiller de plumes.

Malone s'était endormi sur ses genoux. Gouti était coincé entre ses bras, contre sa poitrine. La peluche se soulevait, doucement, semblant respirer au même rythme que le garçon.

Comme épuisée, elle aussi. Le repos du héros qui tombe de sommeil dans l'épilogue de sa plus grande aventure.

Angie adorait cette sensation, cette impression d'être prisonnière, ne pas pouvoir bouger un bras, une cuisse, sentir l'engourdissement monter, contrôler jusqu'à sa respiration. Rien qui puisse réveiller son trésor.

Une hôtesse passa, souriante, prévenante, lui demanda si tout allait bien. Angie adora aussi le regard attendri de la fille sur son grand bébé endormi.

Elle avait tant espéré cet instant.

Offrir à cet enfant une seconde chance. A moins que ce ne soit lui qui lui fasse ce cadeau. Peu importe. Elle aussi, comme Gouti, calerait désormais son souffle sur celui de Malone.

Doucement, elle appuya son dos contre le velours bleu du siège, puis ferma les yeux.

Tout avait été facile, au fond.

Alexis Zerda était dangereux, mais prévisible. Elle n'avait eu aucun mal à le convaincre d'épargner l'enfant, de simplement l'échanger, le temps de quelques mois, le temps qu'il oublie tout… Pauvre fou ! L'enfant oublierait le pire, bien entendu, mais il se souviendrait du reste, de tout le reste, de ce qu'il faudrait, quand il le faudrait, grâce à Gouti.

Comment aurait-elle pu abandonner cet enfant dont Ilona et Cyril s'occupaient si peu, si mal ? Pendant les mois qui avaient précédé le braquage, elle avait été sa nounou, sa grande sœur, sa maman même ; c'est elle qui le couchait, le levait, le lavait, lui racontait des histoires pendant que tous les autres répétaient une énième fois leur plan, chaque rue de Deauville, chaque centimètre de la carte, chaque seconde de ce hold-up qui ne devait durer que trois minutes et leur assurer la fortune pour le reste de leur vie.

Gouti n'avait pas menti, au fond, Angie était sa maman, sa vraie maman, bien avant que ses parents ne montent au ciel.

Amanda Moulin, d'une autre façon, était prévisible elle aussi. Bien entendu, elle était tombée amoureuse de ce nouveau Malone. Bien entendu, elle était prête à tout pour le garder, pour rester avec lui, pour s'enfuir avec lui à l'autre bout du monde, si elle trouvait les billets pour le paradis ; à se débarrasser de quiconque se mettrait en dehors de sa route, si elle trouvait l'arme pour l'enfer. Peu importe si les flics découvraient une trace informatique de sa recherche de billets d'avion, ce serait une autre façon de brouiller les pistes ; elle les avait commandés avec l'ordinateur de Zerda, celui planqué avec le butin à la base de l'Otan, mais elle avait pris soin de supprimer tous les fichiers mentionnant les noms d'Amanda et de Malone.

La seule inconnue concernait Marianne Augresse. Il fallait qu'elle comprenne. Pas trop tôt, pour ne pas enrayer l'engrenage, pas trop tard, pour qu'elle ait le temps de repenser à ses confidences. Lui envoyer une lettre anonyme avait suffi pour provoquer leur rencontre, ensuite Angie avait mis le paquet, toutes ses tripes. Jamais elle n'était allée aussi loin avec une amie.

La sincérité emballée dans un mensonge. C'était le pari. Un bluff désespéré, le prix de sa liberté.

Une dernière fois, elle repensa aux certitudes psychanalytiques qu'elle balayait d'un revers de main. En pleine conscience.

Malgré les interminables conversations qu'elle avait eues avec Vasile Dragonman sur la résilience, elle n'était pas parvenue à se convaincre qu'il valait mieux réveiller les fantômes, les affronter, plutôt que de les laisser dormir dans l'oubli.

Elle n'était pas parvenue à admettre qu'il valait mieux faire porter à un enfant le fardeau de la vérité, pour le reste de ses jours, au nom du droit de savoir, alors que le mensonge lui offrait la chance de déchirer la page raturée et de recommencer à écrire sa vie sur un cahier blanc.

Bien entendu, elle n'ignorait rien de la mémoire traumatique, de l'inconscient et des chimères qui hanteraient Malone toute sa vie. Mais elle ne parvenait pas à croire que l'amour, son amour, ne pèserait pas plus lourd dans la balance du bonheur.

Le Boeing continuait de prendre de l'altitude. Des bouts d'estuaire rapetissaient. Dans quelques secondes, ils passeraient au-dessus des nuages, de l'autre côté du monde. Dans l'obscurité naissante, la dernière trace de vie se limitait aux guirlandes lumineuses qui faisaient briller la ville. La plupart des voitures avaient déjà allumé leurs phares.

Avant de quitter cette terre et de filer vers un autre continent, Angie ne put s'empêcher de penser à Timo. C'était la seule limite de son plan. Il ne pouvait pas s'enfuir avec eux ! Il était fiché, impossible pour lui de prendre l'avion, de franchir la douane.

Elle posa sa main sur le front de Malone, puis elle lui murmura à l'oreille, pour que ses mots s'impriment dans ses rêves.

— Papa nous rejoindra plus tard…

Elle l'espérait. Elle l'espérait tant. Timo serait un merveilleux père.

Prenant soin de ne pas réveiller Malone, elle se pencha une dernière fois vers le hublot. L'ultime image qu'elle retint, avant que les nuages n'avalent définitivement toute trace de vie sur terre, fut celle de la toile d'araignée urbaine, jaune et scintillante, à l'exception d'une lumière bleue qui serpentait plus vite que les autres.

73

Aujourd'hui, résultat de ma première année de médecine : 1 128e. Ils prennent les 117 premiers.
Envie de tuer…
… puisqu'envie de soigner, c'est mort ! Reste à choisir l'option. Bourreau ? Tueur à gages ? Ecrivain de polars ?

Condamné : 27
Acquitté : 321

www.envie-de-tuer.com

Le gyrophare, tout autant que la sirène hurlante, annonçait le danger. Un quart de seconde avant que l'ambulance ne surgisse avenue du Bois-au-Coq, les hauts murs des tours de la Mare Rouge se colorèrent d'une traînée bleue, un coup de projecteur bref mais suffisant pour que quelques habitants sortent au balcon. A peine le temps de voir passer l'ambulance, d'entendre quelques secondes encore l'écho de la sirène se cogner aux murs de briques des bâtiments.

L'ambulance longea un instant le centre commercial du Mont-Gaillard. Les néons rivalisèrent pendant trois cents mètres avec la lumière aveuglante, puis les enseignes disparurent à leur tour, ainsi que l'interminable parking et les véhicules coincés à l'intérieur.

L'ambulance descendait par l'avenue du Val-aux-Corneilles.

L'hôpital Monod n'était plus qu'à deux kilomètres. *1 min 32*, indiquait le système de balisage du SMUR, précis à la seconde près.

Juste devant, une moto pila. Une camionnette se rangea sur le côté.

Yvon continua sur le même rythme, il conduisait avec expérience, sans chercher à battre de record, en calant strictement sa course sur celle du minuteur.

Chercher à aller plus vite aurait été une folie.

L'ambulance plongeait sur la ville. Yvon prit le rond-point suivant à contresens et prolongea dans le couloir de bus.

55 secondes.

Il lui restait à remonter l'avenue de Frileuse et on y était.

Yvon sentit la main gantée sur son épaule.

Il avait l'habitude. Cela arrivait au moins une ou deux fois sur dix. Tanguy, l'autre ambulancier, son complice à l'arrière depuis plus de trois ans, n'avait même plus besoin d'ajouter un mot.

Ils roulaient dans un couloir en site propre. Yvon freina et rétrograda pour se garer derrière un bus à l'arrêt. Il coupa le gyrophare, la sirène, puis se retourna vers Tanguy. A l'arrière, il y avait aussi une fille, très jeune, en blouse blanche, qu'il ne connaissait pas, sans doute une nouvelle, et Eric l'urgentiste. Un habitué.

C'est lui qui parla. Ça lui revenait, ce privilège, si l'on pouvait appeler cela un privilège.

Le dernier mot, le dernier geste.

A côté d'eux, des ombres pressées descendaient du bus n° 12 et disparaissaient une à une dans les bouches noires des entrées des immeubles le long du trottoir.

— C'est fini, fit Eric tout en recouvrant avec la couverture de survie le beau visage juvénile de Timo Soler.

Six mois plus tard

74

A la terrasse de l'hôtel Brigandin, il n'y avait presque que des hommes.

Seuls.

Des physiciens, des informaticiens, des logisticiens, des techniciens, tout ce que le centre spatial guyanais de Kourou comptait de cerveaux pour faire décoller, pour la deux cent dix-septième fois, la fusée Ariane. Presque la routine, l'envol était prévu pour dans deux heures. Ça n'avait pas l'air de stresser plus que ça les types en cravate, en polo Lacoste ou en bermuda kaki pour mieux supporter la moiteur du début d'après-midi. On entendait même un peu plus loin, derrière le mur de bambous, les éclats de rire et d'eau de la piscine de l'hôtel.

Au-delà du grillage, quelques centaines de mètres plus loin, dans la brume de chaleur, Ariane dominait l'horizon, écrasant de son ombre les palmiers et les hangars. Elle avait la hauteur et l'élégance d'une cathédrale immaculée, construite dans une clairière défrichée pour elle avant même qu'une ville ne l'encercle. Une cathédrale capricieuse qui s'envolerait pour défier Dieu et semer dans le ciel des anges de métal.

Maximilien, mojito à la main, la repéra dès qu'il mit un pied sur la terrasse.

La seule femme !

Les doudous armées d'un balai ou les serveuses métisses décolletées, derrière ou devant le bar, ne comptaient pas vraiment dans sa conception de la parité.

La femme était perdue dans ses pensées, devant une menthe à l'eau, comme dans la chanson, il ne manquait que le pauvre juke-box et le dieu projecteur. Jeune, jolie, lunettes noires sur les yeux, de longs cheveux tressés qui tombaient sur sa robe à fleurs, des bras et des jambes bronzés sans excès. Elle devait résider en Guyane depuis plusieurs mois… mais moins d'un an. Maximilien, en amateur éclairé, avait appris à dater avec précision la cuisson des chairs féminines expatriées rien qu'à la couleur de leur peau.

Il s'avança.

— Je peux m'asseoir ?

La terrasse était bondée. L'excuse tenait la route. La fille était souriante. Un bon point.

— Oui, bien sûr.

Elle releva ses lunettes un instant. Elle l'avait trouvé séduisant, son regard complice ne trompait pas, un autre bon point.

Il n'était pas beaucoup plus vieux qu'elle, cinq ans au maximum. Lui aussi arborait un bronzage travaillé dans la durée, mais en alternance, trois semaines en Guyane, trois semaines en métropole. Il lui expliquerait, sans trop en rajouter, que cette fusée décollait un peu grâce à lui, qu'il dirigeait une équipe d'une trentaine d'ingénieurs et de techniciens, que c'était une sacrée dose d'adrénaline à chaque décollage, son quinzième, qu'il ne s'y habituait pas ; qu'il gagnait très bien sa vie aussi, qu'il venait souvent ici, qu'il s'ennuyait un peu, après le décollage, qu'il aimait les rencontres, qu'il rêvait d'être cosmonaute, petit garçon, qu'il y était presque parvenu…

Il tendit la main à la jeune femme.

— Maximilien. Mais je préfère Max…

— Angélique. Mais je préfère Angie…

Ils forcèrent un même rire, parfaitement synchronisé. Encore un bon point. Max se présenta, détailla son CV avec une fantaisie éprouvée, prit soin d'écouter Angie, même si elle demeurait beaucoup plus discrète que lui. Presque inquiète. Elle lui expliqua simplement qu'elle n'était là que pour quelques jours, pour régler des affaires, qu'elle résidait le plus souvent au Venezuela. Un peu, pensa-t-il une seconde en observant le stylo Western Union posé à côté d'elle, comme ces trafiquants qui cherchent à fuir la police française, qui ne font que des sauts de singe-écureuil en France avant de retourner se perdre dans la forêt équatoriale.

Une attitude de passagère clandestine derrière ses lunettes noires. Ça ajoutait au mystère de la fille.

Elle ne retira pas sa main lorsque les doigts de Max la caressèrent, d'abord ; la capturèrent, ensuite. Sans ambiguïté.

Une alliance entourait son annulaire. Max annonçait la couleur, sans aucune ambiguïté non plus. Le privilège des expatriés, de l'équateur, de la moiteur.

— Vous êtes ravissante, Angie.

— Vous êtes un séducteur très attentionné, Max.

Leurs doigts se mêlaient, humides, collés pour un premier tango. Les yeux d'Angie brillaient.

— Et sans aucun doute un amant délicieux… Si je vous avouais depuis combien de temps je n'ai pas fait l'amour, vous ne le croiriez pas.

Max sembla un instant désarçonné par l'audace de la fille face à lui.

— Mais toutes ces qualités ne suffisent pas, Max. J'en recherche une supplémentaire.

— Un défi ?

L'ingénieur avait retrouvé le sourire. La fille était joueuse. Il adorait ça. Il n'eut cependant pas le temps de demander quelle était la nature du challenge. La réponse fila devant ses yeux.

Vive et joyeuse.

— Maman, on peut rester encore un peu ? Il paraît que la fusée va décoller !

Le gosse de quatre ans avait surgi d'entre les tables et était grimpé d'un bond sur les genoux de sa jeune maman, faisant trembler mojito et menthe à l'eau avant même que les moteurs Vulcain ne crachent leurs flammes.

— Bien entendu, mon trésor. On est venus pour ça.

Le gosse était reparti, rieur, espiègle, attrapant au passage une peluche immonde en forme de rat, évitant tables et serveuses pour retourner s'agripper au grillage qui offrait une vue imprenable sur la gigantesque fusée blanche.

Max vida la moitié de son cocktail, puis demanda à la fille :

— Quatre ans ?

— Bientôt cinq… La qualité supplémentaire, c'est pour lui. J'ai besoin d'un amant, lui d'un père.

— Deux qualités indissociables ?

— Oui.

— Ce n'est pas négociable ?

— Non…

Max éclata d'un rire franc. Il ouvrit son iPhone d'un doigt et le fit glisser sur la table pour montrer la photo de fond d'écran.

— Sorry, Angie. Déjà servi ! Je vous présente Céleste, Côme et Arsène, respectivement trois, six et onze ans, ainsi que leur maman, Anne-Véronique. Je les adore, tous.

Il se leva, emportant son mojito.

— *Hasta la vista, señorita.*

Il eut un dernier regard pour l'enfant grimpé sur une chaise de plastique pour mieux voir encore à travers le fil barbelé.

— Prenez soin de vous, Angie. Offrez-lui les étoiles, il les mérite.

Il lui lança un baiser de la main.

— Ce ne sont pas les papas qui manquent.

Angie le suivit des yeux jusqu'à ce qu'il disparaisse à l'intérieur du hall de l'hôtel Brigandin, puis son regard se perdit sur les tables alentour, où les hommes seuls, à deux, en groupe, riaient, jouaient, s'ennuyaient. Rêvaient.

75

Amanda Moulin fut condamnée à quatre mois de prison ferme. La légitime défense fut retenue pour le meurtre d'Alexis Zerda, sans même qu'Amanda la réclame, sans même que son avocat ait à argumenter.

Mais Amanda Moulin devait aussi répondre d'autres délits : usurpation d'identité, délit de fuite, tentative d'enlèvement.

Elle fut incarcérée au centre pénitentiaire de Rennes. Les quinze premiers jours, chaque matin après la promenade, elle recevait une lettre. Le tampon indiquait Potigny. L'adresse au dos indiquait le 23 rue des Gryzońs, celle de Josèf et Marta Lukowik.

Elle ne les ouvrait pas. Jamais.

Elle savait ce qu'elles contenaient. Des photos de Malone, toujours les mêmes. Le récit de ses journées, toujours les mêmes. Malone n'allait pas mourir, c'est la première chose que lui avait apprise son avocat. Dimitri avait trafiqué, avec Alexis Zerda, les résultats de la clinique Joliot-Curie.

Certes, dans le cerveau de Malone, une minuscule fissure lézardait le pont de Varole, entre le tronc cérébral et la moelle épinière, réduisant presque à néant sa motricité et sa sensibilité, mais aucune fonction vitale n'était touchée.

Elle s'en moquait désormais, tout lui était égal. A la limite, elle aurait préféré que Malone soit mort. Que tout soit terminé. Qu'on lui laisse un clou, un drap, un tabouret dans sa cellule et qu'elle se pende.

Puis, trois semaines après son incarcération, elle fut convoquée. Une femme, plus jeune qu'elle, la reçut au parloir. Elle était assistante sociale. Elle lui expliqua que le juge pour enfants venait de prendre une décision. Il retirait la garde de Malone aux grands-parents Lukowik, qui ne possédaient aucun lien de parenté avec l'enfant, aucun droit, aucune autorisation de tutelle. L'enfant serait confié à un institut médico-éducatif, le temps de son incarcération.

— Et ensuite ?

La jeune assistante sociale avait baissé les yeux sans répondre. Elle lui avait juste glissé des papiers à signer, pour le juge, pour l'Agence régionale de santé, pour l'institut. Amanda avait tout paraphé sans même lire.

L'ordonnance du juge prévoyait une visite médiatisée chaque semaine.

Amanda, empoignée par deux gardes qui ne lui laissèrent pas le choix, se retrouva face à face avec Malone le mercredi suivant, à 10 h 30 du matin, en compagnie d'une éducatrice, dans une pièce sans fenêtre de trois mètres sur trois.

Pendant les dix minutes que dura la visite, Malone se contenta de fixer la mouche qui bourdonnait sur le mur derrière Amanda. L'éducatrice, elle aussi plus jeune qu'Amanda, se contenta de bafouiller quelques questions au début : Vous ne le prenez pas dans vos bras ? Vous ne l'embrassez pas ? Vous ne lui parlez pas ? Puis, à son tour, elle apprit à se taire.

Chaque mercredi.

Amanda s'y rendait, désormais docile. Plus aucune mouche ne bourdonnait.

Chaque fois, une nouvelle éducatrice accompagnait Malone. Bizarrement, c'est sans doute ce qui finit par faire réagir Amanda. Cette image de Malone qui chaque semaine entrait et sortait avec une femme différente, comme un objet encombrant qu'on se refile. Une corvée.

Quelque chose en elle se réveilla, lentement. Grandit, mercredi après mercredi.

Elle reprit espoir. Dans quelques semaines, elle sortirait. On lui rendrait Malone. Elle s'en occuperait. Elle l'accepterait tel qu'il était.

Une semaine avant sa libération, le juge pour enfants ordonna des examens complémentaires, pour Amanda comme pour Malone. Amanda répondit aux questions du psychologue de la prison pendant une demi-journée et Malone fut confié deux jours aux services de neurochirurgie pédiatrique du professeur Lacroix, celui qui l'avait opéré après sa chute dans l'escalier.

Le matin même de la libération d'Amanda, elle rencontra le professeur Lacroix. Il la fit patienter près d'une heure dans la salle d'attente, alors qu'aucun autre patient ne se trouvait dans la pièce, pas même un gosse pour jouer dans le coin des Lego, uniquement trois secrétaires qui gloussaient dans le couloir d'à côté.

Enfin, le docteur la reçut. Il avait longuement parlé au juge.

La place de Malone était dans un établissement spécialisé !

Malone avait besoin de surveillance, de soins, de traitements réguliers. Amanda pourrait le voir aussi souvent qu'elle le voudrait…

— Rendez-moi mon enfant, demanda simplement Amanda. S'il vous plaît, docteur…

Le neurochirurgien ne répondit rien. Il jouait avec un stylo en argent, très fin, sans même avoir pris la peine de sortir de leur pochette plastique les documents qu'Amanda avait apportés : l'autorisation de prise en charge de Malone à son domicile. Lui seul pouvait la signer.

— S'il vous plaît, docteur.

Il n'y avait aucune hostilité dans l'intonation d'Amanda.

En guise de réponse, Lacroix fit glisser vers elle le dossier médical. Amanda le consulta machinalement. Elle connaissait déjà par cœur les résultats. Rien de neuf. Etat stationnaire. Aucune courbe de cognition ou de réaction n'évoluait.

— C'est pour le bien de l'enfant, madame Moulin, crut bon de préciser le neurochirurgien. Ce n'est pas contre vous. Malone sera mieux dans un établissement spécialisé et pourra ainsi…

Amanda n'écoutait déjà plus. Son regard s'échappait vers l'une des feuilles du dossier médical, même si elle avait relu des dizaines de fois ce devis du Harper University Hospital de Philadelphie. Le seul laboratoire au monde à réparer les lésions cérébrales en implantant de nouveaux axones sur les neurones endommagés. Une équipe de trente neurochirurgiens diplômés au service des patients, assurait la plaquette publicitaire, un plateau technique unique aux Etats-Unis, un vaste parc arboré pour une convalescence paisible, une liste de personnalités américaines opérées avec succès déclinée sur trois colonnes, même si aucun des noms n'était connu en France.

Coût de l'opération : 680 000 dollars.

— Vous comprenez bien, madame Moulin, concluait Lacroix, je suis tout aussi désolé que vous, mais je ne peux pas prendre le risque de vous laisser Malone. Pas dans son état, pas après tout ce qui s'est passé.

Amanda détesta le sourire du neurochirurgien lorsqu'il rangea dans son tiroir le stylo d'argent qui valait peut-être déjà un millième de la somme.

Rien n'avait changé square Maurice-Ravel. Les voisins avaient réservé des places aux fenêtres pour son retour. Le pavillon était froid, poussiéreux, vide. Le tapis de bambou portait encore des marques rouges. Les poèmes de la fête des mères étaient toujours accrochés dans un cadre, décoré de cœurs et de papillons.

Amanda n'avait même plus la force de pleurer.

Elle ne sortit pas pendant les trois jours qui suivirent, ne mangea pas non plus, dormit à peine. Ce fut le facteur qui se déplaça, franchit la barrière, alla jusqu'à frapper à la porte, puisque Amanda ne se rendait pas jusqu'à la boîte aux lettres, où le courrier s'accumulait.

Une lettre de Guyane, le facteur montra fièrement le timbre à Amanda.

Amanda l'ouvrit sur la table de la cuisine, devant un café, la seule chose qu'elle pouvait encore ingurgiter.

La première page était presque vierge, juste deux mots.

Pour Malone

Et une signature.

Angie

La seconde contenait davantage de lignes, une dizaine, qu'Amanda lut en diagonale.

L'écriture manuscrite féminine s'excusait de n'avoir pas donné de nouvelles plus tôt, parlait d'un colis expédié par ses soins au Venezuela, d'un joaillier d'Anvers, d'un intermédiaire hollandais, d'une dispersion compliquée du butin vers des clients à Singapour, Taipei, Johannesburg, Dubaï…

Rien d'autre, à part une dernière ligne.

Deux lettres, une suite de chiffres et un nom.

`CH10 00230 00109822346`

`Lloyds & Lombard, Zürich United Bank`

76

Marianne avait décidé de ne pas se fixer de limites.

Ni en nombre d'invités, ni en nombre de bouteilles qu'elle viderait. Un seul nombre était fixé, celui des bougies sur son gâteau d'anniversaire.

Quarante.

Marianne oubliait le temps d'une soirée l'enquête de la police des polices, le blâme qui lui pendait au nez, sa mise à pied peut-être, et papillonnait d'ami en ami, un verre à la main, elle avait enfilé un tee-shirt moulant sur lequel était écrit *No Kids*, et répétait à l'envi :

— A la liberté !

Jibé s'était pointé vers 23 heures, au bras d'une fille de dix ans de moins que lui, vêtue d'un mini jean coupé et d'un top fuchsia qui lui chatouillait le nombril, une bouteille de champagne cachée derrière le dos, pour arroser son divorce et le tout frais refus du juge de lui accorder la garde alternée. Il était resté à peine trois heures, puis avait claqué une bise amicale sur le front de Marianne avant de lui glisser à l'oreille qu'il filait retrouver les amis de Loreen. En boîte.

Les autres s'étaient éparpillés un peu plus tard, à partir de 3 heures du matin. A 5 heures, au milieu des verres posés ici et là, des assiettes de carton oubliées sur les meublcs, des bouteilles non rebouchées, des petits-fours écrasés et des parts de gâteau à peine entamées, il n'était plus resté que Papy.

Marianne s'était effondrée dans le canapé, à côté de Mogwai, une Desperados à la main.

— Je te file un coup de main pour tout ranger, ma belle ?

— Laisse tomber, Papy. Je verrai ça plus tard. J'ai toute ma vie maintenant pour faire du rangement.

Papy s'était lui aussi décapsulé une bière.

— A qui le dis-tu.

Le lieutenant Pasdeloup avait fêté sa retraite la semaine d'avant. Il l'avait fait valoir à pile cinquante-deux ans, après vingt-sept ans de service, comme tout fonctionnaire actif de la police en avait la possibilité.

Marianne était ivre. Elle laissa la bouteille qu'elle tenait dans la main tomber sur le parquet, la bière couler sous le canapé.

— C'est tellement con de t'appeler Papy… T'as à peine dix ans de plus que moi ! T'es mieux conservé que la plupart des mecs de mon âge. T'es seul. T'as pas de comptes à rendre. Viens, approche-toi.

Elle se recroquevilla pour lui laisser une place, faisant dégager Mogwai du bout du pied. Papy se contenta de sourire.

— Tu me proposes quoi exactement, Marianne ?

La commandante lui rendit son sourire.

— Baiser. Pour fêter ma nouvelle vie. La tienne aussi. Baiser. Rien de plus, je te rassure. Je me doute que tu vas pas refaire un môme. T'as déjà donné.

Le lieutenant Pasdeloup trembla un peu, attrapa une chaise et s'assit face à Marianne.

— Tu me le proposerais, Marianne ?

— Quoi ? Baiser ? Ouais… Une fois, pour voir… Y a plus de hiérarchie entre nous.

— Refaire un gosse, je veux dire ? Tu me le proposerais ?

La tête de Marianne lui semblait terriblement lourde, elle la hocha tout de même, presque par réflexe. Ça devait vouloir dire oui, ou pourquoi pas, pour voir.

Papy se pencha et lui prit la main.

— Vrai, Marianne ? Tu me le proposerais ? Tu me proposerais que dans six mois je puisse poser mes mains sur ton ventre rond avec un truc à moi vivant dedans ? Tu me proposerais que dans moins d'un an je passe mes nuits à veiller sur un gosse qui pleure et me réclame au lieu de surfer sur le Net. Qu'à Noël on lui installe un parc, un sapin, des étoiles qui scintillent, au lieu de le passer seul, et que le type à la barbe blanche revienne toutes les années qui suivent. Que la balançoire de mon jardin couine à nouveau et que je ressorte le vélo, que je retrouve une raison de me balader sur le port et de retourner à la piscine, un prétexte pour aller faire du grand 8 à la foire et me gaver de dessins animés. Vrai, tu me proposes ça, Marianne ? Que jusqu'à mes soixante ans un gamin ou une gamine de pas encore dix ans me fasse des bisous chaque matin, me saute sur les genoux et me dise « Papa, tu piques » en m'embrassant quand même ! Que je ne finisse pas vieux comme un con, à m'interdire de téléphoner chaque semaine à mes grands enfants qui n'ont plus rien à me dire, et qu'à la place un gosse me réclame une histoire et se pende à mon cou jusqu'à me casser le dos pour que je ne sorte pas de sa chambre ? Vrai, Marianne, tu me proposes ça ? Tu me proposes de tout recommencer, un nouveau cycle, de tourner les aiguilles à l'envers, de tout rembobiner, de gagner vingt ans de vie d'un coup… Tu me proposes vraiment ça, Marianne ?

Marianne tira sur la main de Papy, pour l'attirer vers elle.

L'ex-lieutenant Pasdeloup se laissa faire.

— Tu seras pas déçue. Je serai un père idéal.

Marianne approcha ses lèvres des siennes, murmura juste avant :

— T'as intérêt. Moi, je vais être une mère super chiante.

Composition et mise en pages
Nord Compo à Villeneuve-d'Ascq

Imprimé en Espagne par
Liberdúplex
à Sant Llorenç d'Hortons (Barcelone)
en avril 2020

Dépôt légal : mai 2016
S26584/11